н частного сыска Иван Подушкин»:

ных дам
тной воды
ы-Яги
Геракла
рок разбойниц
ина для Казановы
тгудях
и Зайка
одно место
пашку
Кристо
рове сокровищ
нты

Сериал «Джентльме

1. Букет прекрас
2. Бриллиант му
3. Инстинкт Баб
4. 13 несчастий
5. Али-Баба и с
6. Надувная женщ
7. Тушканчик в б
8. Рыбка по имен
9. Две невесты на
10. Сафари на чере
11. Яблоко Монте-
12. Пикник на остр
13. Мачо чужой ме

при

Сериа

1. Кру
2. За
3. Дам
4. Да
5. Эт
6. Ж
7. Н
8. К
9. Б
10.
11.
12.
13.
14.

Се

1.
2.
3.
4.
5.
6
7
8
9

Дарья Донцова

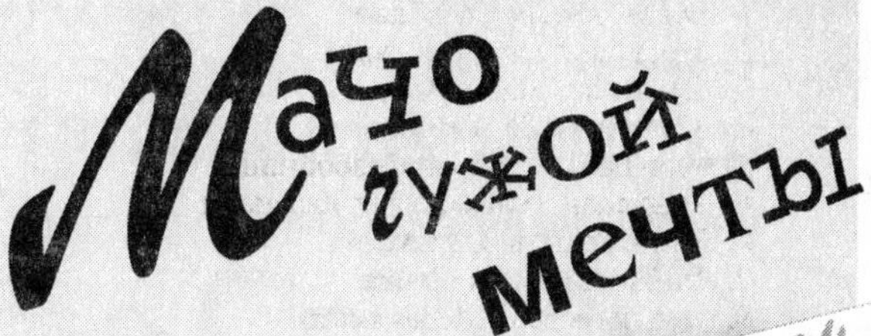

роман

№ 1144

Советы

советы

от безумной оптимистки Дарьи Донцовой

Москва
Эксмо
2006

ИРОНИЧЕСКИЙ ДЕТЕКТИВ

«ВКУСНАЯ» книга от звезды иронического детектива!

Представляем всем поклонникам творчества

Дарьи Донцовой

уникальное подарочное издание

Дорогие читатели!

Не удивляйтесь, что я, Дарья Донцова, вместо детектива написала кулинарную книгу. Я давно собирала рецепты, а так как мне жаль времени на готовку, то в основном, это оказались рецепты, не требующие больших усилий и времени от хозяйки. За исключением, может быть, пары-тройки необычных блюд типа «Паэльи». Но это так вкусно, что вы нисколько не пожалеете о потерянном времени. Итак, в этой моей книге не будет трупов, но будет гусь, фаршированный яблоками, экзотические соусы и многое, многое другое.

Приятного аппетита!

Мачо чужой мечты

роман

Дорогие мои, любимые читатели!

В этом году я решила наградить самых постоянных и активных из вас!

Это значит, что я готовлю вам подарки!

Как принять участие в розыгрышах подарков?

Это просто! В этой книге вы найдете купон. Точно такие же купоны будут и во всех других моих новых книгах с твердой обложкой, которые выйдут с июня по ноябрь 2006 г. (за это время я опубликую 7 новых романов).

Каждый из вырезанных и заполненных вами купонов присылайте мне почтой по адресу: 111673, г. Москва, а/я «Дарья Донцова».

Не копите купоны — присылайте их сразу! Так вы сможете принять участие сразу в трех розыгрышах подарков в течение года!

Вот и все! Остальное зависит от вашей удачи и того, насколько внимательно вы ознакомились с описанием розыгрышей.

ОПИСАНИЕ РОЗЫГРЫШЕЙ

В течение этого года вы сможете принять участие сразу в трех розыгрышах подарков!

- **1-й розыгрыш**

Состоится 10 августа 2006 г. среди всех успевших прислать хотя бы один купон за период конец мая — начало августа. Каждый пятый участник розыгрыша получит заказной бандеролью **стильный шарфик** (сама выбирала).

Кроме того, всем участникам первого розыгрыша — памятное письмо от меня и... четыре чистых конверта. Конверты — для того, чтобы вам было удобнее участвовать в розыгрышах.

- -

- **2-й розыгрыш**

Состоится 10 октября 2006 г. среди всех приславших 3 заполненных купона за период конец мая — начало октября. Каждый десятый участник обязательно выиграет **бытовую технику**. Заметьте, вам не придется за ней никуда ехать — технику доставят вам на дом.

- -

- **3-й розыгрыш**

Состоится 10 декабря 2006 г. среди всех приславших 5 заполненных купонов за период конец мая — начало декабря.

Самые удачливые получат суперприз — семейную поездку в Египет! Всем остальным участникам 3-го розыгрыша — сюрприз от меня на память.

Разумеется, присланные вами в течение года купоны участвуют во всех трех розыгрышах.

*P. S. Всю дополнительную информацию можно получить на моем сайте www.dontsova.ru, на сайте моего издательства www.eksmo.ru и по телефону бесплатной горячей линии **(495) 642-32-88**.*

Глава 1

«Если не хотите потолстеть, то никогда не ешьте торт вместе с хлебом».

Я отложил в сторону глянцевый журнал и с тоской уставился на обложку, где красовалась блондинка с выпуклыми глазами сытого пекинеса. Интересно, во всех изданиях для женщин публикуют подобные статьи или мне попался особо «продвинутый» номер? Погибая от скуки, я схватил валявшийся в прихожей журнал, по инерции начал изучать его содержание и узнал много интересного о мужчинах. Оказывается, все представители сильного пола являются дичью с безлимитным сезоном охоты. Причем в отличие от животных, которые худо-бедно охраняются законом и могут некоторое время в году ощущать себя в полнейшей безопасности, мужчины находятся постоянно под прицелом. Для того чтобы милые дамы могли заполучить себе сильную половину, работают целые отрасли. После прочтения глянцевых страниц во мне поселилась стопроцентная уверенность: вся косметика, парфюмерия и одежда вместе с бельем и обувью создаются лишь с одной целью — помочь захомутать мужика. Ни в одной статье я не прочел: «Девушки, осваивайте профессию, делайте карьеру, учитесь самостоятельно отвечать за свои поступки, развивайте ум и воспитывайте в себе терпимость к окружающим». Нет, журналисты — думаю, основное их количество состоит из прекрасных дам — проповедовали: «Сочная помада сделает ваши губы призывными», «Новая модель лифчика значительно увеличит грудь, вам обеспечено внимание», «Босоножки на высоком каблуке даже короткие ноги превратят в длинные, и вы покорите его». Представляете размер катастрофы? Приводите домой роскошную блондинку... Ладно, вы на ней женились, и вот рано или поздно наступит момент, когда супруга снимет тот самый лифчик, скинет босоножки, умоется, и что вы увидите?

Наверное, надо делать ставку не на обувь и пудру, а на нечто иное. Кстати, девицы, самозабвенно расписывающие новинки макияжа, абсолютно упускают один очень важный нюанс — это вкус косметики. Иногда мужчина хочет поцеловать женщину, и если она в этот момент находится в боевой раскраске индейца, то кавалера может попросту стошнить, в прямом смысле слова. Губная помада, как правило, на вкус напоминает несвежее сливочное масло, в которое по недоразумению добавили анилиновые краски. Я уж не говорю о пудре, которая забивается в нос кавалеру и вызывает приступ чихания и кашля. Правда, в последнее время производители начали ароматизировать косметику, но стало только хуже. Теперь вы рискуете наесться блеска, пованивающего клубникой, шоколадом или ванилью. Ей-богу, остается удивляться недальновидности производителей, ну кто в основном целует женщин? Особ с нормальной ориентацией на свете подавляющее количество, своими накрашенными губами они тянутся к мужчинам. Значит, краски должны иметь вкус, который по душе представителям сильного пола: пива, котлет, шашлыка, коньяка, виски, соленых орешков, но никак не липких карамелек.

Положа руку на сердце, скажите, что важнее: роскошный кружевной лифчик или его содержимое? Лично меня охватывает жестокое разочарование, когда дама, потупив взор, вылезает из шикарного белья, и ты понимаешь: роскошные формы — обман. Грудь казалась высокой благодаря мелким хитростям бюстгальтера: наполненные гелем подушечки, поролоновые вставки, железные полукружья...

Что там еще придумано, дабы окончательно задурить голову наивным парням? Утягивающие колготки, в которых самым расчудесным образом прячутся толстые ляжки? Корсет, превращающий поленообразное туловище в «рюмочку»? Ботокс, разглаживающий лоб?

Ладно, оставим в покое ту часть журнала, которая занимается внешностью, и прочтем страницы, где обсуждается психологическая сторона атаки на зверя по имени «муж». Лично я после изучения рекомендаций «человековедов» сначала пришел в здоровое недоумение, а потом впал в негодование. Получается, что представители сильного пола — это вечно голодные бабуины. При виде миски, наполненной горячей едой, и бутылочки запотевшего пива любой мужчина, по мнению авторов данного журнала, забудет обо всем на свете, более того, мы не способны ни на какие эмоции, пока не набьем желудок жратвой, а насытившись, сразу же идем на поводу у основного инстинкта. Сильной половиной человечества можно легко управлять, нажимая на эти две педали. Хочешь похвалить — накорми и уложи в постель, желаешь поругать — лиши всех радостей, и жертва упадет к твоим ногам, простирая руки и стеная:

— Милая, не будь жестока!

А еще, оказывается, в спальне необходимо зажечь свечи или ароматические палочки, и женихи словно мотыльки полетят на огонь. Господа, эти психологи когда-нибудь задавали обычным мужчинам вопрос:

— Ребята, вам нравятся облака вонючего дыма? Вы в восторге от партнерши, которая, просидев полвечера в ванной, ложится в кровать, липкая от крема, облитая духами и обсыпанная тальком?

Кроме голода и сексуального возбуждения, мужчины испытывают и массу других эмоций: гнев, ненависть, раздражение, ревность, любовь, нежность, желание оберегать женщину и...

— Ваня! — закричала Элеонора. — Ты чем занят?

— Читаю, — честно признался я, живо запихивая идиотский глянец под плед.

Нора, забыв постучать, вошла в мою комнату, я быстро схватил со стола роскошный том «Цивилизация инков». Не дай бог хозяйка увидит в моей спальне дамское издание, потом греха не оберешься, начнет подсмеиваться, подкалывать. Ни за что не поверит в то, что я стал просматривать его из чистого любопытства.

— В прихожей лежал журнал, — сказала Нора, — я понимаю глупость вопроса, но не брал ли ты его?

— Нет, — живо соврал я.

— Куда он подевался? — дернула плечом Элеонора. — Неужели Ленка уперла? Пойду пороюсь у нее в комнате, хотя предположить, что домработница взяла его, нелепо. Не знаешь, она умеет читать?

Я хмыкнул. Нора страшный человек, язык у нее словно ядовитое жало. Особо язвительной хозяйка делается, если устанет или чем-то недовольна, а сегодня, похоже, Нора встала не с той ноги.

Сердито покашливая, Элеонора ушла, я вскочил, на цыпочках прокрался в прихожую и громко воскликнул:

— Вы ищете журнал под названием «Счастье»?[1]

Хозяйка вышла из спальни Ленки в коридор.

— Да.

— Вот оно!

— Я только что перерыла весь холл и ничего не обнаружила, — с подозрением протянула Нора.

— За тумбу упал, — с самым честным видом объяснил я, — вы читаете «глянец»?

Элеонора ответила:

— Да, обожаю на досуге посмотреть картинки с тряпками!

Я замолчал, а хозяйка подошла, взяла у меня «Счастье» и, полистав страницы, заявила:

— В особенности я в восторге от статьи «Как забеременеть без особого труда». Интересно, что корреспондентка имела в виду под «трудом»? Ваня, не стой столбом! К нам сейчас придет редактор «Счастья»... э... Катерина... э... э... фамилию забыла. Ну, да не в ней суть. Девица будет брать у меня интервью.

— Зачем? — весьма нетактично поинтересовался я.

---

[1] Подобного журнала на момент написания книги не существовало. Все совпадения случайны.

— Хороший вопрос! — ответила Нора. — Для того, чтобы получить его! «Счастье» пишет о женщинах, я показалась им примером успешной бизнесвумен, отсюда и интерес! Вот приобрела сей журнальчик, пойду погляжу, что он собой представляет!

— Не жалко вам тратить время на глупости? — вырвалось у меня.

Элеонора усмехнулась:

— Ваня, у нас сейчас перебой с клиентами. Никто не ожидал, что подобный кризис случится осенью, я, естественно, предвидела спад летом, и он произошел, как и рассчитывала, в августе. Но я абсолютно не планировала, что простой продолжится и в сентябре. Сегодня одиннадцатое число, и никаких клиентов!

— Многие предпочитают проводить отпуск в первый месяц осени, — утешил я Элеонору, — на юге наступает бархатный сезон: ни крикливых детей, ни пьяных студентов, лишь респектабельные люди.

— И тут я скумекала, — совершенно не обращая на меня никакого внимания, продолжила Нора, — нам не хватает пиара. До сих пор слава о «Ниро» распространялась лишь среди наших знакомых, а после статьи в журнале она разнесется по всей Москве и окрестностям.

Я испугался:

— Вы хотите расширить бизнес?

Элеонора заморгала:

— Зачем?

— Нас всего двое, — продолжал я, — мозг — это вы — и, так сказать, ноги, к коим я отношу себя. Правда, теперь, когда вы встали из коляски...

— Тебе все равно не удастся подняться до уровня мозга, — рявкнула Нора, — никакого увеличения штата сотрудников не предвидится. Просто из огромной массы проблем, с которыми кинутся клиенты в мое детективное агентство «Ниро», я начну выбирать самые интересные дела! А то последнее время просто тоска заела! Ладно, пойду почитаю журнал, внешне он смотрится совсем даже неплохо, не правда ли? Надеюсь, обложка соответствует содержанию!

Я с готовностью закивал, вот тут Нора попала в точку! Под идиотской обложкой моя хозяйка обнаружит такое же.

— Журналистка заявится в полдень, — крикнула Нора и исчезла в своей комнате, — будь готов.

— Но это ваше интервью! — напомнил я.

— И что? Ты будешь присутствовать в качестве начальника розыскного отдела! — сообщила Нора. — Звезде нужна толпа, иначе она самый обычный человек, а не VIP-персона.

Без пятнадцати час прозвучал звонок в дверь. Я открыл ее и оказался буквально растоптан жилистой дамочкой, одетой в «сексуальный, соблазнительный топик, подчеркивающий формы, и модные брюки, украшенные ручной вышивкой». Последняя часть фразы — цитата из журнала, в котором служит мадам, влетевшая в нашу переднюю. Кстати, никто не знает, отчего вещи с наименованием «ручная работа» столь высоко ценятся? Насколько я понимаю, все вокруг сшито, скроено, сметано именно руками. Подумаешь — «ручная работа»? Эка невидаль!

— Вы сами виноваты, — угрожающе размахивая сумочкой, заявила редактор.

— В чем я провинился? — улыбнулся я. — Мы даже не знакомы.

— Надо предупреждать, что живете хрен знает где, — не успокоилась она, — просто жуть! Еле-еле нашла! Только попробуйте сделать замечание об опоздании! Сразу уйду! Мы решили оказать вам любезность, напечатать интервью на страницах «Счастья», а вы позволяете себе жить на задворках! Безобразие! Ну, куда идти?

Старательно улыбаясь, я провел мадам в кабинет к Норе, хозяйка сделала приглашающий жест.

— Садитесь. Я Элеонора, владелица детективного агентства «Ниро», а это Иван Павлович, начальник отдела... э... следствия и розыска.

— Сколько у вас подразделений? — с места в карьер ринулась редактор.

Нора тряхнула головой.

— Очень много, но все назвать не могу, эта информация является коммерческой тайной. Естественно, существует и техническая, и хозяйственная служба.

Я внутренне ухмыльнулся. Нора старательно подготовилась к интервью, под технической службой, очевидно, подразумевается водитель Шурик, добрый простоватый парень, уверенно управляющий роскошным «Мерседесом» Норы, а хозяйственный отдел — это Ленка, домработница, лентяйка, ухитряющаяся так стирать мои рубашки, что они превращаются в распашонки.

Ничего не знающая о моих мыслях Нора мирно врала дальше, я буквально заслушался речами хозяйки, а потом даже начал испытывать гордость. Вот, оказывается, в каком шикарном месте я состою на службе. Не знал, что «Ниро», по итогам опроса клиентов, стало лучшим агентством России.

Плавное течение беседы прервал резкий звонок в дверь.

— Пойди глянь, кто там, — недовольно сказала Нора.

Я потрусил в приемную. Скорей всего, это Ленка, ходившая на рынок, наша «хозяйственная служба» на редкость безголова.

Я открыл дверь и чуть не ляпнул:

— Опять не подумала о ключах!

Но успел прикусить язык, на пороге стояла симпатичная девочка лет пятнадцати.

— Здравствуйте, — прошелестела она и опустила вниз прелестные голубые глаза.

— Добрый день, — ласково ответил я.

— Агентство «Ниро» тут расположено?

— Именно так, — закивал я.

— Мне надо поговорить, — зарделась девочка, — у меня проблема. Вы не волнуйтесь, никакого напряга с деньгами нет. Заплачу, сколько скажете.

По-хорошему следовало ответить: «Увы, сейчас в комнате хозяйки находится журналист, зайдите, пожалуйста, позднее».

Но девочка была очень мила, ее тоненькие пальчики теребили ручки крохотной сумочки, щеки заливал нежный, естественный румянец, глаза лихорадочно поблескивали. Похоже, у бедняжки и в самом деле приключилась беда, подростки часто попадают в щекотливые ситуации.

— Присядьте, пожалуйста, в кресло, — промямлил я, — сейчас спрошу у Элеоноры, сумеет ли она вас принять.

В конце концов, интервью не может длиться вечно, отведу неожиданную посетительницу в столовую, предложу ей кофе, у нас есть машинка для варки эспрессо.

Девочка покорно опустилась в кресло. Я вернулся к Норе.

— Иван Павлович, — слишком сладким голосом заявила хозяйка, — сделай одолжение, не исчезай без следа, у Катерины есть вопросы по твоей части. Сколько дел мы раскрыли в этом году?

Я кашлянул:

— Надо посмотреть по картотеке.

— Вот и займись!

— Там клиентка пришла, — сказал я.

Нора разозлилась еще больше:

— И что? Пусть явится позднее.

— Молодая девушка, — решил я пролоббировать интересы посетительницы. — Старшеклассница очень нервничает, думаю, с ней приключилась настоящая беда. Не хочется отпускать в таком состоянии, если не возражаете, она подождет пока в столовой.

Брови Норы слегка изогнулись, хозяйка явно была недовольна мною, но ругать подчиненного в присутствии редактора показалось ей неразумным.

— Клиентка? — оживилась Катерина. — Отлично. Вы с ней поболтаете, а я вставлю кусок беседы в материал, это очень украсит статью.

Нора посмотрела на журналистку.

— Навряд ли посетительница пожелает откровенничать при постороннем человеке.

— Я своя! — закричала Катерина. — Скажите, что работаю у вас детективом.

Элеонора прищурилась:

— Нет, подобное невозможно.

— Но я хочу поместить в материале отрывок из вашего с ней разговора, — капризно заявила Катерина.

— Придумайте что-нибудь, — не сдалась Нора, — сочините!

— Вы предлагаете мне, журналистке, солгать! —

опешила Катерина. — Это откровенное оскорбление. Значит, так, либо я слушаю вашу беседу с клиенткой, либо никаких публикаций!

Нора покрылась красными пятнами, я постарался стать незаметным, что с моим двухметровым ростом очень даже непросто.

— Хорошо, — внезапно сказала Элеонора, — поступим так. Иван Павлович приведет девушку, я задам ей пару вопросов, вы получите представление о работе детектива, но потом, когда клиентка начнет излагать суть дела, мы ее остановим, отправим в столовую и завершим интервью. Ладно?

— Угу, — кивнула Катерина.

Глава 2

— Как вас зовут? — спросила Нора, когда девочка села в кресло.

— Сонечка, — тихо ответила та.

Элеонора кивнула.

— А фамилия?

Обычно хозяйка не ведет себя подобным образом, но сегодня она решила убить одновременно несколько зайцев: и Катерине угодить, и клиентку не потерять, и не позволить журналистке засунуть любопытный нос глубоко в чужие тайны.

— Умер, — в ответ сказала девочка и опустила глаза.

Повисла напряженнейшая тишина, потом Нора с несвойственным ей сочувствием поинтересовалась:

— Кто?

— Что? — заморгала Соня.

— Умер? — спросила Нора.

— Я, — ответила девочка.

Элеонора бросила на меня красноречивый взгляд и повторила свой вопрос:

— Кто умер?

— Я, — вновь прозвучало в ответ, — Соня Умер!

Нора выразительно кашлянула, я машинально посмотрел на телефонный аппарат, вернее, на пустую базу — радиотрубка, естественно, валяется в недрах многокомнатной квартиры. Звук, который издала сейчас хозяйка, означает, что мне следует немедленно позвонить в службу под названием «Реальная помощь». Увы, в нашем городе много психически нестабильных людей. После того как к нам заявилась тетка, потребовавшая отыскать мужика, соблазнившего ее дочь, императрицу Екатерину Вторую, и впавшая в буйство после осторожного отказа Норы, хозяйка договорилась с медиками, оплатила абонементное обслуживание, и в случае необходимости к нам моментально выезжает специальная бригада.

Сталкиваясь с психами, мы хорошо знаем: спорить с больным человеком нельзя, следует прикинуться, что вы верите его рассказам, соглашаться с ним и просто ждать врачей. Попытаетесь образумить несчастного, и последствия могут стать печальными.

Психопаты неадекватно реагируют на разумные слова, а еще у них в момент агрессии просыпается редкостная физическая сила.

— Умер, — тихо повторила Соня.

Мне внезапно стало до слез жаль девочку. Представляете ее будущую жизнь? Уколы, от которых она потолстеет, подурнеет и окончательно отупеет, существование в крепко-накрепко запертой палате. Но еще более жаль ее родителей.

Быть психически нестабильным человеком ужасно, еще хуже, однако, находиться в статусе родственника такого больного.

Нора еще раз кашлянула, я начал медленно подниматься из кресла.

— Умер, — вновь произнесла Соня и глянула на меня своими голубыми, похожими на только что распустившиеся васильки глазами.

— Пойду попрошу приготовить нам кофе, — бойко заявил я.

— Да, — спокойно кивнула Нора, — ступайте, Иван Павлович, велите прислуге подать его в столовую.

Я кивнул. Элеонора молодец, даже в трудную минуту не забывает о делах, вот и сейчас разговаривает таким образом, что у Катерины создается впечатление: детективное агентство процветает, тут полно служащих, просто они замечательно вышколены и не попадаются на глаза ни посетителям, ни хозяевам.

— Деточка, — вдруг резким голосом заявила Катерина, — что за глупости вы несете? Кто умер? Говорите четко и ясно. Для начала представьтесь.

— Соня Умер, — покорно сказала больная.

— Опять за свое, — всплеснула руками журналистка, — если бы ты откинула копыта, то лежала бы тихо, в деревянном гробике, сообразила? Раз сидишь тут, то ты жива. Ну-ка, сделай еще одну попытку! Ты Соня... назови свою фамилию, но без идиотизма.

Я замер, не успев сделать ни шага к двери, Нора побагровела, и тут на лице девочки отразилась досада, живо сменившаяся улыбкой.

— Боже, — воскликнула она, — вы и представить не можете, как мне это надоело! Моя фамилия Умер, вернее, Умéр, ударение падает на «е», но все равно люди говорят У́мер. Я уже сама начала так представляться. Куда ни приду, меня сначала за сумасшедшую принимают, покажешь паспорт — хихикают. А сколько идиотских ситуаций случается! Недавно сидела в очереди в ОВИРе, получала загранпаспорт. Открывается дверь, высовывается чиновница и кричит: «Кто Умер?» Люди в шоке, потом впадают в истерию, потому что я спокойно отвечаю: «Это я!»

После такого заявления около меня все стулья опустели.

— Вас зовут Соня Умер, — протянула Нора. — Извините, конечно, за нескромный вопрос, но почему вы не поменяете фамилию?

— По какой причине я должна отказаться от фамилии своего деда, отца и прочих родственников? — сердито ответила девочка. — У нас дома имелось генеалогическое древо, поверьте, среди моих предков были только достойные люди, честно служившие России.

Я мысленно зааплодировал. Ай да Сонечка, мало кому удавалось смутить Нору, а моя хозяйка сейчас, похоже, не знает, как себя вести.

— Если мы разобрались с фамилией, — спокойно продолжала школьница, — то, очевидно, пора перейти непосредственно к делу.

— Вас не смущает откровенный разговор при большом скоплении народа? — спросила Нора.

— Тут лишь свои, — нагло перебила ее Катерина.

Сонечка пожала плечами:

— В моей жизни нет страшных тайн, я обычный человек.

Я мягко улыбнулся. Девочка способна к адекватной самооценке. Редкое качество для подростка и абсолютно уникальное для женщины. Когда Соня вырастет, она превратится в умную особу и...

— Я собралась ехать отдыхать, — продолжала тем временем Соня, — не куда-нибудь там в Эмираты или Испанию, а в наш Крым. Вернее, он теперь, конечно, не наш, а украинский. Заграница! Прямо смешно! Я бы с удовольствием похихикала над ситуацией, если б она не развивалась самым печальным образом. Понимаете, несовершеннолетнему ребенку нельзя пересечь границу без разрешения. Если мать одна везет чадо, ей необходимо разрешение от отца, официально заверенное, с печатью.

Нора откинулась на спинку кресла, я улыбнулся еще шире.

— Сонечка, вы ошиблись адресом. «Ниро» не нотариальная контора, а детективное агентство. Мы никак не можем помочь вам в данной ситуации. Впрочем, у нас есть знакомый нотариус, Светлана Макарова, могу позвонить ей, и вы будете избавлены от томительного сидения в очереди. Но потребуется непременное присутствие вашего папеньки.

— Мой отец умер, — сообщила Соня.

— Ясное дело, Умер, — подхватил я, — но он обязан прийти, потому что у нотариуса потребуется поставить подпись.

— Вы не поняли, — фыркнула девочка, — умер не в смысле фамилии, а в физическом плане, он скончался через пару лет после моего рождения.

Второй раз за последний час я ощутил себя полнейшим идиотом и пробормотал:

— Извините, право, я не хотел!

Сонечка кивнула:

— Не стоит извиняться, откуда вам знать о кончине Антона Евгеньевича. Кстати, я его не помню, дома висят фотографии, но особых эмоций они, увы, у меня не вызывают.

— Тогда я не пойму, в чем проблема! — воскликнула Нора.

— В пересечении границы, — терпеливо повторила девочка, — необходимо разрешение от отца.

— Одна моя подружка, — противно захихикала Катерина, — попала в ту же ситуацию: хотела на море скататься. А ее бывший, ну такая падла, не пошел разрешение оформлять. Ленка ему позвонила и говорит: так и так, сбегай к нотариусу, а муженек и заявил: «Хвасталась, что без меня проживешь? Вот и флаг тебе в руки, уезжай на курорт как хочешь!»

— Крайне неблагородный поступок! — возмутился я.

— Да сука он! — запальчиво воскликнула Катерина.

— И каким образом эта Лена выкрутилась? — вдруг заинтересованно спросила Сонечка.

Катерина усмехнулась:

— А, ерунда! Дала в загсе взятку, и ей сотрудница выписала свидетельство о смерти бывшего мужа. Теперь она показывает его пограничникам, и те берут под козырек. Поэтому в вашем случае все просто: мама продемонстрирует документ — и полная свобода.

Сонечка еще шире распахнула голубые глаза.

— Но у меня нет подобной бумаги.

— Правильно, деточка, — голосом профессиональной учительницы заявила Нора, — естественно, необходимый документ хранит ваша мама.

— Она тоже умерла, — грустно ответила Соня.

В глазах Норы промелькнула откровенная жалость.

— А с кем ты живешь?

— С сыном.

— С сыном своей мамы? — уточнила Элеонора. — Со старшим братом? На границе у вас не будет задержки, юноша должен взять документы, подтверждающие смерть родителей, и ваши свидетельства о рождении. Думаю, это все. Хотя лучше проконсультироваться у специалиста. Сейчас Иван Павлович позвонит Анне Сергеевне Рединой, она давно занимается отправкой детей за границу, как на отдых, так и на лечение. Анна полностью прояснит ситуацию, и ты спокойно пойдешь домой.

— Но...

— Нет, нет, — не дала договорить девочке Нора, — никаких денег ты нам не должна.

— Боюсь, вы неправильно меня поняли, — потупила взор Сонечка. — Я иногда веду себя совершенно по-идиотски, и люди составляют неверное представление о ситуации.

— Деточка, — пропела Нора, — ты молодец, мы поняли твою проблему и...

— Да нет же, — махнула тонкой рукой Соня, — у меня нет родственников, братьев в том числе.

Я глянул на Нору, может, все же позвонить докторам? Ей-богу, странный разговор получается.

— Но только что ты говорила о сыне своей мамы, — парировала Нора, — впрочем, может, ты не считаешь его братом?

— Я сообщила о сыне, — с легким раздражением напомнила Соня, — но ничего не говорила о маме. Это мой сын.

— Твой? — подпрыгнула Катерина. — И сколько ему лет?

— Пять.

— Ну и ну, в каком же возрасте ты его родила, в детсадовском, что ли? — ляпнула Нора. — Сколько тебе самой лет?

Сонечка тяжело вздохнула:

— Больше двадцати и меньше тридцати.

— Сколько? — хором спросили дамы.

— Я не люблю уточнять цифры, вам необходим год, указанный в паспорте? — слегка покраснела посетительница. — Надеюсь, вы не потребуете документ? Хотя я уже привыкла носить его с собой. Представляете, вчера мне в супермаркете отказались продать сигареты.

— На месте продавщицы я поступил бы точно так же, — заявил я, — вы выглядите школьницей, простите, если обидел.

Соня звонко рассмеялась:

— И какого класса?

— Максимум восьмого.

— Спасибо, очень милый комплимент, — окончательно развеселилась посетительница. — Давайте начнем беседу сначала, я сама виновата, запутала всех. Итак, меня зовут Соня Умер. Будучи молодой и глупой, я выскочила ненадолго замуж за Андрея Вяльцева, думаю, вы не раз слышали его имя.

— Это тот Вяльцев? — вытаращила глаза Катерина.

— Верно, — кивнула Сонечка, — он самый.

— Прикол! — взвизгнула Катерина. — Но постойте! Чую здесь сенсацию! Вяльцев во всех интервью утверждает, что никогда не менял статус холостяка.

— Кто такой Вяльцев? — рявкнула Нора.

Катерина заломила руки.

— Вы не знаете?

— Нет, — хором ответили мы с Норой.

— Вы ископаемые, — закатила глаза Катерина, — доисторические чудовища! Только не говорите, что не видели ни одной серии фильма «Моя ужасная леди»[1].

— Очень редко смотрю телевизор, — призналась Нора.

Я закивал головой.

— Увы, я тоже не часто включаю голубой экран, не из снобизма, а из-за отсутствия свободного времени.

— Вау! — подпрыгнула в кресле журналистка. — Но о чем тогда вы беседуете на тусовках? Сейчас все обсуждают Вяльцева, а еще на него идет охота! Только представьте: молодой, холостой, обеспеченный, красавец. Настоящий мачо, рост, внешность, блондин, глаза, руки, рот! Ах!

— С ростом у Андрея беда, — фыркнула Сонечка. — Присмотритесь повнимательней, ваш супермачо всегда носит ботинки на толстой подметке, и он красит волосы, на самом деле они у него серые, как у мыши, и вьются в результате химии!

— Золотко, — нежно пропела Катерина, — а вы ничего не путаете? Может, ваш бывший муженек просто полный тезка того Вяльцева?

— Я похожа на сумасшедшую? — разозлилась Соня.

— Нет, конечно, — быстро сказала Нора. — Значит, некоторое время вы жили вместе с кумиром миллионов российских женщин?

---

[1] На момент написания рукописи сериала с подобным названием не существовало. Любые совпадения случайны.

— Ну, когда мы встретились, он был никому не известный парень, — пояснила Соня. — Если прекратите меня перебивать, я сумею наконец внести ясность.

— Слушаю внимательно, — кивнула Нора.

Сонечка Умер коренная москвичка. Почему ее далекие предки обзавелись такой фамилией, она не знает, но дома, на стене, висит изображение генеалогического древа, и Соня может назвать своего прапрапрапрадеда, служившего верой и правдой еще Петру Первому. Все мужчины в роде Умер были военными, а их жены занимались домашним хозяйством. Родители Сони продолжили семейную традицию, папа дослужился до полковника, правда, в гарнизоне он никогда не бывал, преподавал математику в одной из военных академий, а мама самозабвенно пекла пироги. Кстати, мать Сони, Тильда Генриховна Бонс, происходила из более древнего рода, чем ее муж Антон Евгеньевич Умер. У Бонс имелась древняя семейная Библия, где разными почерками были записаны даты рождения детей. Самая первая датировалась седьмым июня тысяча пятьсот сорок четвертого года, если перевести ее на современный язык, то немецкий текст: «Хвала Господу, пославшему мне здорового сына Генриха. Теодор Бонс». Имена Генрих и Теодор стали у Бонсов повторяться, а девочек чаще всего называли Тильда или Брунгильда.

Когда на свет появилась Соня, Тильда решила, как и предписывала семейная традиция, записать дочь Брунгильдой, но наткнулась на категоричное «нет» супруга.

— Ты с ума сошла! — раскричался Антон. — Как бедной девочке потом жить?

— Я великолепно чувствую себя Тильдой, —

возразила жена, — следует хранить традиции. Мы, Бонсы...

— Моя дочь станет Умер, — перебил супругу Антон, — а у нас иные привычки. Девочка будет Софьей в честь моей матери.

Тильда испугалась не на шутку.

— Хорошо, — согласилась она, — пусть не Брунгильда, но и не Софья! Лучше Анна или, если хочешь, Евгения, в честь свекра.

— Софья, — решил настоять на своем муж, — это мое любимое имя.

— Милый, — взмолилась Тильда, — что угодно, но не Соня.

— Не знал, что ты так ненавидела свою свекровь, — каменным тоном процедил Антон. — Да и что она тебе плохого сделала? Мама умерла еще до нашей свадьбы.

— Все дело в ее смерти, — попыталась донести до Антона свой страх Тильда, — говорят, дети, названные в честь родственников, непременно повторяют их судьбу. А несчастная Софья Михайловна умерла в возрасте двадцати семи лет, ты рос сиротой. Разве хорошо называть дочку в честь человека трагичной судьбы?

Антон побелел.

— Маму убил грабитель, залез на дачу, хотел поживиться деньгами, открыл у отца в кабинете бюро, и тут Софья Михайловна проснулась. На грех, она решила посмотреть, откуда доносится шум, и пошла вниз. Негодяю ничего не оставалось, как попытаться скрыться, но испуганная хозяйка начала звать на помощь, тогда вор ударил мать табуреткой по голове. Мерзавца не поймали, Софья Михайловна скончалась. Так ли обстояли дела на даче в ту роковую ночь, неизвестно, но следствие попыталось реконструировать картину и пришло к выводу: Софья погибла вследствие разбойного нападения.

— Вот видишь! — в ужасе воскликнула Тильда. — Лучше дадим дочери имя Анна.

— Хорошо, — внезапно согласился Антон, — но тогда ты будешь воспитывать ребенка одна, я уйду прочь из дома...

— Суровый у вас был папенька, — не выдержал я.

Сонечка развела руками.

— Да, похоже, характер у него был нелегким. Мама побоялась спорить с мужем, но покорность не принесла ей счастья. Антон Евгеньевич довольно скоро скончался. Мамочка один раз, потеряв самообладание, воскликнула: «Надо было все же назвать тебя Анной. Антон все равно ушел, я одна с тобой мучаюсь. Ну осталась бы ты без отца сразу, а не потеряла его в три года, зато сейчас я не дрожала бы от страха».

Мама боялась, что я повторю судьбу Софьи Михайловны, меня убьют в двадцать семь лет. Она часто повторяла: «Вот справишь двадцативосьмилетие — и живи спокойно, а до этого соблюдай крайнюю осторожность. Помни, ты под прицелом судьбы».

— У некоторых баб начисто отсутствует разум, — взвилась Нора, — внушать ребенку такую чушь!

— Элеонора не хотела вас обидеть, — живо вступил я в разговор, — но позиция вашей мамы очень странная.

Соня сложила руки на коленях.

— В детстве я действительно жутко боялась грабителей, отказывалась одна ночевать дома, потом поняла — у мамы фобия, не следует придавать ей значение. Кстати, мне завтра исполнится двадцать восемь, я жива и здорова, следовательно, мама ошиблась. Понимаете теперь, почему я не люблю уточнять дату своего рождения?

— Еще не вечер, — каркнула Катерина.

Я испытал редкое для себя желание стукнуть журналистку по голове толстенным томом «Речи великих русских адвокатов», который лежал у Норы на краю стола.

Сонечка весело рассмеялась:

— Однако! Спасибо за напоминание. У мамы, кстати, имелась еще одна идея фикс, и она тоже оказалась ложной.

Глава 3

— Какая? — быстро спросила Нора.

Соня поежилась.

— Могу представить вашему вниманию вторую семейную легенду. Прапрабабушка Брунгильда, входя в кондитерскую лавку, случайно столкнулась с офицером, любовь возникла сразу, они поженились и жили счастливо пятьдесят лет. Ее дочь Тильда повстречалась со своим мужем на улице, уронила перчатку, а Вильгельм ее поднял. Результат — свадьба и долгие совместные годы жизни. Бабушка Брунгильда нашла мужа у подруги дома, к которой заехала из-за внезапно начавшегося дождя. Константин был в Москве проездом на один день, и, ясное дело, все опять закончилось маршем Мендельсона. Моя мама тоже ненароком познакомилась с папой и ежедневно повторяла: «Сонечка, в нашей семье женщины выскакивают замуж абсолютно спонтанно, и ты так найдешь мужа».

Самое интересное, что Тильда оказалась права.

Как-то раз Сонечка поехала на Ленинградский вокзал. Ее ближайшая подруга Олеся Реутова собралась посетить Северную столицу, там ее ждал любимый человек. Реутова хотела убежать пораньше с работы, но ее не отпустили, и тогда Олеся позвонила Соне и взмолилась:

— Будь добра, съезди, купи мне билет.

Сонечке страшно не хотелось катить на Комсомольскую площадь. Во-первых, она терпеть не могла это слишком суетное место, во-вторых, в кассу придется отстоять очередь, в-третьих, у Сони были совсем другие планы на вечер, но Олеся так ее умоляла, что Софья уныло сказала:

— Ну ладно.

— Ты лучшая подруга на свете, — заявила Реутова и швырнула трубку.

Пришлось оправдывать сие звание и ехать к трем вокзалам. Действительность оказалась хуже предполагаемой. Для начала пьяный бомж чуть не вырвал у Сони сумочку, в которой лежал добытый после томительного кукования в очереди у кассы билет, затем Соня поскользнулась, упала и разорвала колготки; не успела она встать, как снова оказалась на грязном асфальте: какой-то парень толкнул ее здоровенным чемоданом.

— Идиот, — заорала всегда вежливая Соня, — чтоб тебе ногу сломать!

Неожиданно юноша обернулся.

— Вы что-то сказали? — растерянно спросил он.

— Да, — совсем обозлилась Соня, — похвалила от души.

— Меня?

— Верно.

— За что? — хлопал глазами провинциал.

— За ловкость и вежливость, — язвительно

ответила Соня. — Стукнул девушку чемоданом и дальше побежал. Надо же, еще и сумочка испачкалась.

Недотепа кинулся к Соне, бросив свой уродливый саквояж.

— Простите, — затараторил он, — это случайно получилось, я не хотел. Растерялся. Не знаю, куда идти! Столько народа!

Сонечка скорчила гримасу. Все понятно, неуклюжий хам из какого-то Задрипанска! Увидел столицу и ошалел, ну сейчас она, Соня, ему все скажет!

Соня набрала полную грудь воздуха, и тут юноша наклонился, протянул руку, и она увидела его глаза, темно-карие, бездонные.

— Извините, — красивым баритоном продолжал незнакомец, — скажите, где у вас продают сумки. Куплю вам новую взамен испорченной.

— Как тебя зовут? — прошептала Соня, внезапно поняв, что все рассказы мамы про внезапную любовь правда.

— Андрей Вяльцев, — смутился приезжий.

— А я Соня, — представилась девушка, — вот и познакомились.

— Ты не сердишься! — обрадовался Андрей.

— Нет, и даже предлагаю пойти в кафе, отметить встречу, — ответила Соня, изумленная собственной смелостью.

До сих пор ей не приходило в голову приглашать кавалеров на чашку кофе.

— Ой, здорово, — обрадовался Андрей, — только ты сама покажи, где лучше. Я в Москве впервые.

— Бери чемодан, — распорядилась Соня, — ты зачем в столицу приехал?

— Поступать в театральный, — ответил Вяльцев, — подам документы, мне общежитие дадут. Ой, а где багаж?

Соня оглядела пустой тротуар.

— Украли, — констатировала она.

— Кто? — растерянно спросил Андрей.

Соня лишь махнула рукой: похоже, Вяльцев наивен сверх всякой меры.

— Документы где? — поинтересовалась девушка.

Андрей похлопал себя по пиджаку:

— Во внутреннем кармане, булавкой пришпилены, и деньги там. Как же я без вещей?

— Ерунда, — мотнула головой Соня, — поехали ко мне, попьем чаю и составим план действий.

Может, кому-то это покажется странным, но Тильда с радостью приняла абсолютно незнакомого человека. Пока Андрей мыл руки в ванной, мать сказала дочери:

— Сонюшка, вот она, твоя судьба! Вы познакомились случайно, на улице, как все наши родственницы!

Соня засмеялась:

— Мама, не строй планы! Я просто решила помочь человеку.

— Ну-ну, — закивала Тильда, — молчу!

Наверное, Андрей был талантлив, потому что его приняли в престижное учреждение, откуда вышло много известных актеров. Вяльцев получил общежитие, но каждый день ходил в гости к Сонечке, ел обеды, приготовленные хозяйственной Тильдой, брал у приятельницы в долг и частенько забывал отдавать мелкие суммы. Соня о займах не напоминала, она понимала, что на стипендию прожить невозможно, а родственников, способных помочь ему материально, Андрей не имел. Он вообще очень неохотно говорил о своей семье, и у Сони создалось впечатление, что Вяльцев стыдится отца и матери, он ни разу не назвал их по имени.

Андрей очень нравился Соне, и ей было все равно, из какой среды он происходит. Тильда считала Вяльцева зятем и встречала его на пороге с поцелуями.

Потом Соня забеременела и сообщила о случившемся Андрею. Тот опешил, но проявил себя с лучшей стороны.

— Ребенок должен родиться в браке, — задумчиво сказал он, — пошли распишемся.

— Прямо сейчас? — изумилась Соня.

— Можно завтра, — кивнул Вяльцев.

— Но сразу не получится, в загсе дают срок на обдумывание, — пояснила она.

— Положись на меня, — выпрямился Андрей, — значит, завтра!

Соня пересказала разговор маме.

— Вот и хорошо, — обрадовалась Тильда.

— Я хочу белое платье, фату и праздник, — уперлась Соня.

— Дурочка, — ласково сказала практичная Тильда, — ты станешь быстро толстеть, раздашься в боках, по лицу пятна пойдут. Косметику придется отменить, красивое платье не надеть. Вдруг Андрей передумает? Надо ковать железо, пока горячо. Он хочет завтра идти в загс? Обещает договориться с тамошними сотрудницами? Не кривляйся и не отказывайся.

— А белое платье? — упорно повторяла Соня.

— На первую годовщину наденешь, — пообещала Тильда, — закатим пир, позовем приятелей. Послушай меня, дочка!

Мама всегда была для Сони авторитетом, поэтому девушка послушно отправилась с Андреем в загс и в мгновение ока стала супругой Вяльцева.

Месяцы в ожидании ребенка прошли тихо. Соня в основном сидела дома, ее мучил токсикоз, Андрей же внезапно получил роль в сериале «Ветер»[1] и пропадал на съемках. Потом на свет появился Марк.

Андрей сразу укатил на съемки. «Ветер» показали по телевизору, и Вяльцев в одночасье стал популярным. Сонечка упустила момент превращения мужа в звезду, ее голова была занята Марком. Дел хватало, от супруга помощи ждать не приходилось. Андрей, правда, исправно давал деньги, но оставался дома от силы три дня в месяц. Сонечка чувствовала себя монахиней, к ней никто не приходил, кроме Олеси. Никакие друзья мужа к ним в гости не заглядывали.

Как-то раз Соня, уложив спать Марка, включила телевизор и увидела собственного мужа. Андрей был одет в незнакомую ярко-синюю рубашку и казался очень веселым. Вопросы ведущая задавала самые простые, потом из зала стали выскакивать фанатки и протягивать своему кумиру букеты, плюшевые игрушки. Неожиданно Соня ощутила укол зависти, похоже, у мужа веселая жизнь, а она никуда не выходит, только в магазин. Сегодня среда, а последний раз муж звонил ей в понедельник, жаловался на крайне напряженный график съемок, но ведь нашел время для участия в шоу. Противная, болтливая ведущая постоянно напоминала:

— Мы в прямом эфире.

---

[1] В момент написания рукописи фильма с подобным названием не имелось. Любые совпадения случайны.

Зависть перешла в злость. Вот, значит, как! Андрей запер жену, никуда с ней не ходит. Может, Вяльцев стыдится Сони? Она хотела выключить телевизор, но тут вдруг Андрею задали вопрос.

— Как жена относится к вашей славе?

Сонечка замерла, вот сейчас Вяльцев похвалит ее, вспомнит Тильду, обожавшую его, расскажет о Марке... Но супруг с наивным недоумением переспросил:

— Кто? Моя жена?

— Да, — закивала ведущая, — говорят, вы ее прячете!

Андрей звонко рассмеялся:

— Конечно. За семью замками. Я не состою в браке.

Соня прижала руки к груди, у нее отчаянно заколотилось сердце.

— Правда? — с легким недоверием обратилась к гостю хозяйка студии.

— Я еще слишком молод, — пояснил Андрей, — и пока не встретил ту самую, единственную.

— У нас иные сведения!

— Какие? — напрягся Вяльцев.

— Одна маленькая птичка, — погрозила пальцем ведущая, — принесла на хвосте новость: Андрей Вяльцев связан узами брака с некой Софьей, и у пары не так давно родился сын.

— Ах это, — скорчил гримасу Андрей. — Ладно, придется объяснить. Я ведь не москвич, приехал из глубинки. В общежитии невозможно ни учить роль, ни отдыхать, условия ужасные. Вот я и нашел выход. Одна милая дама, коренная москвичка, предложила мне, так сказать, бартерную сделку. Ее дочь, юная, но весьма неразборчивая в связях особа, забеременела от неизвестного кавалера. Я должен был жениться на глупышке, покрыть, так сказать, грех. А за это получу московскую прописку и право жить в одной из комнат в их квартире. Правда, не бесплатно.

Мне предложение показалось заманчивым, и мы ударили по рукам. Да. По документам я женат, но фактически холост, давно не встречаюсь с супругой.

— Знакомая история, — закивала ведущая, — не вы первый пошли по такому пути.

Андрей развел руками.

— Может, это и не слишком нравственно, но кому от такой ситуации плохо? Девушка избежала позора, я обрел статус москвича. Кстати, получив гонорар за «Ветер», я купил квартиру, там заканчивается ремонт. К лету вновь стану холостяком и въеду в новые хоромы. Да вы спросите у любого, с кем Андрей Вяльцев ходит на тусовки, — с девушкой или один. Имей я молодую жену, неужели б не показал ее всему свету?

Зал одобрительно зааплодировал. Соня сидела словно кролик, загипнотизированный удавом.

Когда через неделю Андрей приехал домой и преспокойно сел обедать, она язвительно спросила:

— Где плата?

— За что? — не понял супруг.

— Пора отдавать долг за комнату, — ринулась в бой Соня. — Извини, забыла, какую я тебе цену назначила?

— Ты заболела? — осведомился Андрей. — Иди ляг, я побуду с малышом.

— Зачем тебе плод чужого греха? — не успокаивалась Соня.

Вяльцев бросил в тарелку ложку, брызги супа

фонтаном взметнулись вверх и жирными каплями осели на скатерти.

— Жильцу следует соблюдать элементарные правила приличия, — топнула ногой Соня.

— Ты смотрела программу, — догадался Андрей.

— Именно так!

— Послушай, это же телевидение! Никто с экрана не говорит правду! Все врут! На то оно и зрелище, дешевый спектакль.

И тут Соню охватила невероятная обида.

— Вовсе не так, — закричала она, — посмотри журналы, там постоянно фото публикуют, звезда в кругу семьи. А ты! Как только додумался!

Андрей облокотился о стол.

— Попробуй меня понять. Мое амплуа — герой-любовник.

— И что?

— Публика должна почувствовать страсть к человеку на экране, только тогда фильм соберет кассу, а актера позовут в следующий проект.

— И что? — тупо повторяла Соня. — И что?

— Представь, выйдет зрительница Нюра из кинотеатра, — объяснил Андрей, — пошлепает домой по грязи. Сначала метро, потом автобус, затем пехом через пустырь, доберется до квартиры. В квартире пять дверей, за четырьмя соседки, у них мужья-пьяницы, дети орут, щи на кухне воняют. Завтра Нюре на работу, бананами на рынке торговать, зарплата — копейки, хозяин под юбку лезет. Как ты думаешь, о чем она мечтает?

— Мне плевать на чужие грезы!!!

— Глупышка! Нюра мечтает обо мне. Вернее, о хорошем, добром, холостом Иване из «Ветра» или суровом, но таком положительном Илье из ленты «Негодяй». Нюра в душе надеется на встречу с замечательным парнем, я — воплощение ее надежд. Именно такие женщины и составляют большинство моих поклонниц. Сообразила?

— Нет!

— Я не могу быть женат, — тихо сказал Андрей, — очень хочу денег, славы, новых ролей, работы, а наличие законной супруги и сына снижает интерес к актеру. Сейчас продюсеры взялись раскручивать Вяльцева, мне придумали имидж! Страстный мачо, любимец женщин, этакий д'Артаньян. Ну ни к чему мне семья.

— Пошел на ...! — коротко рубанула Соня. — Катись колбаской, без тебя проживем! Мачо чужой мечты!

— Э, нет, — протянул Андрей, — давай заключим договор. Ты молчишь о нашем браке и о том, что Марк мой сын, а я помогаю тебе материально.

Соня усмехнулась:

— Мне противно будет вспоминать тебя, но журналисты, если захотят, раскопают любую информацию. Сделают запрос — и, пожалуйста, читайте, в каком году Вяльцев женился на дуре Соне. Ты никогда не станешь секс-символом для всей страны, ты герой одного квартала, мачо чужой мечты, я ясно изъяснилась?

— Не волнуйся, — засуетился Андрей, — я сумею избежать ненужной огласки. Никто из моих друзей с тобой не знаком, все думают, что я снимаю комнату у тетки, которая не позволяет приглашать гостей.

— Ты заранее все продумал, — ахнула Соня. — Одного не пойму: зачем я Марка родила?

— Не моя затея была, — заявил муж, — вы с Тильдой все обстряпали, мне лишь сообщили с глупыми улыбками: «Ребеночка ждем!» И куда мне было деваться?

— Мог сказать «нет», — прошептала Соня.

— Ага, — склонил голову муж, — и чего? Ладно ты, мы разобрались бы между собой, но Тильда? Она бы меня мигом вон выставила. И куда идти? На вокзал?

— Значит, сейчас у тебя появился дом? — горько усмехнулась Соня.

— Ну да, — простодушно признался Андрей, — правда, ремонт не до конца закончен, но осталось только полы лаком покрыть.

...Соня замолчала.

— Жесть! — гаркнула Катерина. — Ну, это бомба!

Нора сердито глянула на журналистку.

— Вы забыли о нашем договоре? Никаких материалов, кроме интервью со мной! Без подробностей о клиентке!

— О чем идет речь? — подняла голову Соня. — Какое интервью?

— Ерунда, — быстро отреагировала Катерина, — профессиональные моменты.

— Что вы хотите от нас? — спросила Нора у Сони.

Молодая женщина сцепила пальцы рук.

— Я забыла об Андрее.

— Правильно, — вновь не утерпела Катерина. — А он вам алименты платит?

— Нет, — помотала головой Соня, — мне и не надо. Я хорошо зарабатываю, абсолютно не нуждаюсь, у Марка имеется все необходимое. Я вычеркнула Вяльцева из памяти, убедила себя, что этого человека не существовало, но у Марка в свидетельстве о рождении стоит его имя.

— И что? — нахмурилась Элеонора.

— Мы собрались на море, и нужно разрешение отца на отъезд, — пояснила Соня. — Полный бред брать бумагу у человека, который не узнает в толпе своего ребенка, но таков закон. Мне противно обращаться к Вяльцеву, никаких сил нет ему звонить. Не могли бы вы взять на себя эту миссию?

— Боже, какая ерунда! — воскликнула Нора. — Иван Павлович прямо сейчас отправится к нему и получит документ. Только дайте координаты Вяльцева.

Глава 4

Не успел я спуститься на первый этаж и пройти к двери, как услышал приятный баритон:

— Иван Павлович, здрассти.

Из маленькой комнатки, расположенной у лифта, выглянул паренек в черной форме. Я остановился и кивнул:

— Добрый день, Алексей.

Раньше в нашем подъезде дежурили милые старушки, божьи одуванчики, мирно дремавшие на стульях. Я не понимал, какой толк от престарелых дам. Оказать сопротивление преступнику они не способны. Ну зачем их приняли на работу? Разве что в виде жеста благотворительности? У состарившихся женщин крохотная пенсия, прожить на которую совершенно невозможно, а служба консьержкой приносит ощутимую прибавку к ней: в нашем доме живут обеспеченные люди, которые не скупятся на оплату прислуги. Но несколько месяцев назад положение изменилось: дряхлые тетушки исчезли, их место заняли крепкие юноши в черной форме, с пистолетами в кобурах. Кажется, их трое, но я знаю по имени лишь одного, того, что сейчас со мной поздоровался.

— На улице дождь, а вы без зонта, — вежливо завел разговор Алексей.

— Я на машине, — пояснил я, — не пешком пойду.

— Испортилась погода, — пригорюнился Алексей, — я собирался завтра на природу, и, пожалуйста, ливень.

— Не расстраивайтесь, — сказал я, — авось тучи унесет.

Алексей кивнул. Я счел беседу завершенной и шагнул к двери.

— Простите, Иван Палыч, — тихо сказал охранник.

— Слушаю, дружок.

— Вы вроде человек образованный?

— В некотором роде да, — кивнул я, хотя это вопрос, что считать образованием. Я имею диплом Литературного института и легко могу рассказать вам ну, допустим, о символистах или таком малоизвестном ныне поэте, как Буало. Только какой толк от этих знаний, если я останусь один на один с пробитым колесом? Мне ни за что не сменить баллон, я непременно погибну в лесу от холода и голода, не сумею ни зверя убить, ни огня развести. Нельзя все знать и уметь. Человеку, который кичится своим высшим образованием, хорошо бы помнить сию простую истину!

Алексей кашлянул.

— Оно, конечно, правильно. Только... понимаете... у меня небольшая... проблемка...

— Говорите смелей, помогу, если сумею!

— Я кроссворды разгадываю, — смущенно сообщил охранник, — хобби такое.

— Хорошее занятие, — похвалил я парня, — развивает интеллект.

— Я в этом деле профи, — похвастался Алексей, — получил кучу призов.

— Да ну?

— Даже стиральную машину для матери отхватил, — засмеялся секьюрити, — а сейчас застопорился, прямо замучился, не понимаю, о чем речь. Кстати, за этот кроссворд мотоцикл получить можно. Сделайте одолжение, Иван Палыч, помогите, авось вы сообразите.

— Я не мастак в кроссвордах, но могу попытаться, читайте вопрос.

— Средство для закапывания.

Пару секунд я стоял молча. На мой взгляд, игра в слова не имеет никакого отношения к уму и образованию, скорей уж человек, забавляющийся вписыванием букв в клеточки, должен обладать хорошей памятью. Средство для закапывания?

Алексей с надеждой смотрел на меня, и тут я сообразил, что имел в виду составитель головоломки.

— Это же лопата!

— Ну спасибо, такое простое слово мне в голову не пришло, — обрадовался охранник и нырнул в каморку.

Сев в машину, я набрал номер телефона, который нацарапала на бумажке Соня. Трубку взяли сразу.

— Алло, — нервно воскликнул мужской голос, — говорите живей.

— Можно Андрея Вяльцева?

— По поводу интервью обращайтесь к пресс-секретарю, — гаркнули из телефона, и раздались частые гудки.

Я покачал головой и повторил попытку, на этот раз человек с той стороны провода был еще конкретнее.

— Что надо?

— Андрея Вяльцева.

— Дергайте Николая Рагозина, он беседует с журналюгами, — буркнули в ответ, и снова трубка противно запищала.

Глубоко вздохнув, я потыкал в кнопки и быстро проговорил:

— Добрый день, вас беспокоит продюсерский центр Джона Кеннеди. Мы имеем деловое предложение к Андрею Вяльцеву — съемки в блокбастере. С кем возможно побеседовать?

— Слушаю вас, — подобострастно ответил растерявший всю грубость хам.

— По телефону затруднительно проводить переговоры, — замурлыкал я, старательно изображая человека из мира кино. — Желательно поболтать, так сказать, фэйс ту фэйс.

— У меня съемка в восемнадцать, — ответил Вяльцев, — если согласитесь приехать немедленно, то сумеем пообщаться сегодня.

— Готов прибыть по любому адресу.

— Записывайте, — оживился Вяльцев.

Здание, в котором обитал актер, выглядело шикарнее дома Норы, подъезд был выложен мрамором, к лифту вела ковровая дорожка, и повсюду стояли кадки с пальмами.

— Вы к кому? — строго спросил охранник.

— В сто пятую квартиру, — мирно ответил я: зачем обижаться на службу безопасности, она выполняет свои обязанности.

— Секундочку, — придержал меня секьюрити, потом быстро набрал номер и осведомился: —

Дежурный беспокоит, ждете гостей? Простите, как вас зовут?

Последний вопрос относился ко мне.

— Джон Кеннеди, — с самым честным лицом соврал я.

— Джон Кеннеди, — эхом повторил парень, — есть, конечно, проходите.

Я кивнул бдительному юноше и вошел в лифт, отделанный изнутри деревом. Тихо шурша, кабина вознесла меня на двадцать восьмой этаж. Чем выше забирался подъемник, тем сильнее у меня на душе скребли кошки. Стыдно признаться, но я боюсь высоты и меньше всего хотел бы жить в пентхаусе на крыше небоскреба. Интересно, почему квартиры, расположенные почти под облаками, стоят, простите за каламбур, заоблачные деньги? На мой взгляд, самым дорогим должен быть первый этаж, к земле поближе, в случае непредвиденных обстоятельств, да хоть при пожаре, можно легко выскочить.

Продолжая размышлять на тему цены апартаментов, я дошел до роскошной дубовой двери и ткнул пальцем в звонок. Створка распахнулась, и передо мной возник весьма симпатичный блондин, похожий на фото из журнала «Счастье». Накачанное тело покрывал ровный загар, светлые волосы в художественном беспорядке окружали лицо, большие темно-карие глаза, крупный рот и широкие брови дополняли образ, о котором грезили тысячи идиоток. Я невольно вспомнил меткое определение, вылетевшее из уст Сони: мачо чужой мечты.

Поймите меня правильно, я не имею ничего против мужчин физически крепких. Но думается, что мускулы и загар должны появляться на теле естественным путем. Моряк, нефтяник, строитель, путешественник не вызывают у меня никаких эмоций, кроме положительных. Бицепсы и трицепсы у таких людей свидетельствуют о недюжинной силе, а загар говорит о том, что парни много времени проводят на воздухе. Но Вяльцев явно «потемнел» в солярии и рельеф мышц приобрел в фитнес-клубе, абсолютно идиотском, на мой взгляд, месте. Ну какой смысл наращивать массу тела, просто двигая железки. Зачем? Вы собираетесь побеждать на соревнованиях или решили освоить работу грузчика? Если нет, то к чему бугры на руках и спине? И еще, Андрей явно красил волосы, хотя для артиста это вполне естественно.

— Добрый день, — поздоровался я, пытаясь побороть неприязнь к красавчику.

— Джон Кеннеди? — прищурился хозяин.

Я кивнул.

— Вы не похожи на американца, — с подозрением отметил Вяльцев.

— Разве я представился гражданином США?

— Нет, — усмехнулся Андрей и сделал шаг назад, — но, когда слышишь имя Джон, да еще в сочетании с фамилией Кеннеди, невольно приходит на ум Америка. Проходите, думаю, в гостиной нам будет удобно.

Резко оборвав фразу, хозяин повернулся и двинулся по коридору, я поспешил за ним, ощущая, как легкая неприязнь трансформируется в несвойственную мне злобу. Да этот Вяльцев просто хлыщ. Интересно, почему женщины падают штабелями к его ногам?

Андрей спокойно шел в глубь квартиры, на заднем кармане его джинсов сверкала выложенная стразами надпись «boy». На поясе был прицеплен брелок причудливой формы. При каждом шаге Андрея ярко-розовая безделушка в золотом обрамлении подскакивала вверх, потом падала вниз и била мачо по филейной части. Если бы меня при каждом шаге что-то стукало, я мигом бы это оторвал. Но Вяльцеву, похоже, брелок нравился. Вот только что он изображает?

Я прищурился, пригляделся и вздрогнул. Пенис. Почти десятисантиметровой длины, выполненный с анатомическими подробностями, а розовый цвет делал аксессуар вообще пугающе натуральным. Меня передернуло. Я вовсе не ханжа, весьма толерантен и спокойно отношусь к футболкам с малоприличными надписями и скабрезными рисунками. В конце концов, если тебе не нравится чужая одежда, отвернись и не смотри на человека. Но брелок в виде члена! Согласитесь, это уже слишком!

— Устраивайтесь, — проговорил Вяльцев и исчез в комнате.

Борясь с брезгливостью, которую стихийно начал испытывать к актеру, я шагнул в гостиную и невольно вскрикнул.

В первую секунду мне показалось, что я сейчас упаду вниз. Не было пола, стен, потолка, перед глазами расстилалась пустота. Чуть впереди открывалась панорама Москвы, крыши домов и серое дождливое небо.

— Садитесь, — любезно предложил Андрей и поплыл по воздуху к дивану.

Я сглотнул слюну и внезапно понял, что пол в комнате зеркальный, потолок тоже, внешняя стена гостиной сплошь из стекла, похоже, помещение оформлял сумасшедший дизайнер.

— Что же вы? — ухмыльнулся Андрей. — Не стесняйтесь.

Я осторожно ступил на сверкающую плитку.

— Ой, — заорал Вяльцев, — падаем! Летим в пропасть.

В мою спину словно воткнули железный прут, я дернулся, прыгнул назад и уцепился пальцами за косяк.

— Прикол, — заржал хозяин, — ну все одинаково реагируют. Лешка Панков чуть не описался, правда, он пьяный приехал. Ха-ха! Да не рушится ничего, просто эффект такой. Стебно?

— Очень, — хмуро согласился я.

— Ни у кого такой гостиной нет, — радовался Вяльцев, — у нас с дизайнером договор подписан: данный интерьер уникален, он не тиражируется.

— Мало найдется людей, способных отдыхать в такой комнате, — не вытерпел я.

— А я живу в другом месте, — объяснил Андрей, — стану я к себе всяких пускать. Это офис, для журналистов, режиссеров и прочих зверей. Ладно, времени мало, излагайте ваши предложения.

Наверное, следовало еще немного поломать комедию, поприкидываться и постепенно перейти к причине своего визита, но жуткая гостиная действовала на нервы, более всего мне хотелось покинуть ее, поэтому я без экивоков заявил:

— Соня просит вас дать разрешение на поездку Марка в Крым.

Андрей откинулся на подушки, поджал под себя ноги и закивал:

— Понятно, дальше.

— Вы согласны?

— Ну... продолжайте.

— Нам надо отправиться к нотариусу, тут недалеко, я договорился, нас примут без очереди, в обеденный перерыв, посетителей не будет, вас никто не увидит.

— Так, хорошо!

— Это все.

Вяльцев нахмурился:

— Малобюджетное?

— Простите?

— Интеллектуальное?

— Извините?

Андрей схватил со стеклянного столика пачку тонких темно-коричневых сигарет. Забыв предложить гостю закурить, хозяин щелкнул зажигалкой и язвительно сказал:

— Знаете, чем отличается великая интеллектуальная лента, снятая слишком умным режиссером, от сериальчика?

— Нет, — опешил я.

Вяльцев с наслаждением затянулся, выпустил струю сизого дыма и усмехнулся:

— Шедевр станут вымучивать пять лет, потому что постоянно будут заканчиваться бабки. Гонорар актерам дадут копеечный или не заплатят вовсе, кассы лента не сделает, зритель не пойдет на нуднятину. И какие новые истины откроет режиссер? Всё крутится вокруг столба любовь — секс — деньги. Ну еще смерть! Но человеку неохота лишний раз слышать о неминуемой кончине. В интеллектуальное кино артистов заманивают обещанием премий, но только чего-то в Россию с «Оскарами» не возвращаются. Ну получат хрустальную хрень на каком-нибудь местном фестивале в Крыжополе, и кому она нужна? Спасибо, конечно, за оказанную честь, но я в таких соревнованиях не бегаю. Андрей Вяльцев человек простой, он хочет бабла и не стесняется признаться в любви к презренному металлу. Да и зачем презирать деньги? Без них даже самый интеллектуальный режиссер не просуществует, а если он гордо говорит: «Мне ничего не надо», значит, он альфонс, живет на содержании у жены или матери. Могу вам такие имена назвать! Вроде гений, а у своих баб на сигареты клянчит. Да, вот еще чего понять не могу: ну почему фильм «Бриллиантовая рука», идиотская, между прочим, комедия, — это наше все, а сериал про Каменскую — это плохо? Че, в первом случае речь идет о фильме, который заставляет задуматься о смысле жизни, так это чушь! Ерунда!

— Вы решили, что я пересказываю сценарий! — догадался я.

— Разве нет?

— Вам в действительности, так сказать, в реальном времени, надо сейчас поехать со мной к нотариусу.

— Зачем?

— Марку требуется разрешение на поездку в Крым.

— Это кто?

— Марк? Ваш сын.

Вяльцев пожал плечами.

— У меня нет детей.

— Вы забыли? Про мальчика?

— Никогда не имел сыновей, впрочем, дочерей тоже.

— Ваша жена...

— Я не был женат...

— Послушайте же! Давайте побеседуем спокойно! Разрешите представиться, я Иван Павлович Подушкин, начальник следственного отдела агентства «Ниро».

Выпалив последние слова, я на секунду задумался, так ли называется моя должность? Постоянно путаюсь, сообщая о своем служебном положении, да и Нора хороша, то называет меня «заведующий розыскной частью», то именует руководителем «оперативного подразделения». Нам надо, в конце концов, договориться о моем статусе.

Глава 5

Глаза Андрея из круглых стали узкими.

— Не понял, — протянул он, — это че? Новый сценарий?

— Меня зовут Иван Павлович Подушкин, — я терпеливо принялся растолковывать актеришке суть дела, — приехал к вам по поручению Сони Умер. Ваша бывшая жена не хочет никаких воспоминаний об Андрее Вяльцеве, вы ей неинтересны, она не бедна, за свое, так сказать, бабло оставайтесь спокойны. Соня не потребует положенной ей по закону части ваших гонораров. От вас ей нужно лишь одно — чисто формальное разрешение на выезд мальчика Марка за границу. Нотариус ждет, дело займет от силы час!

Вяльцев начал резко меняться в лице.

— Значит, вы не Джон Кеннеди, — просипел он в тот момент, когда я перевел дух.

— Каюсь, соврал, но вы не пожелали меня слушать, отправляли к пресс-секретарю, вот и пришлось прибегнуть ко лжи.

— Боже, — заломил руки хозяин, — нет, как просто! Он соврал, а я, идиот, поверил, впустил его в офис, не потребовал документов!

— Сейчас покажу удостоверение.

— Не шевелитесь! — взвизгнул актер. — Не смейте двигаться!

Я пожал плечами.

— Не бойтесь. И в мыслях не держу вас обидеть.

Вяльцев откинул со лба картинно вьющуюся прядь волос.

— Единожды совравши, кто тебе поверит? Ты, смерд, посмевший пройти в покои, собака врага императора!

Я вздохнул, похоже, герой-любовник произносит текст из какой-то пьесы. Наверное, Вяльцев тоже понял, что начал стихийно исполнять роль, он оборвал речь и нормальным тоном заявил:

— Вы преступник! Конечно, в нашей стране свобода печати, но она не дает права врываться в жилище человека!

— Я не принадлежу к плеяде журналистов, в помещение вы впустили меня сами, и потом, это же офис, — попытался я вразумить Вяльцева.

— Я никогда не ходил в загс, — заорал мачо, — и не собираюсь туда, лучше съем свой паспорт. Детей не заводил, бабу по имени Соня не знаю! Пошел вон, урод!

Я встал, ну это уже слишком. Да, я прибег к тактической хитрости, чтобы побеседовать с Вяльцевым в спокойной обстановке, но не намерен терпеть оскорбления от личности, лицедействующей не только на сцене, но и в жизни. Нужно немедленно поставить зарвавшегося красавчика на место.

— Милостивый государь, — торжественно произнес я, — смею уверить вас...

Конец фразы утонул в грохоте, в гостиную влетели трое охранников.

— Ну наконец-то, — с явным облегчением выдохнул Вяльцев, — жал, жал на пульт, а от вас никаких действий. Я уж решил, что тревожная кнопка не работает.

— Извиняйте, — кашлянул один секьюрити, — мы сразу помчались, лифта долго не было.

— Меня убить могли, пока вы ждали кабину, по лестнице слабо было побежать, жиры растрясти, — взвизгнул Вяльцев. — Возьмите этого типа, вышвырните его вон и никогда более сюда не пускайте. Имейте в виду, он очень хитер. Эй, без грубостей, пакостник-журналист потом понапишет дерьма, синяки зафиксирует. Берем нежно под локотки и выводим его! Осторожно и ласково. Где-то в одежде у него есть камера и записывающее устройство.

Двое парней больно схватили меня за плечи, третий бесцеремонно запустил лапу в карман пиджака, вытащил диктофон и радостно заявил:

— Во! Гляньте!

— Точно, — кивнул Вяльцев. — Эй, пидор вонючий, ты из «Желтухи»? Или «Клубничку» представляешь?

Несмотря на крайнюю грубость обращения, я решил предпринять последнюю попытку добыть для Сонечки нужный документ.

— Я уже говорил вам, что являюсь начальником розыскного отдела детективного агентства «Ниро». К сожалению, я обладаю плохой памятью, поэтому ношу при себе диктофон, но сейчас он выключен, обратите внимание, зеленый огонек не горит. Я не обижал вас, не задавал вопросов, попросил проехать к нотариусу для провокационных...

— Мразь, — завизжал Андрей, соскакивая с дивана, — сволота сучья!

Одним прыжком актеришка подскочил к охраннику, выхватил у него ни в чем не повинный диктофон, швырнул его о пол и, с удовлетворением посмотрев на разлетевшиеся в разные стороны куски пластика, приказал:

— Уволакивайте суку.

— Пройдемте, — достаточно вежливо попросил старший секьюрити.

Пришлось, признав поражение, последовать за юношами в форме. Очутившись в коридоре, я споткнулся о ковер и, чтобы не упасть, схватился за комод, тянувшийся вдоль стены. Послышался громкий стук, хлипкая мебель импортного производства ударилась о стену, от которой предусмотрительно была отодвинута на пару сантиметров. Очевидно, Вяльцев аккуратен, он бережет штукатурку.

— Осторожней, — предостерег секьюрити.

Я кивнул, выпрямился и услышал громкий голос Андрея, раздавшийся из гостиной:

— Сука, со мной решила шутить? Прислала пидора из газеты! Мало ей не покажется! Урою насмерть! Мерзкая сука! Убью на месте! Размозжу морду, чтоб больше не улыбалась! Ну я ее найду! Позвоню! Нет, лучше прямо поеду!..

Похоже, Вяльцев никак не мог успокоиться, бесновался теперь уже в одиночестве.

В самом мрачном настроении я очутился на лестничной клетке. Впервые в жизни я столкнулся с откровенным подлецом. Вяльцев великолепно знает Сонечку, их связывали узы брака и общий ребенок. Только кумир истерических бабенок не желает разглашения тайны, поэтому сейчас разыграл передо мной комедию. Стук комода о стену актеришка принял за звук захлопывающейся входной двери и дал волю эмоциям. Он невероятно зол на мать Марка! Бедная Сонечка! Вместо того чтобы помочь, я усугубил ситуацию!

— Ты че, правда частный сыщик? — спросил старший охранник, ведя меня к лифту.

Я кивнул.

— И лицензия имеется? — поинтересовался второй парень в форме.

— Да, естественно, — ответил я, — смотрите, вот она.

Юноши уперлись глазами в документы.

— Ты, это, извини, — смущенно протянул главный, — но у нас такая работа, деньги платят.

— Никаких претензий к вам не имею, — миролюбиво кивнул я.

— Здесь народ богатый, — гудел мужчина, — им хочется спокойствия, боятся корреспондентов.

— Еще фаны приходят, — подхватил один из охранников, — ваще чума! Их в дом не пускают, так они на улице чудят, асфальт мелками разрисовывают, цветы кладут. И охота девкам стараться! Между прочим, среди них симпатичные есть.

— Скажешь тоже, Лешка, — скривился молчавший до сих пор юноша, — уродки, на них нормальный мужик не посмотрит, вот и бегают за обмылками.

— А та, как ее... ну... Арфа, что ли, — воскликнул Леша, — симпотная! Вполне ничего...

— Сумасшедшая, — уперся его приятель и повернулся ко мне, — вначале милой показалась, пришла в форме, платьице с золотыми пуговицами, на спине вышита надпись «Кондитерская Манже», сказала, что Вяльцев сладкое заказал.

— Мы велели коробку у нас оставить, — перебил коллегу Леша, — а эта... Арфа просить стала...

— Чаевые получить хотела.

— Приличная с виду, вот мы и разрешили подняться.

— Совсем на фанатку не похожа.

— Такой скандал вышел!

— Она к Вяльцеву пристала!

— Сестрой назвалась!

— Он так орал!!

— Вяльцев завсегда визжит!!!

— Хватит, — оборвало подчиненных начальство, — разверещались.

— Странное имя Арфа, — сказал я, чтобы нарушить тишину, повисшую в лифте.

— Ее по-другому звали, — ответил Леша.

— Похоже на Арфу, — подхватил его приятель, — типа пианино.

Я постарался сохранить серьезное выражение лица, приличествующее начальнику розыскного отдела крупного детективного агентства, но предательская улыбка стала раздвигать губы. Можно представить себе людей, которые дали дочери имя Арфа, но как должны выглядеть те, кто окрестил девочку Пианино?

Узнав о моем поражении, Нора обозлилась.

— Тебе ничего поручить нельзя!

— Виноват, исправлюсь, — бойко ответил я.

— Дурацкая идея пришла тебе в голову, — кипела хозяйка, — ну зачем пообещал помочь госпоже Умер? Хотя мужчина при виде смазливой мордашки теряет разум.

Я молча внимал незаслуженным упрекам. Идея поехать к Вяльцеву и взять у него разрешение на выезд Марка из России принадлежит Элеоноре, я лишь выполнял приказ хозяйки. Но напомнить Норе об истинном положении вещей невозможно, если, конечно, я не хочу уйти из жизни в расцвете лет. Как все милые дамы, Элеонора не способна признавать собственные ошибки и легко сваливает вину на других.

— Нам бы следовало забыть о девице с «благозвучной» фамилией Умер, — злилась Нора, — но, увы, при беседе присутствовала Катерина из «Счастья». Если мы не добудем бумагу для Сони, редактор накропает разгромный материал, сделает меня посмешищем, заявит о моей полнейшей несостоятельности как детектива. Да уж, влипли, а все из-за тебя. Ладно, от рыданий дело не сдвинется с места. Ваня, внимание! Иван Павлович, вернись из грез и слушай!

Я деликатно покашлял.

— Никуда я не уходил.

— Я великолепно осведомлена о твоей манере отключаться при первых признаках грозы, — Нора не преминула лишний раз высказать недовольство секретарем, — поэтому и предупреждаю: вынырни из нирваны и немедля поезжай на Ломоносовский проспект. Тебе надо там быть не позднее шестнадцати ноль-ноль, Рита не станет ждать.

Я глянул на часы.

— Могу не успеть.

— Глупости.

— Ломоносовский проспект на другом конце города.

— Великолепно знаю, где он находится.

— В Москве пробки.

— Ерунда. Прекрати тратить время на пустую болтовню.

— Хорошо, давайте адрес.

— Иван Павлович! Я велела тебе выйти из комы! Уже успел забыть? Ломоносовский проспект!

— Однако мне требуется еще и номер дома, — напомнил я.

— Сейчас эсэмэсну адрес, — пообещала хозяйка, — а то еще отправишься не туда. Поторопись, Рита уйдет ровно в четыре.

— Кто она такая и зачем мне ехать к ней?

— С тобой невозможно иметь дело, — завозмущалась Нора, — сплошное занудство! Сто раз повторила! Ломоносовский проспект!

— Понял. Но вы не сказали ничего о цели визита!

— Если бы ты не идиотничал и внимательно слушал, то моя жизнь стала бы спокойней! Рита — нотариус, она напишет необходимую Соне бумагу, а ты потом отвезешь ее госпоже Умер. Сразу следовало воспользоваться услугами Маргариты, но ты решил поехать к Вяльцеву, за что и получил.

— Андрей согласился отправиться в нотариальную контору? — поразился я.

— Прекрати нести чушь!

— Но вы только что сказали: «Рита — нотариус, она выдаст нужную бумагу».

— Верно, поспеши!

— Значит, Вяльцев прибудет в контору?

— Нет!!!

— Но без него никак!

— Почему?

— Нора, человек, дающий разрешение на выезд своего ребенка, должен показать паспорт и подписать доверенность лично. В присутствии нотариуса. Собственно говоря, в этом в основном и состоит работа юриста, он удостоверяет подпись.

— Рита выдаст документ без Вяльцева, — заулыбалась хозяйка.

— А кто распишется в бумаге? — изумился я.

— Ты.

— Я? Простите, но это бред. Соне не нужна доверенность от Ивана Павловича Подушкина, ей необходимо иметь разрешение от Вяльцева.

— Боже, Ваня, — устало сказала Нора, — у меня началась изжога. Нельзя быть таким тупым! Черканешь в нужной графе — Андрей Вяльцев, и конец проблеме.

— Это незаконно!

— Ерунда.

— И опасно!

— Да? Интересно знать, почему?

— Вдруг пограничники заподозрят неладное.

— Коим образом?

— Не знаю. Засомневаются в подлинности почерка. Я никогда не видел автограф Вяльцева, впрочем, имей я перед глазами образец, не сумею скопировать его. Выйдет скандал! Соню арестуют. Если вам не жаль секретаря, которого обвинят в подделке документов, то хоть подумайте о госпоже Умер, отвечать за беззаконие придется и ей тоже.

— Иван Павлович, — ледяным тоном ответила Элеонора, — включи мозг и прекрати паниковать. По-твоему, пограничники имеют при себе образцы подписей всех граждан России? Нет, конечно, им важен бланк с печатью. Усек? Катись на Ломоносовский, потом живо отправляйся к Соне домой, вручи ей разрешение да ни о чем не трепись. Станет спрашивать, что и как, загадочно улыбайся и говори: «Бумагу получил. Зачем вам подробности?»

— Вы толкаете меня на противозаконные действия!

— Я спасаю репутацию «Ниро» и обеспечиваю рекламу своему агентству посредством замечательной, хвалебной статьи в журнале «Счастье», жди SMS с адресом Риты, — гаркнула Нора.

И как бы вы поступили в сложившихся обстоятельствах! Увы, я всего лишь наемный служащий, получающий из рук хозяйки конверт с зарплатой.

Глава 6

Нотариус без всякого смущения ткнула пальчиком в пустое место на уже заполненном бланке.

— Вот тут, около галочки, подпишите. Сначала имя, отчество, фамилию, затем автограф.

Я покорно произвел процедуру, Рита кивнула и пододвинула толстенную книгу.

— Теперь здесь!

Назвался груздем — полезай в кузов. Я лихо расписался на серой странице.

— Спасибо, — кивнула Рита и выразительно постучала рукой по столу.

— Сколько? — спросил я.

Нотариус быстро написала на бумажке цифру, но вслух произнесла совсем иное:

— Тридцать рублей.

Я крякнул, вынул три десятки, потом из другого отделения бумажника начал выуживать купюры иного достоинства. Услуги Риты совсем недешевы, теперь понятно, откуда у нее красивые бриллиантовые серьги и часы, усыпанные сверкающими камушками. Но раз Нора решила пойти на расходы, мне ее не переубедить.

Став обладателем абсолютно незаконного разрешения, я сел в машину и поехал к Соне. В голове теснились не слишком веселые мысли.

Сколько в Москве таких нотариусов, как Рита? Много ли поддельных завещаний они завизировали? А сделок с недвижимостью? Какое количество детей вывезли за рубеж по липовым доверенностям? Ладно, в случае Сони все чисто, она лишь хочет провести с малышом отпуск на море, но, думается, попадаются женщины, желающие украсть дитя! Государство рискует, целиком и полностью полагаясь на честность нотариусов, среди океана неподкупных людей попадаются и экземпляры вроде Риты!

Предаваясь тяжелым раздумьям, я доехал до большого дома, явно построенного в середине прошлого столетия, и вошел в гулкий подъезд, сильно пахнущий кошками. Похоже, до этого здания еще не добрались обеспеченные люди, скупающие московские коммуналки. Лично меня удивляет желание жить в самом центре загазованного мегаполиса, в одном подъезде с весьма отличающимися от вас по материальному положению соседями. Один из приятелей Норы, удачливый торговец пивом Игорь Таратута, приобрел коммуналку. Сначала он намучился, расселяя ее обитателей, состоящих сплошь из алкоголиков, потом на Таратуту накинулись соседи по лестничной клетке. Им не понравилась грязь, неизбежно сопровождающая ремонт. Игорь смиренно извинился и после того, как въехал в новую квартиру, отреставрировал весь подъезд, покрасил стены, сменил плитку, восстановил выщербленную лестницу. Но обитатели здания снова устроили истерику, теперь они обвинили Таратуту в нарушении исторического облика дома. Оказывается, грязный потолок, погнутые перила и расколотый на полу кафель были милы коренным обитателям как память о счастливом детстве.

Ощущая себя варваром и вандалом, Игорь сделал жильцам поистине царский подарок — сменил лифт. Ранее в доме была железная клетка, внутри которой, угрожающе скрипя, двигалась деревянная кабина. Старый подъемник давно поломался, денег на его ремонт не было, а потом прибыла комиссия, велевшая законсервировать механизм, пользоваться которым было признано опасным. Естественно, жильцы принялись стенать и плакать, им теперь приходилось таскать по ступенькам набитые сумки, детские коляски, да и с пустыми руками тяжело взбираться по бесконечным пролетам. И вот Таратута устранил беду. Думаете, ему устроили овацию и вручили грамоту в знак благодарности? Держите карман шире. На Таратуту написали кляузу и отправили ее лично мэру. «Кто разрешил наглому олигарху переделывать шахту? — задавали жильцы вопрос. — И откуда у нувориша деньги? Не стоит ли налоговой инспекции проверить документы бизнесмена-вора?»

При этом на лифте активно ездили, местные подростки жгли в нем кнопки, а алкоголики регулярно использовали кабину в качестве туалета.

Затем на одну из жиличек в подъезде напал грабитель. Игорь, испугавшийся в первую очередь за свою семью, провел для всех домофон и посадил на первом этаже лифтершу. Ясное дело, все расходы легли на плечи Таратуты. И снова в мэрию отправилось послание, на сей раз жильцы, руководимые местной совестью по имени Алексей Борисович, гневно заявляли: «С появлением запоров и охраны мы ощущаем себя заключенными, посаженными за решетку. Олигарх нарушил конституционные права граждан, в том числе на свободу».

Игорю пришлось признать свое поражение, он продал злополучную квартиру своему заместителю и перебрался в одну из элитных новостроек. Мечта о жизни в историческом центре Москвы накрылась медным тазом. Но самое интересное стало происходить после переезда Таратуты. Лишившись лифтера и домофона, бывшие соседи вновь накропали жалобу, требуя привлечь Игоря к суду за... бесчеловечное отношение к простым гражданам. «В силу тяжелого материального положения мы не имеем возможности оплачивать собственную безопасность, — писал все тот же Алексей Борисович, — поэтому суд должен обязать разжиревшего на нездоровой любви российского народа к пиву Таратуту содержать консьержку, следить за чистотой в нашем отремонтированном подъезде и ставить на профилактику наш очень дорогой лифт!»

Единственный вывод из этой истории таков — тигру не следует селиться в стае голубей. Птички только с виду кажутся белыми и ласковыми, на самом деле у них крепкие клювы, при помощи которых стая способна выклевать хищнику глаза. Знаете, как поступают милые голуби со своим больным собратом? Они съедают его. Это неправда, что символ мира питается лишь крошками да зернышками. При удачном стечении обстоятельств он не откажется и от мяса с кровью!

Угнетенный собственным депрессивным состоянием, я поднялся на второй этаж и нажал на звонок — раз, другой, третий. Минуты шли, Соня не спешила открывать дверь. Постояв около четверти часа, я соединился с Норой и растолковал хозяйке положение вещей, заключив речь фразой:

— Скорей всего, ее нет дома.

— Не может быть, — отрезала Нора. — Соня ждет бумаги!

— Но дверь не открывают!

— Она в квартире.

— Сколько можно трезвонить? Соня явно отсутствует.

— Может, к соседке вышла, — предположила хозяйка, — за сахаром или солью?

— Я стою тут уже четверть часа. За это время можно успеть до супермаркета дойти, он, кстати, расположен в доме на первом этаже.

— Постучи в дверь! Да посильней, — приказала Элеонора, — небось телик смотрит, а звонок слабый, дребезжит впустую. Дубась изо всех сил.

— Ладно, — без особого энтузиазма согласился я, сунул мобильный в карман и пнул дверь. Она приоткрылась. Меня охватило неприятное волнение.

— Соня! Это Иван Павлович! У вас не заперто!

Хозяйка не откликалась, я уловил веселую музыку, и беспокойство прошло. Нора права, Соня наслаждается развлекательной программой, она просто забыла повернуть ключ. Замок в двери незахлопывающийся, его надо непременно запирать.

Повторяя во весь голос: «Соня, это Подушкин», — я пошел по коридору в сторону комнаты, откуда раздавалась разухабистая мелодия, и в конце концов очутился в уютной кухне. Очевидно, Соня была мерзлячкой, потому что тут работало сразу два обогревателя и стояла духота.

Тяжелые драпировки на окнах не были задернуты, под потолком не горела люстра, в темноте светился синим светом экран телевизора. Я невольно отметил, что Соня наслаждается эстрадным концертом, и начал оглядываться по сторонам. Хозяйки в помещении не оказалось. Я чихнул, почуяв неприятный запах, отдаленно напоминающий удушливо-сладкий аромат любимых духов Николетты.

Тревога снова охватила меня.

— Соня! Вы где?

— Не идет тебе черно-белый цвет! — заорали из динамика.

— Соня! Я принес разрешение от Вяльцева! — надрывался я.

Но хозяйка словно испарилась. Наверное, мне следовало уйти, но я решил положить бумагу на стол и придавить ее сахарницей, сделал пару шагов и застыл с поднятой ногой.

Между холодильником и плитой белела на полу... рука, тонкая, казавшаяся нереально длинной. Между пальцами торчал странный предмет розового цвета. Я икнул и тут же увидел голубой халат, красивые стройные ножки, обутые в отороченные мехом тапочки.

— Соня, — прошептал я, осознав непоправимость случившегося, — Сонечка, вставайте, не надо лежать на плитке, можно простудиться!

Но чуда не произошло. Соня молчала, и тут я скользнул взглядом выше по телу и наткнулся на лицо. Его не было. Вместо милого голубоглазого личика девочки-подростка я увидел нечто темно-бордовое, бесформенное. На какую-то секунду мне показалось, что Соня нацепила маску вроде тех, что продают в магазинах игрушек, но я тут же понял: хозяйка не намеревалась никого пугать, лоб, нос, щеки, рот покрывает запекшаяся кровь.

Почти в предобморочном состоянии я, вынимая из кармана мобильный, начал пятиться в коридор, уперся в конце концов спиной в стену, на автопилоте набрал номер и услышал голос Норы:

— Отдал?

— Нет, — с трудом произнес я.

— Все еще стоишь на лестнице?

— Нет.

— Уехал! Безобразие! Я велела тебе ждать Соню! — завозмущалась Элеонора.

— Я в квартире.

— Так отдай бумагу! Ваня! Очнись!

— Она умерла.

— Кто?

— Соня! Лежит на полу, — зашептал я, — лицо в крови, это ужасно.

— Ты уверен? — спросила никогда не теряющая самообладания Элеонора.

— Я окликнул ее, она не отвечает.

— Могла просто потерять сознание! Так, я еду к Соне, только позвоню Максу, — начала распоряжаться Нора, — а ты постарайся определить, жива ли несчастная.

— Как?

— Пощупай пульс на шее и руке, поднеси ко рту зеркальце, вызови «Скорую», не тормози, от твоей собранности зависит жизнь человека, — заорала Нора.

— Мне страшно, — честно признался я, — не может быть у живого человека такое лицо.

— Ваня, ты мужчина или мямля? — разъярилась Нора. — Немедленно вызови врачей, и до их приезда попытайся оказать несчастной первую помощь. Уже еду! Бегу в гараж! Шурик! Шурик! Где этот лентяй шофер!

Я прижал к груди пищащую трубку. Мужчина

я или мямля? Ясное дело, я принадлежу к лучшим представителям сильного пола. Просто мое желание сначала обдумать ситуацию и лишь затем действовать расценивается многими женщинами как нерешительность или лень. Но торопливость нужна лишь при ловле блох. Если вы стали свидетелем аварии, не кидайтесь поднимать раненого человека, сначала сообразите, не поврежден ли у него позвоночник, ваша поспешность может навсегда лишить несчастного способности двигаться. Так мужчина я или мямля?

Сделав глубокий вдох, я шагнул в кухню и, трясясь, как осиновый лист, присел около Сони спиной к ее ужасному лицу. Взял тонкую руку, но никакого пульса я не ощутил, конечность плохо гнулась и напоминала на ощупь прихваченный легким морозцем пластилин.

Я осторожно вернул руку на пол и опять увидел странный розовый предмет, торчащий между сведенными судорогой пальцами. Я вышел в коридор. Бедняжке Соне никто не сумеет помочь, ее уже не удивит известие о том, что я знаю имя человека, лишившего жизни несчастную. Пальцы трупа сжимают брелок, отвратительный аксессуар в виде пениса, в серебряной окантовке. В ушах моментально зазвенел голос Вяльцева. Что он там орал, пока я в компании секьюрити шел по коридору? Ах да! «Мерзкая сука, убью на месте, размозжу морду, чтобы больше не улыбалась».

На следующий день около часа дня я вышел из квартиры. Нора совершенно неожиданно дала мне выходной день.

— Можешь сегодня делать что угодно, — милостиво разрешила хозяйка, — кстати, купи «Желтуху», там должна выйти статья Катерины, маленькое сообщение о «Ниро».

— Она пишет для низкопробного бульварного издания? — изумился я. — Насколько я понял, дама сотрудничает с приличным журналом.

Нора подняла правую бровь.

— Большинство корреспондентов так поступают. За «горячие» материалы хорошо платят, «Желтуха» не скупится, поэтому, наваяв статейку о «розовом периоде» Пикассо, наша Катюша тут же строчит и сообщение об актрисе N, появившейся на тусовке без трусов. Один материал пойдет в журнал «Счастье» под настоящей фамилией корреспондентки, второй — в «Желтуху» под псевдонимом Фукс. Я понравилась журналистке, и она предложила: «Давайте завтра я дам пару абзацев о «Ниро», сообщу о вашем существовании, это будет просто информация, без сенсации».

— Ясно, — кивнул я.

— Иди, Ваня, погуляй, загляни в книжный магазин, ты плохо выглядишь, — проявила неожиданную заботу Нора.

Я выполз на лестницу и увидал тоненькую фигурку Люсеньки, дочки нашего соседа Евгения. После истории с черепашкой ребенок проникся ко мне доверием, я теперь служу хранилищем секретов милой девочки[1].

— Здрассти, дядя Ваня, — шмыгнула носом Люсенька.

— Добрый день, солнышко, — улыбнулся я, — прогуливаешь школу?

---

[1] Иван Павлович вспоминает ситуацию, описанную в книге Дарьи Донцовой «Сафари на черепашку» (издательство «Эксмо»).

— Нет, — мрачно ответила она, — уже с уроков иду.

— Почему тогда радости не видно?

Люсенька выпятила нижнюю губку.

— Эх, дядя Ваня! Мама уехала во Францию.

— Ты скучаешь?

— Неа! Только теперь за мной бабушка смотрит.

— Вы не ладите?

Люсенька прислонилась к стене.

— Маме дневник по фигу, она туда и не глядит, а бабка — бывшая учительница, ну каждый день зырит!

— Не повезло тебе.

— Ага! У меня три двойки сегодня.

— Это плохо.

— Хуже некуда, — пригорюнилась Люсенька, — когда бабка тройбан по Пушкину углядела, она у меня комп на неделю отняла. Спрятала ноутбук и ворчала: «Вся зараза от него. Твой папа в Интернете не сидел и теперь уважаемый человек. Станешь чертовой машинкой пользоваться — дурой еще вырастешь». Правда, Лидка идиотка?

— Нехорошо так говорить о бабушке, — покачал я головой. Хотя, если разобраться в сути вещей, Люсенька абсолютно права. Отец девочки, Евгений, нынче весьма успешный бизнесмен, но в прошлом он браток, бегавший по улицам с автоматом. От прежних лет у Евгения осталась любовь брить череп и еще наколки на пальцах, синие перстни, которые соседушка прячет теперь под настоящими кольцами из золота со сверкающими камнями. Может, имей Евгений в детстве компьютер, подключенный к Всемирной паутине, он сидел бы дома, а не торчал в подворотне в компании криминальных подростков, которые потом и толкнули мальчика на скользкий путь уголовника.

Глава 7

— Боюсь, у тебя сегодня снова отнимут ноутбук, — сказал я Люсеньке.

— Нет, — хитро заулыбалась девица, — если вы поможете.

— Но что я могу сделать в данной ситуации?

Быстро оглянувшись по сторонам, Люсенька вытащила дневник:

— Во, читайте.

— «Уважаемые родители! — озвучил я текст. — У вашей дочери двойки по физике, литературе и даже по пению. Задумайтесь, зачем ей голова на плечах».

Далее шла кривая закорючка, очевидно, обозначавшая подпись.

— Райка написала, — пояснила девочка, — наша классная. Для нее нет больше радости, чем гадость сделать. Просто удав. Двойку влепит и счастлива! Она русский и литру ведет.

— Так чем я могу тебе помочь? — еще больше удивился я.

Люсенька хихикнула:

— У меня сегодня и «четыре» по географии есть.

— Не вижу хорошей отметки, в графах одни «лебеди».

— Правильно, — кивнула Люсенька и вытащила еще один дневник, — она тут.

— У тебя два дневника?

— Верно. Завела после маминого отъезда, когда Лидка комп отняла, один для пар и троек, другой для четверок с пятерками, — развеселилась Люсенька. — Ясный перец, первый бабке показывать не стану!

— Понятно...

— Но сегодня в первом замечание написали.

— И что?

— Кто-то из родителей должен ответ дать.

— Какой?

— Ну типа: прочитали, наказали, ремнем до смерти избили, руки-ноги оторвали. Чем страшнее, тем Раисе Ивановне приятней, — заявила Люсенька, — она нас ненавидит.

— Может, она выбрала не ту профессию?

— Да, ей бы в самый раз палачом работать, топором головы рубить!

— Люсенька!

— Дядя Ваня, напишите ответ вроде как мой папа.

— И не проси! Это обман.

— Ну, дядя Ваня, — заныла Люсенька, — я исправлюсь! Меня Райка завтра на занятия не пустит! А папе нельзя показывать, он сразу орет: «Зачем я людей мочил, бизнес сколачивал! Чтобы дочь двоечницей росла?!» Лидка опять комп отберет! Дя-я-дя-я Ваа-аня-я-я!

Глаза Люсеньки наполнились слезами, одна блестящая капля поползла по пухлой щечке, вид у ребенка стал совершенно несчастный, а я абсолютно не переношу вида плачущей женщины, даже если ей не исполнилось еще девяти лет.

— Давай ручку!

— Вот, — быстро подала мне стило хитрюга, — надо, чтобы почерк взрослый был!

Я кивнул, подумал пару секунд и улыбнулся, нужный вариант ответа сам собой пришел: «Уважаемая Раиса Ивановна! «У человека для того поставлена голова вверху, чтобы он не ходил вверх ногами. Козьма Прутков»[1].

— Супер! — обрадовалась Люсенька. — У нас в шесть занятия в театральном кружке. Я Райке покажу, она и успокоится! Заколебала, блин! Все нудит: «Учитесь, детки, станете такой, как я! Только тот, кто знает литературу, достоин жизни и свободы». Да если это правда — я ваще к учебникам не прикоснусь! Быть такой, как Райка! Фу!

Выпалив последнюю фразу, повеселевшая Люсенька повернулась на одной ноге и распахнула дверь в свою квартиру.

— Бабулечка, — зазвенел ее приторно-ласковый голосок. — Я получила четверку по географишу!

— Как ты отвратительно разговариваешь, — донеслось в ответ, — слова «географиш» нет! Есть география! Нормальный человек не коверкает речь, он произносит слова четко и правильно.

Люсенька обернулась, подмигнула мне и одними губами сказала:

— Жаба!

Я невольно кивнул, девочка прыснула и захлопнула дверь.

Весьма недовольный собой, я вызвал лифт. Детей следует воспитывать, показывать им хороший пример, учить правильным манерам, давать образование. Как все педагоги, Лидия Семеновна, мать Евгения, слегка занудна, но она желает внучке добра, мне не следовало соглашаться со словом «жаба». Хотя, если честно, пожилая дама

---

[1] Козьма Прутков — под этим коллективным псевдонимом писали в 50—60-х годах XIX века А.К. Толстой и братья Жемчужниковы.

сильно смахивает на земноводное. Не далее как позавчера она сделала мне замечание:

— Не смейте дымить в лифте.

Я никогда не грубил женщинам, поэтому спокойно ответил:

— В моих руках нет сигареты.

— Воняет табачищем, — насупилась Лидия Семеновна.

— Я курил на улице, вот запах и остался.

— Омерзительно, — скривилась она, — людей, имеющих вредные привычки, следует расстреливать. Если курильщик даст потомство, оно будет больным! Человечество страдает от таких особ. Ваши дети небось страдают астмой и гастритом!

— Я не обременен отпрысками, — мирно ответил я.

— Вот! — торжественно подняла указательный палец Лидия Семеновна. — Паразит на теле общества. Проводит жизнь в наслаждении, не понимая основной задачи человечества. Какова она? Трудиться и рожать детей! Вам, молодым, все пиво бы пить и в компьютер играть! Состаритесь, сядете на шею государству. Разве справедливо, что на вас станут работать чужие дети?

Слава богу, в этот момент подъемник остановился, Лидия Семеновна вышла, не забыв сказать:

— Подумайте над моими словами, молодой человек, и срочно исправьтесь.

И все равно не следовало кивать, услышав из уст шебутной Люсеньки правду о бабушке.

Я вышел из лифта и увидел охранника Алексея.

— Здрассти, Иван Павлович, — вежливо сказал парень.

— Добрый день. Вы вновь на дежурстве?

— Да, сменщик в отпуске.

— Вам придется тяжело, — из чистой вежливости поддержал я беседу.

— Зато денег больше получу.

— Верно, во всем плохом есть свое хорошее.

— А если кроссворд разгадаю, то еще и приз отожму.

— Желаю удачи.

— Иван Павлович, вы были не правы.

Я взялся за ручку двери.

— В чем?

— Ну спрашивал вас, помните, о средстве для закапывания.

— Да, да, я ответил: лопата.

— Не подходит, — грустно констатировал Алексей.

— Неужели?

— Никак! Может, еще чего в голову придет?

— Попробуйте совок.

— О! Точно! Образованного человека всегда видно, — похвалил меня он и нырнул в свою каморку.

Я наконец-то вышел во двор. Сегодня погода радовала душу, редкий для Москвы теплый, но не жаркий солнечный денек, дождя, похоже, не предвидится, на небе ни облачка. Хорошо, что на Нору напал альтруизм и она неожиданно дала мне выходной. И чем заняться? Дама, с которой на данном этапе я связан амурными отношениями, отдыхает с супругом в Испании, поэтому никаких плотских утех не предвидится. Я брезглив и не люблю случайных связей. В молодости, впрочем, бывало разное, но сейчас я уже не готов к бесшабашным приключениям. Лучше поеду в книжный магазин «Молодая гвардия», я там постоянный покупатель, затем загляну в парикмахерскую, потом пообедаю — короче, проведу день, как светский персонаж, в замечательном безделии. Только вечером в отличие от профессионального тусовщика я не отправлюсь на вечеринку, а удобно устроюсь в кресле с новыми книгами. Жизнь прекрасна.

— Вот сукин сын! — рявкнули над ухом.

Я обернулся и увидел отца Люсеньки Евгения, стоящего около своего нового «Бентли».

— Привет, Ваня, — помахал мне соседушка, — глянь, я машину вчера купил!

— Замечательный автомобиль, — одобрил я.

— Небось ты тоже хочешь такой, а лавэ нет, — заржал Евгений.

Я еще раз посмотрел на чудовищно дорогую иномарку. Не надо думать, что Евгений хотел унизить или обидеть меня. Сосед просто не обременен воспитанием, у него менталитет пятилетнего ребенка: получив новую игрушку, малыш всегда желает похвастаться и убедиться — его автомобиль самый лучший.

— Вам любой позавидует, — кивнул я.

Евгений счастливо заулыбался:

— Вот стерва!

— Вы о ком?

Сосед ткнул пальцем в дерево:

— Давно за ним смотрю.

Я прищурился.

— Не видишь? — удивился отец Люсеньки и прислонил к «Бентли» бейсбольную биту. — Во, дрянь, упала. Ты, Ваня, с собой такую возишь?

— Аксессуар для бейсбола? Нет, не увлекаюсь им, я не спортивный человек.

Евгений заржал:

— Ваня! Битой хорошо по морде метелить, если на дороге разборка случается.

— В смысле драться? — растерялся я.

— Ага, — закивал сосед, — ни один мент не привяжется, поскольку это не оружие. Начнет приматываться, а ты спокойно ответишь: «А че, ты при...я мне, че, в бейсбол играть низзя?» Хочешь подарю биту? У меня еще есть!

— Большое спасибо, — поспешил отказаться я, — предпочитаю разрешать конфликты вербально.

— Кто бы мог подумать, что ты этим владеешь, — изумился Евгений, — потом покажешь?

— Что? — осторожно спросил я.

— Ну приемы из вербально, — простодушно пояснил сосед. — Оно как самбо или вроде дзюдо? Вот сучара!

— Кто?

— Да кот на дереве!

Я задрал голову и увидел среди зеленой листвы ярко-рыжее пятно.

— Он в гнездо полез, — засмеялся Евгений, — яичек захотел. Ну ща ему мало не покажется, за разбой срок дают. Гля, Вань, хозяева прилетели, ща пойдет разбор.

На ветку, где затаился наглый вор, сели вороны. Одна из птиц с возмущением закаркала, вторая, недолго раздумывая, клюнула кота в хвост. Рыжий разбойник отчаянно замяукал и попытался удрать, но толстое тело соскользнуло с ветки, и кошак повис, зацепившись за нее когтями. Ворона долбанула беднягу в голову, вторая подлетела сзади и тюкнула в спину.

— Мяу-мяу-мяу, — разнеслось над двором.

Мне стало жаль бедное животное, и я замахал руками:

— Кыш, улетайте прочь!

— Не мешай, Ваня, — недовольно остановил меня Евгений.

— Птицы забьют кота насмерть.

— А нечего по гнездам крысятничать! — заявил сосед. — Кошки сволочи! Дерись со своими, а слабых не обижай. Ошибся Васька, думал, никто за яички не вступится. Слышал, че вчера в фитнесе случилось, ну там, у Москвы-реки.

— Нет.

— Малыш в раздевалке сумку поставил на скамейку, а к нему два качка пристали, типа, вон отсюда. Паренек, правда, сказал, не надо, хуже будет, а парни лишь поржали, типа, че нам будет от сопляка. Мальчик в слезах убежал, а когда качки на улицу вышли, их уже ждали, выставили из машины стволы, постреляли их на хрен и укатили. Во какой ребенок! Непростой! Не трогай мальчика, у него есть папа! Закон жизни. Эй, эй, эй, стой! — заорал Евгений.

С утробным воем кот свалился с ветки и угодил прямо на крышу «Бентли». Полежав пару секунд, он начал стекать по лобовому стеклу вниз, на капот. Очумев от боли и ужаса, котяра выпустил когти, острые, словно бритва, они царапали машину, оставляя на серебристой краске черные полосы.

— Стой! — завизжал Евгений. — Ну ща те мало не покажется.

Несчастный кот, плохо понимая, что к чему, сполз на капот и попытался встать. И тут Евгений, схватив биту, со всего размаха опустил ее на очумелое животное. В последнюю секунду, когда бита должна была превратить его в блин, кот сумел правильно оценить ситуацию и ловко скатился на мостовую. Раздался оглушительный хлопок, похожий на выстрел, на капоте образовалась вмятина.

— Это че? — оторопел сосед. — Кто такое сделал?

Я прикусил губу, не дай бог сейчас расхохотаться.

— Откуда, блин, хреновина? — недоумевал Евгений, потом в его глазах загорелся огонек понимания. — Этта я? Сам? Битой? По «Бентли»?

Я опустил голову и резвым зайцем полетел к своим «Жигулям» в подземный гараж. Увы, многим людям свойственны неконтролируемые порывы. Евгений хотел убить несчастного кота, только не сообразил, что животное лежит на его же новой, дорогой машине. Хорошо, что попортил лишь капот, не задел ни стекло, ни крышу!

Я завел мотор своего не слишком резвого коня, выехал на проспект и чуть было не запел от счастья. Даже зазвеневший мобильный не испортил отличного настроения. Не взглянув на дисплей, я включил «хэндс фри».

— Алло?

— Вава! — впился в мозг голос маменьки.

Солнечный свет померк: о боги, только не Николетта!

— Я знаю, что ты совершенно свободен, — частила маменька, — я звонила Норе, просила отпустить тебя, а она ответила: «У него выходной».

— Ну, — забубнил я, — оно так, но не совсем, в смысле, я занят, надо... надо... машину на техобслуживание отвезти.

— Это потом.

— Нет, сейчас, — уперся я, понимая, какие чувства испытывал бедный кот, когда на него, веселого и счастливого, предвкушавшего замечательный обед, налетели каркающие вороны, — тормоза сломались! Это опасно.

— Завтра починишь.

— Нора приказала сегодня.

— Вава! Не ври! — разъярилась Николетта. — Монти срочно необходима твоя помощь!

Я чуть не врезался в автобус. Монти! За что???

Здесь придется отвлечься, чтобы объяснить некие обстоятельства.

Некоторое время назад с Николеттой произошла удивительная метаморфоза: маменька вышла замуж. Слышу, слышу вздох удивления, вырвавшийся у вас, но из песни слов не выкинешь. Счастливым мужем стал более чем состоятельный Владимир Иванович. Мой отчим — кинопродюсер, снимает сериалы, имеет большой капитал и психическое отклонение под названием мазохизм. Ни одна спокойная, уравновешенная женщина не могла жить с ним. Через неделю размеренного существования у отчима начинает сводить скулы, а еще он обожает тратить деньги, исполнять капризы дам и рад, когда они его пинают. Есть еще один нюанс. Молоденькие длинноногие блондинки, с радостью готовые вонзить шпильку в лысину обеспеченного папика, нашему продюсеру не нужны. По долгу службы он постоянно общается с юными актрисами и заработал стойкое отвращение к очаровательным нимфеткам. Это профессиональная болезнь. Повара, колдующие день-деньской над изысканно сложными блюдами, дома едят пустую гречку, модельеры, придумывающие невероятную одежду, предпочитают сами носить черный свитер и темные брюки. Владимиру Ивановичу хорошо лишь с дамой, мягко говоря, среднестарческого возраста. При этом она должна быть капризна, скандальна, истерична, жадна, эгоистична и полна необузданных желаний. Старушка, мирно вяжущая шапочку внуку и покорно говорящая мужу: «Дорогой, поступай как знаешь, мне ничего не надо», вызывает у Владимира Ивановича кислую отрыжку. Юная блондинка, жадно требующая брюликов, машин, особняков и денег, доводит его до мигрени.

Долгое время Владимиру Ивановичу казалось, что он никогда не найдет счастья. Перешагнув некий возрастной рубеж, женщины больше всего начинают ценить покой. Молодости свойственны жажда жизни и океан желаний, зрелость тихо едет в лодке быта, радуясь стабильности и обретенному материальному благополучию.

Продюсер мечтал иметь коктейль из несовместимого, и тут добрый боженька послал страдальцу Николетту.

Теперь маменька имеет возможность совершать любые покупки, третировать супруга и устраивать ежевечерние суаре[1]. Даже Кока с ее слишком богатым зятем прикусила ядовитый язык, а Зюка, Люка, Мака и иже с ними просто изошли на мыло от зависти.

Я испытываю к Владимиру Ивановичу самые нежные чувства. Во-первых, он снял с моих плеч непомерное финансовое бремя, во-вторых, продюсер — милый человек, в-третьих, он, похоже, любит Николетту. Последнее обстоятельство удивляет меня до колик. Я никак не смогу понять, откуда у вполне успешного мужчины ярко выраженный мазохистский комплекс с элементами геронтофилии?[2] Но потом, уже на свадьбе, я познакомился с Делей, и все встало на свои места.

Деля — это мама Владимира Ивановича, осо-

---

[1] Суаре — вечеринка *(франц.)*.

[2] Геронтофилия — любовь к человеку пожилого возраста.

ба без возраста и тормозов. Мне, всю жизнь пытавшемуся выползти из-под каблука Николетты, жаль Владимира Ивановича. Следует признать, что Деля даст сто очков моей маменьке, Николетта на фоне свекрови кажется агнцем, милой, скромной, ласковой девочкой. Никто не понимает Владимира Ивановича так хорошо, как я, мы с отчимом очень похожи, но есть лишь одно различие. Я прихожу в ужас от мысли, что мне придется жениться на клоне Николетты. Девица, имеющая одну сотую процента сходства с маменькой, вызывает у меня отек Квинке, а отчим искал в супруге вторую мать и нашел ее[1].

Думаю, эта часть повествования ни у кого не вызовет вопросов. Едем дальше. У Дели есть еще один, как она выражается, «малыш». Зовут детку Монти, и он почти одного со мной возраста. Какое имя стоит у милейшего Монти в паспорте, я понятия не имею, может, Монтгомери, Монтегю или банально Михаил. Деля кличет свое «солнышко» Монти.

Откуда у Дели взялся Монти, я понятия не имею, сильно подозреваю, учитывая возраст Владимира Ивановича, что «котик» не является родным ребенком дамы, он ее внук, но Деля упорно величает странное существо сынулей.

Монти — человек без определенных занятий, но не надо путать, его с бомжом. Муж Дели был богат, оставил даме кучу всего, включая три квартиры в Питере, дачу и неплохую коллекцию картин. Монти рос в тепличных условиях, его тща-

---

[1] История знакомства Николетты, Владимира Ивановича и Дели описана в книге Дарьи Донцовой «Пикник на острове сокровищ» (издательство «Эксмо»).

тельно берегли от контактов с неподходящими девушками, хотевшими урвать жирный кусок от состояния Дели. Если Монти и впрямь единоутробный брат Владимира Ивановича, то всем генетикам следует застрелиться. Более непохожих родственников свет не видывал. Владимир Иванович умнейший, образованный, трудолюбивый и увлеченный человек, достигший в жизни высот благодаря исключительно собственным усилиям. Деля явно недолюбливает старшего сына, получая от него взамен обожание, мать свихнулась на Монти, а тот напоминает гель для мытья, течет безвольно туда, куда направят его чужие руки. Я подозреваю, что Монти не умеет завязывать шнурки. Долгое время Деля не задумывалась о судьбе «котика», но тут Монти, побывав на свадьбе у Владимира Ивановича и Николетты, закапризничал и заныл:

— Хочу жениться.

Ситуация до боли напоминает бессмертную пьесу Фонвизина «Недоросль», но Деля плохо знает классику. Она привезла Монти из Питера в Москву и вручила его невестке с коротким приказом:

— Женить немедля!

Николетта, как, впрочем, и все вокруг, боится Делю до дрожи в коленках. Лично я полагаю, что престарелая дама послана моей маменьке в наказание. Собственно говоря, свекровь и невестка похожи, как мечты алкоголиков, но маменька не способна к адекватной самооценке и иначе чем «мое несчастье» свекровь не называет.

Так вот, Деля сейчас уехала домой, в Питер, Владимир Иванович снимает кино в болотах Карелии, а Николетта пытается женить Монти.

Глава 8

— Немедленно езжай сюда, — трагическим шепотом заявила Николетта.

— Куда? — прикинулся я олигофреном.

— Домой, — прошипела маменька, — без задержки!

— Я только что вышел из дома, — отчаянно изображал я дурака в тщетной надежде услышать от маменьки: «Ваня, идиот, ты мне не нужен!»

Но Николетта не собиралась отступать.

— Я имею в виду отчий дом, — гаркнула она и тут же вновь понизила тон: — Вава! Беда!

— Что случилось?

— Расскажу при встрече, — загадочно сообщила маменька и отключилась.

Хорошее настроение улетело прочь, перспектива полазить по книжным полкам удалялась вместе с намерением сходить в парикмахерскую. Сделав пару глубоких вдохов, я покатил по хорошо известной дороге.

Дверь мне открыла сама маменька.

— Немедленно слушай, — засвистела она, хватая меня за плечо.

— Можно снять ботинки?

— Не идиотствуй! Внимание! Я нашла невесту для Монти.

— Да? — без особого энтузиазма отреагировал я. — Очень мило.

— Очень мило! — передразнила маменька. — Ты хоть понимаешь, сколько трудностей мне пришлось преодолеть? Если девица нравилась мне, она не приходилась по душе Монти, и наоборот.

— Думаю, следовало ориентироваться на желание Котика, — посоветовал я, — все-таки ему жить с супругой.

— Не занудничай, — топнула ногой маменька, — а мне придется встречаться с гадкой особой! Не забудь, она войдет в семью. Кстати, Монти нравится лишь одна баба.

— И кто же это? — заинтересовался я.

— Анджелина Джоли.

Я хмыкнул.

— Думаю, у тебя возникнут сложности при сватовстве, хотя, говорят, голливудская дива любит оказывать благотворительные услуги.

— Замолчи и слушай.

— Весь внимание.

— Я нашла кандидатку. Это Алена Олейникова.

— Никогда не слышал об этой женщине.

— Боже, Вава. Ты идиот! Она третья дочь первой жены четвертого мужа второй внучки Юлиана Малахова. Понял?

— Знаешь, Николетта, я всегда поражался, как легко ты разбираешься во всяких хитросплетениях чужих судеб! — не утерпел я.

— Вава! Алена была женой Ильи Ковригина, потом он с ней разошелся.

— А-а-а! Такая черненькая, похожая на беременного таракана.

— Вава!!! У Олейниковой огромное состояние, и она не прибрана к рукам.

— Прекрасно. Думаю, они с Монти составят прелестную пару.

— Только бы срослось! — заметалась по прихожей маменька. — Девчонка скоро придет! Ты обязан мне помочь!

— Чем?

— Заменишь Монти! Котик абсолютно неадекватен!

Я стал пятиться к двери.

— Нет, спасибо.

— Вава!!!

— Я не сумею исполнить роль Монти.

— Ерунда, любой справится.

— Николетта, — воззвал я к маменькиному чувству логики, — ну посуди сама: я начну обольщать Алену, предположим, понравлюсь ей, а в загсе невеста увидит Монти. Мы с Котиком похожи, как свинья и лошадь. Конечно, не в обиду для Монти будет сказано, я даже согласен быть в этой паре кабаном, пусть роль рысака достанется Котику.

— Прекрати нести чушь! Монти сам великолепно соблазнит Алену!

— Но ты велела мне заменить его!

— На кухне!

— Где? — подпрыгнул я.

Николетта округлила глаза.

— Бога ради! Замолчи! Я пытаюсь разъяснить суть дела и не могу! Ты мелешь языком, словно обезумевший заяц, болтаешь ерунду.

— Длинноухие не говорят, — машинально поправил я маменьку.

— Ну вот! Снова!

Я прикрыл рот ладонью:

— Я нем, как мавзолей.

Маменька, размахивая руками, на запястьях которых звенело неисчислимое количество браслетов, принялась рассказывать.

Алена, несмотря на неудачный брак, девица романтичная. Но в отличие от обычных женщин она отвергает стандартный набор: букеты — конфеты — рестораны — кольца. Госпожа Олейникова более всего на свете ценит нечто, произведенное собственными руками.

— Купить цветы — дело пяти минут, — рассуждает барышня, — совсем нетрудно заказать цветочную композицию. Веник, составленный фитодизайнером, не свидетельствует о любви, он показатель кредитоспособности жениха, а мне плевать на толщину кошелька кавалера.

Учтите, что подобные монологи милейшая Аленушка произносит, сидя в кресле на втором этаже загородного особняка, возведенного на участке размером в два гектара. Но сейчас нет времени обсуждать характер мадемуазель.

Николетта, горя желанием отдать Монти под венец, произвела тщательную разведку и составила для Котика план действий. Монти послушен, как цирковая обезьянка, он зазубрил текст и сумел убедить Алену, что истово увлекается кулинарией. И вот сегодня госпожа Олейникова прибудет к чаю, а Монти должен угостить ее тортом собственноручного производства.

— Она не устоит, — щебетала Николетта, — это именно то, что надо! Сообразил?

— А при чем тут я?

— Вава!

— Что?

— Монти не умеет печь торты.

— Прости, но я совсем не понимаю своей роли!

Маменька склонила голову набок.

— Я сейчас ухожу к Коке, вы с Монти останетесь вдвоем. Котик пойдет в ванную приводить себя в порядок перед встречей с невестой, а ты сделаешь тортик!

Ноги подогнулись в коленях, я плюхнулся на банкетку, обитую красивым бархатом.

— Я?

— Ты.

— Испеку??

— Да.

— Торт???

— Господи, неужели это так трудно?

— Николетта, помилуй, я даже не представляю, как подступиться к этому. Не проще ли купить готовое изделие и выдать его за творение Котика?

— Алена сразу поймет, что торт не домашний.

— Ладно. Давай вызовем кондитера.

— Да нет же! Угощение должно выглядеть сделанным рукой непрофессионала.

— Есть много женщин, умеющих хорошо готовить, надо позвонить им.

— Назови хоть одну, — подбоченилась Николетта.

Я начал перебирать в памяти имена. Кока, Зюка, Люка, Мака, этих прочь. Домработница Норы Ленка? Только в случае, если Монти пожелает отравить Алену. Тася, моя бывшая няня, а теперь домработница маменьки? Но она умеет стряпать лишь простые блюда. Нора? Фу! Хозяйка не способна отварить даже макароны.

— Хватит, — топнула ногой Николетта, — ступай на кухню. Я специально дала Таське выходной, чтобы она не мешалась под ногами. Подойди к столу, там лежит рецепт и много продуктов. Действуй и помни: судьба Монти в твоих руках. Я только что разговаривала с Делей, она велела пожелать тебе удачи!

Сраженный наповал последним заявлением, я поплелся на кухню. Николетта молодец, увидела, что я собираюсь убежать, и применила баллистическую ракету, Деля способна уничтожить человека, не захотевшего помочь Котику.

На столе белела бумажка. Я схватил ее и начал читать. «Пирог муравьиная куча с вареньем». По спине пробежал озноб. Да уж, от одного названия гастрит начинается, только представьте, что вам подают на блюде сосновые иголки, шишки, мелкие камушки, залитые джемом, а из липкой массы высовываются трупы утонувших трудолюбивых насекомых! Ну гадость!

Отогнав видение, я попытался сосредоточиться на рецепте. «Возьмите стакан сахара, который при желании можно заменить медом». Так песок или мед. Автору кондитерского шедевра следовало быть более конкретным.

Я полазил по полкам, не нашел стакана и решил использовать кружку. Сахар тоже не обнаружил, зато нашел мед. Я налил его в фарфоровую емкость и понял, что не хватает примерно одной трети.

Судорожные поиски ничего не дали. Поразмыслив некоторое время, я открыл банку сгущенки и долил кружку доверху: насколько я понимаю, пирог должен быть сладким.

«Добавьте в мед три яйца». Я уставился на переполненную кружку, интересно, как это сделать? Места для яиц нет! Вновь подумав, я принял соломоново решение, перелил медово-сгущенковую смесь в кастрюлю и лихо дополнил ее тремя яйцами.

«Желтки разотрите с сахаром, белки взбейте». Я засунул нос в кастрюлю. Дурацкий рецепт. Никакой последовательности, я уже отправил содержимое яиц к меду со сгущенкой. Тексту рецепта явно не хватало редактора! И потом, что за идиотизм — «Желтки разотрите с сахаром, белки взбейте». Данное указание невозможно выполнить, автор пирога, наверное, не в курсе, что желток плавает в белке, ну как его оттуда выудить? Ладно, в конце концов, можно перемешать содержимое кастрюльки ложкой. Желтая часть станет сладкой, а прозрачная взобьется.

Я схватил емкость с жижей, опустил в нее столовую ложку, поболтал ею в разные стороны и остался доволен. Что у нас дальше? «Добавьте 200 г масла». Ну, это легче легкого.

Я открыл морозильник, вытащил аккуратный брикетик. Через секунду ледяной брусок шлепнулся в кастрюльку. Я воспрял духом, оказывается, ничего хитрого в тесте нет, надо просто тупо следовать предписаниям. «Насыпьте муки столько, сколько тесто возьмет. Предварительно добавьте соду, погашенную лимоном». Вторая часть предложения меня озадачила. Что значит погасить соду? Разве она горит? Почему не указано количество соды и лимона?

Я вновь начал рыться на полке и довольно быстро нашел-таки серо-красную пачку с надписью «Сода», вот только содержимого в ней было мало, не набралось и четверти стакана. Решив, что лучше столько, чем ничего, я высыпал порошок к маслу, а сверху накидал тонко нарезанный лимон. Может быть, нужно добавить больше цитрусовых, но тогда пирог может стать излишне кислым. Муки я насыпал три стакана и впал в задумчивость. Где тесто? Из памяти выплыло слово «месить». Вздохнув, я опустил пальцы в кастрюльку и попытался склеить воедино ингредиенты. В принципе получалось неплохо, одна беда — сильно мешал брусок масла, он никак не желал соединяться с основной массой и выскальзывал из пальцев. Но я в конце концов сумел справиться с бедой, подсыпая постоянно муку, и в результате получил гору мелких крошек. Утерев пот со лба, я понял, что в содержимое кастрюльки следует добавить воды, вот тогда все расчудесно трансформируется в монолитный ком. Слава богу, с водопроводом в Москве проблемы нет. Я влил кружку воды в кастрюлю и яростно заработал пальцами, эффект превзошел мои ожидания, крошево растворилось. Но теперь в кастрюле плескалось нечто, похожее на жидкую грязь.

И тут меня охватил азарт. Если малограмотные бабы способны печь пироги, то неужели я, человек с энциклопедическим образованием, не сумею справиться с тестом! Случались в моей биографии задачки и посложней!

Ловко манипулируя мукой и водой, я сумел получить серый, слегка липкий шар и ощутил себя полководцем Кутузовым, только что разгромившим армию Наполеона. Так, что еще указано в рецепте? «Натрите тесто на терке, предварительно произведя заморозку». У меня потемнело в глазах. Нет, это чистейшее издевательство! Ведь я уже имел кастрюлю крошек, за каким чертом составитель инструкции сначала требует все слепить, а затем вновь разломать монолит? Где маменька нарыла сей рецептик? И что нужно охлаждать: будущий пирог или терку? Автор не владеет русским языком!

Чертыхаясь сквозь зубы, я сунул в морозильник и терку, и тесто, потом наградил себя чашечкой кофе, вынул застывший конгломерат и попытался настрогать его. Вы когда-нибудь елозили по терке холодным бильярдным шаром? Если нет, то и не пытайтесь, ни малейшего удовольствия от процесса не испытаете. Я ободрал костяшки правой руки, многократно ронял липкую льдину, погнул хлипкую терку, но добился своего.

Далее оставалась ерунда.

«Насыпьте часть теста в форму». Легко. «Сверху намажьте любимое варенье». Но я терпеть не могу варенья, и его на кухне нет. Однако не станем унывать, откроем еще банку сгущенки и нальем на тесто. «Засыпьте оставшиеся крошки». Плевое дело. «Поставьте в духовку, готовность проверяйте спичкой».

Из глубины души вновь поднялась волна раздражения. Как это, проверять готовность спичкой? Зажечь ее, и дальше что? Коим образом женщины разбираются в кулинарных книгах? Решив бороться с проблемами по мере их поступления, я впихнул тяжелую форму в духовой шкаф и упал на стул.

Глава 9

Не успел я перевести дух, как в кухню вплыл сильный запах дорогого мужского одеколона, а за ним появилось маленькое, вертлявое существо, похожее на кузнечика, — это и был Монти.

— Ванечка! — обрадовался богом данный кузен.

Простите, я не силен в определении родственных связей. Кем мне приходится брат мужа матери? Двоюродным отчимом? Сводным дядей? Но в случае обретения статуса столь значимого лица Монти получает право делать замечания «сыночку» или «племяннику», уж лучше считать его кузеном, так мы с ним будем на равных. Правда, справедливости ради следует добавить: Монти не чванлив, не вреден, он просто идиот.

— А пирожок готов? — заискивающе осведомился кузен.

— В печке стоит, — сурово сообщил я.

Монти выпучил и без того выпуклые глаза.

— Ванечка, у вас в квартире голландка? И где

она находится? В гостиной? Надо же! Я до сих пор не заметил ее.

— Я имел в виду духовку.

— А! Понимаю! Вначале ты пошутил? Про печку?

Я кивнул:

— Да, решил слегка позабавиться.

Монти залился счастливым смехом, пошел к окну и уронил на пол заварочный чайник. Симпатичная фарфоровая безделушка беззвучно развалилась на несколько кусков.

— Ой, беда, — пригорюнился Монти, — Николетта расстроится! Ну почему я такой неловкий!

— Если сейчас уберем осколки, маменька даже не заметит, что посуды стало меньше, — пожал я плечами, — она совсем не обременяет себя хозяйством и не пересчитывает утварь.

— Правда? — обрадовался Монти.

— Конечно, — кивнул я, — достанем из шкафа другой чайник и забудем о мелком происшествии.

Блестящие глаза кузена, похожие на очи спаниеля с больной щитовидной железой, уставились на меня.

— Ванечка, — с придыханием заявил Монти, — ты такой умный! Мне бы и в голову не пришло прятать осколки. Как хорошо, что судьба нас свела, ты мой добрый ангел. А как убрать остатки чайника?

Теперь понимаете, что я имел в виду, называя кузена идиотом?

— Руками, — начал я вводить в курс дела Котика, — замести на совок!

Продолжая говорить, я принялся озираться: ей-богу, не знаю, где у маменьки веник. Вроде имелась метла с длинной ручкой. Интересно, где она? На первый взгляд никаких метел на кухне нет, впрочем, может, Николетта полетела на ней в гости?

— Ой, Ванечка, — прошептал Монти, — смотри, что вышло!

Я обернулся и ахнул. Монти сидел на корточках около невинно убиенного чайника, держал в правой руке острый осколок, из пальцев кузена капала кровь.

— Монти, ты порезался!

— Полагаешь?

— Разве тебе не больно?

— Ну, в общем, да, — промямлил он.

— Сейчас же сунь ладонь под холодную воду, — велел я и ринулся к аптечке.

Спустя десять минут Монти, полюбовавшись на пластырь, которым я заклеил порез, с чувством произнес:

— Ванечка, около тебя я ощущаю себя совершенно никчемной личностью. Ты мой кумир, образец для подражания. Все знаешь, все умеешь, водишь машину, работаешь детективом, общаешься с самыми красивыми женщинами. А я! Сейчас бы кровью истек! Откуда ты узнал, как правильно обрабатывать жуткие раны?

Я слегка смутился от обилия комплиментов.

— Монти, у тебя крошечный порез, завтра от него и следа не останется.

— Может, все-таки сделать противостолбнячный укол? — занервничал кузен.

— Право, не стоит!

— Как скажешь, Ванечка, — покорно согласился Монти, — ты мой маяк! До тебя я не имел настоящих друзей и сейчас каждое утро и вечер говорю: «Боже, спаси Ванечку».

Ну, можно ли злиться на Монти? Полнейшее добродушие обезоруживает.

Внезапно в кухне запахло горелым, я живо открыл духовку, потом, предусмотрительно натянув толстые стеганые варежки, вытащил форму и был приятно удивлен. Пирог смотрелся очень симпатично, он получился ровно-коричневого цвета и пахнул, словно свежее печенье.

— Ванечка, — взвизгнул Монти, — это ты сделал?

— Да, — с гордостью ответил я.

— Ради меня!

— Конечно, Монти.

— Ванечка!!! Ты гений! Лучший кондитер в мире! Я должен всю оставшуюся жизнь благодарить тебя, — зачастил Монти, потом вскочил и взялся правой рукой за форму.

— Осторожно, — закричал я, — горячо!

Но поздно! Монти побледнел.

— Ай! Как больно!

— Немедленно сунь пальцы под холодную воду, — опять приказал я и полез в аптечку.

Николетта безалаберна до неприличия, но в лекарствах у нее армейский порядок, у маменьки определенно должен найтись спрей от ожогов.

Спустя еще пять минут Монти простонал:

— Ванечка, у меня кружится голова.

— Ступай, дружочек, в спальню, — тоном убеленного сединами старца, наставляющего трехлетку, сказал я, — ляг на диван и спокойно полежи, целее будешь.

— Ты считаешь?

— Да.

— Но я хотел помочь накрыть на стол! По-моему, неприлично заставлять тебя так хлопотать ради меня!

— Спасибо, Монти, думаю, я сам справлюсь. Когда придет Алена?

— Через полтора часа.

— Замечательно, у нас есть время, чтобы привести нервы в порядок. Соберу на стол и разбужу тебя.

— Ты прав, Ванечка, я потерял много крови, поэтому и голова кружится, — забубнил кузен, направляясь к двери.

Избавившись от недотепы Монти, я приступил к дальнейшим хозяйственным хлопотам. Надеюсь, вы понимаете, что оставить кузена наедине с дамой и неразрезанным пирогом нельзя, Монти не справится с ножом, оттяпает себе голову, и несчастная Алена вместо романтического вечера получит главную роль в сериале «Скорая помощь». Надо проявить предусмотрительность. Думаю, Монти не следует угощать даму чаем или кофе. Вон там, на подоконнике, стоят пакеты с морсом, сейчас отправлю их содержимое в кувшин и посоветую кузену угостить им предполагаемую невесту.

Нахваливая себя за ум и предприимчивость, я наполнил кувшин морсом, осторожно потрогал форму, с радостью отметил, что она остыла, и приступил к изъятию пирога.

Сначала я слегка наклонил сковороду без ручек, но торт не вываливался на блюдо. Пришлось поставить форму под углом в девяносто градусов, и вновь никакого эффекта. Ну что ж, я не привык отступать.

Я решительно перевернул тару с тортом и энергично потряс ее. Но пирог по непонятной причине не собирался покидать родимую обитель. Слегка обескураженный неудачей, я, держа одной рукой форму, стукнул второй дланью по дну. В ту же секунду раздался устрашающий звук «бабах», звон, и что-то круглое, темно-коричневое, напоминающее колесо от старой детской коляски, со стуком упало на пол.

Я опешил. Минуточку, что случилось? Откуда взялся булыжник? Кто бросил со всей дури его на стол? Теперь красивое фарфоровое блюдо с голубыми ангелочками, которое я помню с детства, превратилось в белое крошево. Мало того, каменюка пробила в столе дырку!

Я ринулся к открытому окну и выглянул во двор. Если честно, я ожидал увидеть ватагу подростков, швыряющих кирпичи в квартиры соседей.

Но внизу никого не оказалось, лишь на скамеечке у подъезда мирно дремала консьержка Ольга Антоновна. Заподозрить дряхлую бабу Олю в камнеметании было нелепо.

Я вернулся к столу, с изумлением осмотрел пробитую, толстую столешницу, на которой чудом удержалась сахарница. Темно-коричневый камень валялся на полу, я сел и потрогал его рукой. Булыжник оказался теплым. Метеорит! Я стал свидетелем совершенно уникального природного явления! Из космоса свалилось небесное тело, пролетев миллионы километров, оно достигло Земли и, угодив прямехонько в распахнутое окно нашей кухни, изничтожило блюдо и стол. Может, позвонить на телевидение? Пусть приедут, заснимут происшествие на камеру! Я отбросил в сторону форму и схватил полотенце. Надо накрыть булыжник и... Минуточку! А почему форма пуста? Где торт? Не успел я задать себе этот вопрос, как мозг моментально выдал ответ: «Ваня, это не гость из иных миров, а вполне земное явление. Состряпанный тобою торт выпал из формы и все покрушил».

Воровато оглядываясь, я схватил кругляш, сдул с него пыль, положил на разделочный столик и взял нож. Сейчас накромсаю шедевр кондитерского искусства — и деру. Авось до момента возвращения домой Николетты я придумаю, как объяснить появление дыры в столешнице. Следующие полчаса я пытался разделить монолит на части. Но тщетно: с подобным успехом можно было резать гранитный постамент памятника Юрию Долгорукому. Обычный нож эффекта не дал, большая пила и здоровенное лезвие ножа, которым разделывают неподатливое мясо, тоже не справились с задачей. В порыве вдохновения я схватил утюг и опустил на лакомый корж. Никакого эффекта. Время появления гостьи неумолимо приближалось, а торт еще не разделен на порции. В отчаянии я впал в задумчивость и тут же сообразил, как поступить.

Не зря умные люди советуют: никогда не сдавайтесь; если как следует думать над проблемой, непременно найдется решение! Я кинулся к кладовке, вытянул из нее ящик с инструментами, поднял крышку и потер руки. Инструменты приобрел еще мой отец, писатель Павел Подушкин. Зачем ему, человеку, неспособному вбить гвоздь, понадобились все эти сверла, шурупы, винты, гайки, мне неизвестно. Отец обожал скобяные лавки, скупал массу приспособлений, приносил домой, аккуратно раскладывал их в ящике и назидательно говорил:

— Ваня, у хорошего хозяина всегда должен быть качественный инструмент.

Один раз я, правда, сказал:

— Но ты же им не пользуешься!

Отец закашлялся и ответил:

— Просто случай не представился.

Павел Подушкин давно скончался, а ящик все стоит в кладовой, думаю, после кончины отца его ни разу не открывали.

Я оглядел аккуратно уложенные штукенции и выбрал одну, достаточно длинную, с плоским, но острым окончанием. Вроде этот предмет называется долото или стамеска, простите, не силен в столярном деле.

Приставив заостренный край к торту, я попытался расчленить монолит, но не сумел. Решив не отчаиваться, я схватил утюг и стукнул им по ручке стамески — раз, другой, третий. В результате титанических усилий в моих руках очутился маленький блестящий обломок, похожий на леденец.

Поскольку я знал, из чего сделан торт, то смело сунул добытый в честном бою ломтик в рот. Сначала я вкуса не почувствовал, потом стало сладко, очень сладко, тошнотворно сладко, омерзительно сладко.

Я выплюнул несъеденный кусок в мусорное ведро, но, если учесть, что впервые выступал в роли кондитера, я недурственно справился с задачей. Да, торт получился излишне приторным, но в сочетании с кислым морсом может изумительно пойти. Одна беда, его невозможно порезать. Мой взгляд упал на часы. Скоро придет Алена, и что предложит ей Монти? Может, пропустить торт через мясорубку? Натереть его на терке? Подорвать динамитом? Купить циркулярную пилу и раскромсать? Думай, Иван Павлович, если не найдешь выхода из положения, Николетта впадет в страшный гнев, да и Монти жаль, я не имею никакого права разочаровывать верящего в меня, как в бога, кузена.

И тут явилось озарение. На легких ногах, резво, как молодой гепард, я сносился в супермаркет, купил там кремово-бисквитное безумие под названием «Лесная поляна» и баллончик взбитых сливок. Дальнейшие действия заняли секунды. Сначала я широким ножом счистил все розовые, зеленые, желтые розы и белые грибочки с коричневыми шоколадными шапочками.

Торт стал похож на лысину Владимира Ивановича, по бокам коричневый, сверху бежевый. Но мне нужно, чтобы выпечка смотрелась, так сказать, непрофессионально. В порыве вдохновения я написал на бывшей лесной поляне при помощи баллончика буквы «А» и «О», затем осторожно засыпал проплешины порошком какао и отправился будить Монти.

— Ванечка, — закричал кузен, увидев шедевр, — это ты сам сделал?

— Конечно, — гордо кивнул я, — скажешь Алене, что это ее инициалы.

— Восторг.

— Ничего получилось.

— Волшебно.

— Обычно.

— Ты гений, Ванечка.

— Право, Монти, подобная ерунда не нуждается в похвале.

— Ванечка, что бы я без тебя делал? — кинулся мне на шею кузен.

Я попытался вывернуться из его объятий, и тут дурачок увидел дыру в столе.

— Ванечка, — с изумлением поинтересовался Монти, — а это откуда?

Меньше всего мне хотелось говорить восторженному Монти правду.

— Видишь ли, к нам влетел метеорит, — ляпнул я, не подумав.

— С неба?

— Да.

— На кухню?

— Верно.

— А как он сюда попал?

— Через окно.

— Ванечка, — прошептал Монти, — а куда камень из космоса делся? Я никогда не видел ничего подобного!

Вместо того чтобы ответить: «Он проломил стол, упал на пол, подскочил, опять вылетел в окно и исчез в неизвестном направлении», я, глядя на счастливое лицо Монти, вновь совершил ошибку.

— Лежит в мусорном ведре.

— Можно посмотреть?

— Не стоит.

— Очень хочется.

— Зачем рыться в отбросах!

— Ну, Ванечка!

— Ладно, — сдался я.

Монти кинулся к помойке и с радостным воплем вытащил вдохновенно созданный мною булыжник.

— Какой тяжелый.

— Верно. А теперь швырни его назад.

— И пахнет вкусно, — пробормотал Монти, поднося мой шедевр к носу.

— Не следует вступать в столь близкий контакт с инопланетным телом, — живо сказал я, —

на нем, вероятно, живут чужеземные бактерии и микробы. Есть версия о том, что эпидемия чумы в Средние века началась на Земле после падения на нашу планету осколка астероида.

— Ванечка! Он еще теплый! — покачиваясь в экстазе, заявил кузен. — Только представь: камень летел сквозь тьму, холод, ужас, ночь много-много лет! Миллиарды! И очутился у нас. О, Ванечка! О! О! О!

— Что? — с некоторым беспокойством осведомился я.

— У меня прошла голова, — заявил Монти, — четыре дня болела, и тут как рукой сняло. Это он! Метеорит имеет лечебный эффект!

— Тебе кажется.

— О, нет!

— Выбрось булыжник.

— Ванечка!

— Он радиоактивный.

— Но мне стало хорошо!

— Давай избавимся от незваного гостя!

— Ванечка, я ощущаю прилив свежих сил.

— Это невозможно.

— Правда, правда, — курлыкал Монти.

— Лучше вышвырнуть сувенир, — мрачно сказал я.

— Я совершенно не боюсь прихода Алены, — закричал идиот кузен. — Ванечка, не делай меня несчастным, не отнимай камушек. Умоляю! Хочешь, я на колени встану?!

— Хорошо, — сквозь зубы процедил я, — оставайся с пришельцем, но никому о нем ни слова.

— Ванечка, ангел, — взвыл Монти и попытался влепить мне слюнявый поцелуй, — молчу как рыба.

Глава 10

Очутившись в машине, я выкурил сигарету и решил с некоторым запозданием приступить к реализации заранее намеченного плана: книжный магазин, чашка кофе, тихий вечер в компании с купленными томами.

Включив зажигание, я повернул руль и услышал противное нытье мобильного. Решив ни в коем случае не брать трубку, я посмотрел на дисплей и тут же включил «хэндс фри».

— Ты где? — вкрадчиво спросила Нора.

— Еду по Ленинградскому проспекту.

— Живо поворачивай домой.

— Вы дали мне выходной, — осторожно напомнил я.

— А сейчас забрала назад! — рявкнула Нора. — Хватит спорить. Жизнь длинная, еще успеешь побездельничать!

Я включил сигнал поворота и пристроился в хвост потока машин, сворачивающих с главной магистрали. Основная беда человека, который находится в подчинении у начальника, — полнейшая зависимость от капризов босса. Только не надо напоминать мне о всяких КЗОТах, обещающих выходные дни и отпуск.

Не успел я войти в квартиру, как Нора высунулась в коридор и загремела:

— Ну сколько времени можно тащиться? Тут пути на десять минут.

— Я ехал в обратную от дома сторону, — попытался оправдаться я, — пришлось разворачиваться и...

— Великолепно знаю, что ты сумеешь найти

сто оправданий своей нерасторопности, — заявила Нора, не дослушав меня до конца. — Входи живей. Или тебе, чтобы попасть в кабинет, нужно произвести в коридоре разворот? Ваня, ты лентяй!

В этот момент мне вспомнился мой отец Павел Подушкин. «Подальше от царей голова целей», — говаривал он, когда Николетта налетала на него с требованием занять какой-нибудь руководящий пост в Союзе писателей.

— Давай, давай, — с энтузиазмом произнесла Нора, — знакомься, это Мариша.

Мне, успевшему войти в кабинет, на секунду показалось, что я вижу перед собой Сонечку. Та же хрупкая, почти детская фигурка, облако волос, несчастные глаза и выражение наивного удивления на личике. Но через секунду я опомнился. Соня умерла, в кресле сидит другая женщина.

— Ну-ка послушай, — приказала Нора, — Мариша, повтори свой рассказ.

Молодая женщина кивнула и изложила свою историю. Не прошло и пяти минут, как у меня возникло стойкое ощущение дежавю. Мариша была не просто похожа на бедняжку Соню, она еще и живописала ее судьбу.

Некоторое время назад Мариша, синхронная переводчица с арабского языка, была приглашена в одно посольство, чтобы поработать толмачом на тусовке. Дипломатические работники устраивали праздник в честь годовщины независимости своей страны. Среди гостей были самые разные личности, в основном все знакомые Мариши. Она достаточно часто подрабатывает на подобных мероприятиях и отлично знает: чиновники составили список гостей, практически единый для всех миссий, вот тусовщики и кочуют с одной вечеринки на другую.

Мариша честно отработала положенное время, а потом решила хлебнуть кофейку. Основная часть праздника уже закончилась, большинство визитеров уехали, остались лишь самые стойкие.

Не успела Мариша взять из рук лакея крохотную чашечку с кофе, как в зал вошел молодой мужчина и начал озираться по сторонам. Переводчице лицо нового, явившегося под занавес мероприятия гостя показалось знакомым, и она машинально улыбнулась ему. Тот быстро подошел к Марише и растерянно спросил:

— Похоже, я опоздал. Народ вроде как разбежался?

— Ничего удивительного, — отозвалась Марина, — мероприятие началось в семнадцать, а сейчас уже за девять вечера перевалило.

— Вот черт, — хлопнул себя по лбу незнакомец, — семнадцать! А я подумал — в семь и приперся, как всегда, с необходимым для эффектного появления двухчасовым опозданием. Люблю понты! Все стоят, фуршетятся, корреспонденты делают снимки, и тут я! Все камеры мои. Опять же можно избежать такой неприятности, как концерт классической музыки! Недавно по недоразумению я пришел вовремя в одно торговое представительство и попал на концерт Чайковского. Чуть не скончался от тоски! Что вы на меня так глядите? Узнали?

— Нет, — усмехнулась Мариша, — хотя ваше лицо отчего-то кажется мне знакомым. Просто, думается, большинство гостей на приемах не переваривают классическую музыку, но боятся честно признаться в этом. До сих пор я встретила лишь двоих людей, откровенно заявивших о своем неприятии классики. Некоторое время назад я присутствовала на концерте шотландской музыки, очень камерное мероприятие, слушателей было всего двадцать человек, среди них режиссер Бурейко. Часа через полтора он встал и во весь голос заявил, тыча пальцем в волынщиков: «Если эти люди прекратят изо всей силы тискать несчастных, ни в чем не повинных животных, те перестанут надрывно стонать».

— Круто, — засмеялся гость, — а кто второй?

— Вы, — коротко ответила Мариша.

— Вижу, вы на самом деле не понимаете, с кем говорите, — улыбнулся мужчина, — я Андрей Вяльцев.

Марина, которой это имя ничего не сказало, вежливо кивнула и представилась в ответ:

— Марина Кручина.

На лице собеседника появилось выражение легкой растерянности.

— Андрей Вяльцев, — повторил он.

— Марина Кручина, — эхом отозвалась переводчица и поманила лакея, — еще чашечку кофе, плиз.

— Вы меня не узнали? — окончательно растерялся Вяльцев.

Марине стало неудобно.

— Простите, никак не могу вспомнить, где мы встречались?

— На экране телевизора, — приосанился он, — я Сергей.

Марина вытаращила глаза.

— Я ошибаюсь или ранее вы назвались Андреем?

Физиономия Вяльцева вытянулась.

— Верно. Андрей по паспорту, а Сергей я в телесериале «Лимонад».

— Так вы актер! — догадалась Мариша.

— Да, — расплылся в улыбке Вяльцев, — и смело скажу, нет сейчас ни одного мало-мальски рейтингового фильма, где я не имел бы лучшей роли.

— К сожалению, я не смотрю телик, — пробормотала Мариша, — времени нет.

Вот так начался их бурный роман. Надо отдать должное Андрею, он ухаживал красиво, дарил цветы, драгоценности, возил даму за границу. Имелось лишь одно досадное обстоятельство: Вяльцев просил любовницу не распространяться об их отношениях.

— Понимаешь, — объяснял он, — миллион женщин грезят обо мне, Андрей Вяльцев не может принадлежать одной. Мы с тобой скоро поженимся, но тайно, без огласки. Я не могу упасть с вершины рейтинга.

В то время, когда состоялся этот разговор, Марина уже была безумно влюблена в Андрея и готова на любые его условия, лишь бы Вяльцев не ушел. Поэтому она безоговорочно согласилась на роль тени. На всякие там «Кинотавры» Андрей ездил без любовницы, он не упоминал ее имени в своих интервью, не рассказывал, как другие актеры, о планах на семейную жизнь, не заявлял о своем желании иметь детей. Вяльцев, как заезженная пластинка, повторял:

— Я свободен, мое сердце не занято, все надеюсь встретить ту самую, единственную, любимую...

Умно спланированная пиар-кампания дала замечательный результат. Любое появление Вяльцева на публике сопровождалось толпой восторженно орущих поклонниц. Ни один актер не имел подобной армии потерявших голову фанаток. К Вяльцеву ломились молодые журналистки, почти все они надеялись в процессе интервью понравиться звезде и оказаться в роли мадам Вяльцевой. Впрочем, и дамы средних лет, и пожилые матроны горели тем же желанием. У Андрея был талант обольстителя, общаясь с женщинами, он использовал свое обаяние, ни одна, даже самая страшная, глупая замухрышка не слышала от него грубого слова. Вяльцев через три минуты беседы умел внушить любой даме, что она нравится ему до потери пульса. Пообщавшись с очередной журналисткой, критикессой или фанаткой, Андрей начисто забывал ее, у него была на редкость плохая память, он не способен запомнить ни имени, ни фамилии, ни вообще какую-либо информацию. У актера имеется пресс-секретарь Леня Дубовик, который каждое утро напоминает Андрею о предстоящих делах. Но очарованные бабы долго помнили Вяльцева. Правда, подавляющая часть женщин все же понимала, что Андрей не станет ухаживать за ними, но попадались экземпляры, рассчитывающие на продолжение банкета, они пытались узнать номера телефонов кумира, его адрес, и тут оголтелых фанаток ожидало глубочайшее разочарование.

При всей своей открытости и улыбчивости Вяльцев был засекречен тщательнее главного конструктора космических кораблей. Журналистам он давал мобильный Леньки Дубовика или телефон своего офиса. Все попытки борзописцев вычислить личный сотовый Вяльцева и найти его родную берлогу заканчивались полным обломом.

Репортеры сначала применили стандартные методы поиска. Не секрет, что в телефонных компаниях всегда можно найти сотрудника, торгующего номерами, открывающими доступ к кумиру. Но абонент Андрей Вяльцев не был зарегистрирован ни в «Билайне», ни в МТС, ни в «Мегафоне». Не имел актер и собственной жилплощади. Вернее, естественно, у него были апартаменты или, учитывая гонорары последних лет, даже загородный дом, только официально жилье принадлежало другому человеку. Кому? Никто не знал. Получалось, что кумир — бомж, а еще он раскатывал на шикарном ярко-красном «БМВ», которым владел все тот же Леня. Вот Дубовик явно знал подходы к Вяльцеву, но любые попытки представителей СМИ подкупить Леньку заканчивались одинаково, пресс-секретарь с милой улыбкой отвечал:

— Продаваться, так оптом. Полный пакет стоит двадцать миллионов долларов. Как только скинете на мой счет эти денежки, мигом сдам Андрея. Я жадный.

Не было никакой информации и о доактерских годах Вяльцева. Вернее, публике преподносилась версия, звучавшая так: родители Андрея погибли, когда малышу было шесть лет, воспитывала ребенка бабушка, служившая военным врачом. Она сменила не один десяток гарнизонов и умерла, когда Андрюше исполнилось семнадцать. Юноша только-только получил аттестат о среднем образовании. Недавний выпускник отправился в Москву, где покорил своим талантом приемную комиссию, дальнейшая судьба Вяльцева известна всем.

Репортеры работают за деньги: чем эксклюзивнее добытая информация, тем выше гонорар. А еще можно, подготовив разоблачительную статью, позвонить основному герою и сказать:

— Материал увидит свет, если вы не пожелаете расстаться с хорошей суммой.

У предприимчивого журналюги имеется много источников, из которых он способен черпать денежное довольствие.

За любые неофициальные сведения о Вяльцеве предлагали огромные суммы, но никто так их и не получил. О существовании Мариши не знали. И вот сейчас она, наплевав на все приказы своего любовника, приехала к нам с Норой.

— Андрей не виноват, — твердила посетительница, прижимая к груди дрожащие руки, — в его жизни не было женщины по имени Соня Умер. Вяльцева арестовали по ошибке, это вы направили милицию по его следу, теперь обязаны исправить ситуацию.

Нора исподлобья посмотрела на меня, я ласково перебил Маришу:

— Деточка!

— Не смейте меня так называть! — взвилась гостья.

— Простите! Уважаемая Марина... извините, как ваше отчество?

— Неважно. Просто Марина.

Я кивнул:

— Хорошо, Вяльцев, по вашим же словам, тщательно скрывал свою личную жизнь и не сообщал сведений о прошлом. Соня Умер и ее сын Марк — одна из таких тайн. Бедная убитая женщина, кстати, рассказывала нам то же, что и вы: они с Андреем разошлись из-за нежелания супруга официально признать себя несвободным человеком. Соне надоело исполнять роль «жены в тумане», вот она и ушла от него.

— Мне Андрей о ней не рассказывал! — упорствовала Мариша. — И о мальчике тоже. Вяльцев не любит детей, он постоянно повторяет: «Спиногрызы хуже крыс, не поддаются воспитанию и заедают жизнь родителей!» Эта Соня Умер врала! Она никак не могла родить от Андрея, он бы не разрешил! Я точно знаю! Сама сделала два аборта!

— Что вы от нас хотите? — я решил поскорей свернуть беседу.

Никаких неожиданных фактов Мариша нам не сообщила. Вяльцев мерзавец, ведет себя соответственно. Как все негодяи, Андрей трус, испугался, что Соня поднимет скандал в прессе, и решил избавиться от нее.

— Найдите настоящего убийцу этой Сони!!! — закричала Мариша.

— Ангел мой, — терпеливо ответил я, — понимаю ваше нежелание адекватно оценить произошедшее. Не слишком приятно узнать о наличии у любовника не только бывшей супруги, но и ребенка. Однако надо, несмотря на эмоции, признать правду. Увы, Вяльцев убийца. Я лично хорошо слышал, как он обещал «размозжить ей лицо, чтобы не улыбалась». Речь шла о Соне, в этом нет сомнений, а еще убийца оставил улику.

— Какую? — звенящим, словно натянутая струна, голосом спросила Мариша.

— Извините за подробность, брелок в виде мужского полового органа. Мне не слишком удобно упоминать при вас об этом отвратительном, безвкусном украшении, понимаю, что вы, как дама, сейчас возмутитесь, но из песни слов не выкинешь. Убитая женщина сжимала в пальцах брелок. Наверное, она пыталась бороться за свою жизнь и в пылу драки оборвала цепочку, на которой болтался пенис из металла. Вяльцев не заметил пропажи, он, вероятно, испытал после свершения преступления ужас и убежал. Кроме того, чудное украшение болталось у него на брюках сзади, отсутствия его владелец не заметил. Пусть теперь объяснит, каким образом безделушка попала к Соне.

— Брелок Андрюше подарила я, — холодно перебила меня Мариша, — эта вещь эксклюзивная, второй подобной нет, я заказала ее ювелиру. На Востоке есть поверье: если вы имеете при себе изображение фаллоса, то никакая порча никогда к вам не пристанет. Носить антисглаз следует именно сзади, чтобы отражать злобные взгляды, брошенные в спину. Андрею очень понравился сувенир, он с ним не расставался. Найдите убийцу Сони, я заплачу вам любые деньги.

— Сейчас вы сами себе противоречите, — вздохнул я, — если штучка существует в единичном экземпляре и она была в руке трупа, то...

— Все дело в брелоке, — вскочила Мариша, — ну-ка опишите его!

— Зачем?

— Давай, Ваня, делай, что она говорит, — неожиданно приказала Нора.

Я нахмурил лоб.

— Не хочу никого обидеть, но украшение очень вульгарное. Пенис неприлично натурального вида, розового цвета, в золотой окантовке, он болтался у Вяльцева на петле для ремня и при каждом шаге бил его, пардон, по седалищу.

— Значит, Вяльцев украсил штаны брелоком в золотой оправе, — уточнила Нора, — так?

— Верно! — воскликнул я.

— Теперь опиши брелок в пальцах Сони, — потребовала Нора, — подробно!

— Пенис, почти в натуральную величину, — попугаем талдычил я, — очевидно, покрыт розовой эмалью, в серебряной оправе.

— Вот! — хором воскликнули обе женщины.

Я замолчал и уставился на Маришу и Элеонору, не понимая, почему дамы впали в такой раж.

— До него не дошло, — истерически взвизгнула Мариша.

Нора помахала перед моим лицом рукой.

— Ваня! Внимание! Сосредоточься! У Андрея на жопе блестело золото! Рамка для брелока была выполнена из червонного металла!

Я невольно поморщился. Не люблю грубых выражений. Жопа! Фу! Ну неужели нельзя подобрать литературный вариант!

— Створожь мозги! У Андрея брелок в золоте, а у Сони в руке была такая же штука в серебре! — рявкнула хозяйка.

Глава 11

— Вы уверены? — ахнул я.

Элеонора подперла щеку кулаком.

— Наряду с массой отрицательных качеств мой секретарь имеет и положительные. Ты тщательно записываешь все проведенные беседы и свои впечатления на диктофон. Я была очень предусмотрительна, когда обучала Ивана Павловича. Слушай!

Хозяйка нажала на кнопку.

— ...брелок в золотой оправе, — зазвучал в комнате мой искаженный звукозаписывающим устройством баритон, — размер примерно десять сантиметров.

— А теперь еще раз, — кивнула Нора, — внимание, новая запись.

— В пальцах зажат намертво, — снова зазвучал мой голос, — покрыт розовой эмалью, в серебряной оправе.

— Скумекал? — прищурилась Нора.

Я кивнул и попытался трезво оценить ситуацию.

— Но тогда получается, что брелоков существует два!

— Верно, — усмехнулась Нора.

— Мастер поклялся, что больше никому подобное не сделает, — зачастила Мариша.

— Обманул, — предположил я, — наверное, прибамбас заметили окружающие, и Андрей дал телефон ювелира.

Марина слегка порозовела.

— Нет, он всем говорил, что это охранный амулет, приобретенный за громадные деньги у храмового жреца в одном из скрытых от глаз европейцев буддистских монастырей.

— Вот врун, — не удержался я от комментария. — Похоже, он лгал так же просто, как пил воду!

Щеки Марины приобрели оттенок молодой свеклы.

— Нет, это я соврала, выдала Андрюше версию про жреца, он падок на подобные вещи, сразу мне поверил, объявил брелок талисманом. Я хотела, чтобы при Вяльцеве постоянно имелось нечто, напоминающее ему обо мне. Он должен был носить его не снимая, а как добиться желаемого? Вот я и схитрила.

— Чисто женская позиция, — вздохнула Нора, — надеешься, что любимый бросит взор на побрякушку и вспомнит тебя.

— Мужчинам такое трудно понять, — кивнула Мариша.

Я с изумлением посмотрел на Нору. Неужели и у Терминатора случаются иногда приступы сентиментальности?

— Только я не учла одного обстоятельства, — грустно продолжала Мариша, — вчера вечером, совсем поздно, мне позвонил Андрюша и в панике воскликнул: «Катастрофа!»

— Ты попал в аварию, — похолодела Мариша. — Господи! Ты ранен?

— Я потерял амулет, — трагическим тоном возвестил Вяльцев, — брелок исчез!

— Как же это случилось? — спросила Марина.

— Не знаю, — чуть не рыдал любовник, — я был на вечеринке, дома разделся и вижу, нету брелока, оторвался от цепочки! Все! Теперь удача уйдет. О боги живых и мертвых, вы отвернулись от несчастного, на мою голову дождем польются несчастья, придет болезнь...

Последние фразы явно были цитатами из очередной роли. Андрей частенько выдавал вслух написанный сценаристами текст, и Марина терялась, не понимая, сейчас любовник искренне говорит ей о своих чувствах или повторяет роль из сериала. Но вчера в голосе Вяльцева звучала неподдельная тревога, даже страх. А сегодня его арестовали, вернее, задержали, но не в определениях суть, Вяльцев в милиции.

— Он верит в приметы, — ухмыльнулся я.

— Актеры в большинстве суеверны, — серьезно ответила Мариша, — попробуйте полузгать на сцене или съемочной площадке семечки, выгонят мокрой тряпкой.

— Почему? — удивилась Элеонора.

— Сборов не будет, — пояснила Мариша, — а если уронить текст роли, то необходимо сесть на него, невзирая на грязь, дождь, снег и любые обстоятельства.

— Забавно, — ухмыльнулся я.

Мариша пригладила волосы.

— Да уж. Андрюша стал интересоваться, как можно исправить положение. И тут я... Поймите меня правильно! Я очень хочу стать женой Вяльцева и отлично понимаю, что сумею отвести его в загс лишь в одном случае: если буду незаменимой, палочкой-выручалочкой, мамой, сестрой и любовницей одновременно. Уж я-то знаю, как Андрюша верит в оккультные науки! У Вяльцева в голове дикая каша из невесть где подцепленных сведений. Словосочетание «буддистский монастырь» вызывает у него почти гипнотическое состояние. Я ведь не только арабист, нам в институте преподавали много разных предметов, в том числе и историю религий, рассказывали древние легенды, сказания, я намного больше Вяльцева знаю о Тибете, Индии, Бирме. А еще меня часто приглашают в посольства и на разные встречи, иногда на очень высоком уровне. Хороших арабистов мало. В общем, учитывая вышесказанное, вы поймете, отчего Вяльцев мне поверил. Я ничего плохого не сделала! Что плохого в желании выйти замуж за любимого?

— Вы поконкретней, — бесцеремонно приказала Нора.

Мариша сделала глубокий вдох.

— В свое время я сказала Андрею, что на свете существует монастырь глубоко в горах Тибета. Его монахи обладают уникальными способностями, могут принести удачу и счастье, но способны и уничтожить человека взглядом, морально и физически. Именно в этой обители я якобы заказала амулет.

— Так, — протянула Нора, — дальше.

— Один из священнослужителей якобы регулярно прилетает в Москву. Он консультирует верхушку России, лечит правительство, ну и способствует обретению удачи, — лепетала дурочка. — Монах очень хорошо ко мне относится, считает меня доброй душой, он может наказать того, кто обижает Маришу.

— Угу, — кивнул я, — и Вяльцев вам поверил.

— Да, но я его не пугала. Андрюша часто звонил и просил: «Обратись к своему гуру и поинтересуйся, стоит ли мне принимать предложение режиссера или ехать отдыхать на Гоа». А я через пару часов передавала ответ.

— Надо понимать так, что вы исподтишка руководили Вяльцевым, — уточнила Нора.

— Верно. Но я ни разу не посоветовала ему дурного. Все приказы «монаха» Андрюша выполнял, он верил в удачу, и она к нему приходила, — жалобно оправдывалась Мариша. — Но вчера я допустила ошибку.

— Какую? — вскинулась Нора.

— Хотела доказать Вяльцеву, что справлюсь с любой бедой. Понимаете? Я успокоила его и...

— Короче! — гаркнула Нора.

Мариша опустила голову.

— Я ему сказала: «Сейчас срочно свяжусь с монахом». Спустя десять минут Андрюша позвонил, и тут... В общем... ну... короче... я сказала, что священнослужитель велел Андрею молчать неделю. А еще он пообещал ему, что по истечении этого срока Вяльцев вновь обретет амулет. Тот сам вернется к хозяину.

— Однако, — покачал я головой, — зачем было лишать парня речи? Как ему работать?

В глазах Мариши мелькнул злой огонек.

— У Вяльцева четырнадцать дней отпуска, он

собрался с компанией на Кипр! Я не ревнива, но в последнее время около Андрюши крутится некая Лиза, начинающая певичка. Вяльцев по доброте душевной согласился сняться в клипе у этой рыжей крашеной кошки. Лиза тоже намылилась на Кипр, там есть молодежный курорт типа Ибицы.

— Можете не продолжать, — ухмыльнулась Нора, — богатая идея с монахом. Можно держать любовника в ежовых рукавицах. И он замолчал?

— Да, — слезливо ответила Маришечка, — выполняет приказ гуру. Жуткое дело получилось. Я же имела благие намерения, думала, он останется в Москве, не полетит на остров, будет со мной. А Вяльцева задержали!

— И он не говорит ни слова, — подчеркнула Нора, — чем довел почти до истерики сотрудников МВД. Даже с адвокатом не побеседовал.

— Я виновата, — заломила руки Мариша, — ну обозлилась я немного за эту Лизу. Если честно, мы даже повздорили, самую малость. Я поинтересовалась, за какую сумму Андрюша согласился сделать пиар безголосой плешивой кошке. А он как заорет: «Не суй нос, куда не просят! Лиза невероятно талантлива!»

По щекам Мариши побежали слезы.

— Нет, вы слышали? Талантлива! Воющая грелка! И он мне после того разговора неделю не звонил! Исчез! А потом объявился с сообщением о пропаже амулета. Вот оно как! Лиза талантлива, но помогать ему обязана я. Неделя молчания Вяльцеву бы не повредила. Кто ж знал, что так получится.

— Ясно, — кивнула Нора.

Я поежился, не дай бог обозлить страстно влюбленную в вас даму, короток путь от пламенного обожания до ненависти.

— И как вы собирались вернуть ему амулет? — заинтересовалась Элеонора.

— Элементарно. Заказала ювелиру еще один такой же, тот сказал, через семь дней отдаст готовый. Я думала, приедет Андрей в гости, изловчусь и привешу брелок на место.

— Детский сад, — не выдержал я.

— Вы просто не знаете, как Вяльцев относится к талисману, — огрызнулась Мариша. — Он верит жрецу!

— Из всего вышесказанного следует один вывод, — постучала карандашом по столу Нора. — Андрей Вяльцев крепко досадил какому-то человеку. Тот решил отомстить ему и придумал замечательный план: сделать актера виновным в убийстве Сони Умер. Думаю, если пороемся в архиве загса, то найдем там запись об их бракосочетании. Настоящий убийца хорошо осведомлен о тайнах Вяльцева. Даже Мариша ничего не слышала о Софье, а преступник в курсе, следовательно, киллер близок с Андреем, мы нароем его среди ближайших друзей.

— Вы полагаете? — с легким сомнением спросил я.

— Именно так, — закивала Нора. — Андрей откровенничал с убийцей, тот знал, какую роль в жизни Вяльцева играл амулет. Можете назвать приятелей своего любовника?

Маришка пожала плечами:

— Нет.

— Как же так? — поразился я.

— Мы предпочитали проводить время вдвоем, без третьих лиц, — с вызовом ответила переводчица.

Нора начала бессмысленно передвигать письменные предметы на столе.

— И все же, — сказала она, выдержав паузу, — попытайтесь вспомнить хоть одно имя.

Мариша потерла виски.

— Леня Дубовик, пресс-секретарь.

— Дубовик? — удивился я. — Вроде Вяльцев при разговоре со мной по телефону упоминал имя Николая Рагозина!

— Не знаю, — буркнула Мариша, — может, они поругались? Я не в курсе. Мне ничего не известно.

— Можете дать телефон Дубовика? — спросила Нора.

— Нет. Я ему никогда не звонила, — снова с вызовом заявила посетительница, — впрочем, знаю его адрес. Абсолютно случайно выяснила. Понимаете, моя позиция такова: никогда не лезть в жизнь Андрея, не быть навязчивой!

Я крякнул. Интересно, как данный постулат сочетается с игрой в «буддистского монаха»?

— Иван Павлович, запиши координаты Леонида, — приказала Элеонора.

Я схватился за ручку.

— Еще Андрея связывали хорошие отношения с Сашей Никоновым, — вдруг сказала Мариша.

— А это кто? — обрадовалась Нора.

— Тренер, — пояснила Мариша. — Вяльцев очень следит за собой, посещает два раза в неделю фитнес-центр «Апельсин». Зал круглосуточный, поэтому Андрюша может приехать туда в любое время, это очень удобно. Правда?

— Верно, — согласилась Нора, — нам тоже такой распорядок по душе. Еще фамилии.

— Больше ничего не припомню, — развела руками Маришка.

— Надо объяснить Вяльцеву всю сложность

положения, — рискнул я влезть в разговор, — уж он-то небось знает, кто в курсе его дел.

— Андрюша не скажет ни слова, — всхлипнула Мариша, — он заговорит, лишь получив назад талисман. Я его так напугала! Боялась, что он уедет с Лизой, вот и сочинила: «Монах предупредил, судьба начнет испытывать тебя, подсовывать соблазны, посыплются несчастья, но нельзя им поддаваться. Талисман притягивают назад флюиды хозяина. Если открыть рот, настройка собьется».

— Да уж, — протянул я.

— Понимаете, — зачастила Мариша, — произошло совпадение. У Андрея сначала блестяще складывалась карьера, несколько замечательных ролей вознесли его на вершину пирамиды, но потом вдруг простой, полнейшая пустота, никаких предложений. И тут я подарила талисман! Буквально на следующий день Андрюшку позвали на съемки, и с тех пор он нарасхват. Вяльцев будет молчать. Видите, что вышло? Сорвали с него талисман, и мгновенно его настигла беда, арест! Ой, с ума сойти!

— Попросите ювелира выполнить заказ в срочном порядке, — посоветовала Нора, — не за семь дней, а, допустим, за два.

— Невозможно, — простонала Марина, — это связано с эмалью. Ее надо долго обжигать, я не в курсе технических деталей, но неделя — это предельно короткий срок.

— Ладно, — хлопнула ладонью по пачке бумаг Нора, — мы не знаем, какие планы у настоящего убийцы, время может играть ему на руку. Иван Павлович, немедля отправляйся в фитнес-клуб.

Я кивнул и пошел собираться.

На улице стояла духота, на небе начали сгущаться тучи, скорей всего, через пару часов на Москву упадет гроза. Я стал открывать дверь машины и увидел Люсеньку, мрачно бредущую по двору.

— Как дела, мой ангел? — спросил я.

— Ой, Иван Павлович, — обрадовалась девочка, — во, гляньте, Раиса Ивановна ответ написала.

Я сначала удивился, о каком ответе идет речь, но тут перед моим носом оказался дневник, разукрашенный записями. «Уважаемые родители, у вашей дочери три двойки...» А! Вспомнил. Это некая Раиса Ивановна, классная руководительница Люсеньки, по совместительству преподаватель русского языка и литературы, оставила гневное дацзыбао. Я ответил ей от лица Козьмы Пруткова, процитировав бессмертные строки про голову и ноги, и теперь любовался на новое заявление училки. «Уважаемый господин Кузьма Прутков! Ваше легкомысленное отношение к успехам дочери отразится на ее четвертных оценках».

— Она это всерьез? — вырвалось у меня.

— Что? — хихикнула Люсенька.

— Видишь ли, — попытался я объяснить ей, — я решил спустить все на тормозах, пошутить с учительницей. Козьмы, а не Кузьмы Пруткова на самом деле не существовало, это псевдоним, который взяли себе литераторы Алексей Толстой и братья Жемчужниковы, писали они в середине девятнадцатого века, понимаешь? Неужели Раиса Ивановна никогда не слышала об этой литературной мистификации?

Люсенька выдула из жвачки огромный розовый пузырь, потом порылась в портфеле, вытащила ручку и сказала:

— Ой, дядя Ваня, вы слишком умный. От этого только хуже. Пишите под мою диктовку.

— Хорошо, — ощущая себя виноватым, сказал я, — весь внимание.

— «Моя дочь наказана, — завела Люся, — у нее отняты компьютер, игрушки, сладкое. Диета девочки состоит из воды и хлеба. Ее выпороли ремнем сто раз. С уважением». Только подписаться опять придется Козьма Прутков, а то училка заподозрит неладное.

— Нет, нет, это слишком кровожадно!

— В самый раз, пишите, дядя Ваня, — захихикала Люсенька, — эта старая мочалка посчитает, что мне еще мало досталось.

Глава 12

Саша Никонов оказался занят, и мне пришлось ждать в баре. Надумав покурить, я поискал глазами пепельницу, а потом, не найдя, попросил официантку принести ее.

— Что вы, — картинно испугалась девушка, — у нас в клубе безникотиновая зона. Лучше выпейте коктейли из свежевыжатых соков с медом, это намного полезнее, чем травиться дымом.

— А кофе здесь тоже подвергнут остракизму? — улыбнулся я.

— Вам эспрессо?

— Лучше двойной крепости, — попросил я и откинулся на спинку стула.

Здоровым образом жизни человека легко довести до смерти. И потом, мы так мало знаем о собственном организме. Сейчас все наивно полагают, что диета и занятия спортом идут нам на пользу, но, вполне вероятно, лет через сто выяснится, что не следовало заниматься самоистязанием, лучше лежать на диване и потреблять побольше вкусной еды. Кстати, мне отчего-то кажется, что упитанная, довольная всем на свете, не способная ни разу присесть или отжаться личность проживет дольше, чем тощий аскет, нервный от постоянных ограничений.

— Вы меня ждете? — раздался густой баритон.

Я поднял глаза и увидел высокого, темноволосого, накачанного парня в спортивной форме. Странное дело, Андрей Вяльцев вызвал у меня неприятие. Его рельефные мышцы казались ненастоящими, словно вылепленными из пластилина, а Саша Никонов отчего-то внушал мне доверие. Может, все дело в бесхитростной, какой-то детской улыбке тренера?

Я невольно улыбнулся в ответ:

— Садитесь, пожалуйста.

Инструктор с некоторым усилием втиснулся на стул, слишком тесно придвинутый к столу.

— Слушаю вас.

— Меня зовут Иван Павлович Подушкин, вот визитная карточка.

Никонов осторожно взял визитку.

— Начальник оперативно-следственного отдела? Вы из милиции? Не похоже что-то.

— Почему?

— Ну, — слегка растерялся тренер, — не знаю. У ментов взгляд иной, простите, не хотел вас обидеть. Сюда ходят ребята, они бывшие ваши, глаза у них как грабли.

Меня удивило сравнение.

— Как грабли?

Никонов потер крепкую шею.

— Ну да, зацепят вас и подтягивают. Наверное, я путано объясняю.

— Я частный детектив, представляю агентство «Ниро».

Инструктор заморгал.

— Никогда не видел сыщиков-любителей, — признался он, — только в кино.

— Вы Андрея Вяльцева знаете? — я решил сразу перейти к делу.

Саша склонил голову набок.

— Думаю, не раскрою секрета, если скажу «да».

— Он у вас занимается?

— Верно.

— Часто?

— Договаривались на два раза в неделю, — пояснил Саша. — Андрей хорошо понимает, что регулярность занятий — единственный способ поддерживать форму. А что случилось?

— Почему вы решили, будто с Андреем произошли неприятности? — мигом задал я вопрос.

Никонов потер шею.

— Вяльцев очень аккуратный, никогда не опаздывает на тренировки, если не может приехать, всегда позвонит и предупредит. А вчера он не пришел и не объявился, я даже волноваться начал.

— Вы правы, — сказал я, — Андрей попал в беду.

Никонов насторожился.

— Авария? Он не пьет, не колется, никакую дрянь не нюхает, не лихачит, но ведь на дороге полно уродов. Вот несчастье!

— Со здоровьем у Вяльцева все в порядке, Андрей задержан по подозрению в убийстве бывшей жены, — пояснил я, — информация пока только для вас, сделайте одолжение, не распространяйте ее, хотя, думаю, долго секрет не продержится, завтра или, крайний срок, в субботу о произошедшем затрубит желтая пресса.

— Ох и ни фига себе, — выпалил Никонов. — У него семья есть?

— Бывшая, — повторил я. — Он никогда не говорил о своей личной жизни?

Взор Саши стал колючим.

— Нет.

— Не жаловался на неприятности?

— Нет.

— Не сообщал о проблемах?

— Нет, — холодно твердил тренер.

— Саша, Андрей попал в беду, но, на мой взгляд, он не виноват.

Никонов пожал плечами:

— Может, и так.

— Вы в хороших отношениях с Вяльцевым?

— Нормальный клиент, аккуратный, старательный, вежливый, никаких дебошей в клубе не устраивал, — монотонно перечислил Саша достоинства Вяльцева.

— Он молчал во время тренировок?

— Почему? Разговаривал.

— На какую тему?

— Ну... о всякой ерунде. Стоит ли покупать «Бентли»? Сплошной пафос за большие деньги. Еще о погоде болтали. Он иногда истории смешные рассказывал, на съемках бывают приколы, шутки. Собак обсуждали. Вяльцев животных любит, но завести не может, все время в разъездах.

— А о личном?

— В смысле о бабах?

— О друзьях, женщинах, о своих проблемах.

— Нет, — коротко рубанул Никонов и отвел глаза в сторону.

Я глубоко вздохнул.

— Позвольте вам не поверить. Саша, поймите, Андрей в беде, для того, чтобы вытащить его из кутузки, мне необходимо найти человека, который ненавидел Вяльцева, причем настолько сильно, что убил женщину, бывшую супругу актера.

— А зачем он это сделал?

— Замыслил свалить вину на Вяльцева, надо сказать, план почти удался. Я должен действовать быстро, иначе репутации актера будет нанесен непоправимый ущерб, многие режиссеры не захотят иметь дело с артистом, замешанным в деле об убийстве. — Я намеренно начал искажать действительность.

Увы, в наше время факт ареста исполнителя главной роли моментально принесет проекту невероятный успех. Зрители валом повалят смотреть ленту, в которой снимался подлинный преступник.

— Клиент приходит в спортзал, чтобы отдохнуть, — внезапно сказал Саша, — да, заниматься фитнесом регулярно, как делает Вяльцев, тяжело. Я таких людей уважаю. Но одновременно с напряжением мускулов наступает и моральная разрядка. В клубе никто к Вяльцеву не пристает, у нас строго-настрого запрещено персоналу просить у клиентов автографы. Здесь много звезд занимается. Поймите, человек целый день в напряге. Ждет, что его папарацци щелкнут или любопытные накинутся, приходит сюда, надевает халат, ложится у бассейна и хочет быть уверен: вот тут никаких назойливых личностей не будет. Это раз. Теперь два. Тренер не только объясняет, как железом ворочать, он еще и советы дает по питанию, правильному образу жизни, подскажет, например, диету, посоветует нужные витамины. Я ведь не машина, которая способствует наращиванию мускулов, очень хорошо знаю своих клиентов и понимаю: этому в пятницу надо облегченную программу, у человека рабочая неделя закончилась, а другому, наоборот, надо нагрузки поддать, у него стресс через штангу уходит. Я же с людьми работаю. И последнее. Большинство моих фитнесменов не имеют возможности откровенничать с кем бы то ни было, держат лицо, им влом даже признаться: поясница болит. Но со мной не стесняются, с порога говорят: «Саня, давай спину в порядок приведем».

Это неверно, что при больной голове надо лечь, лучше слегка позаниматься, кровь разогнать. Ясное дело, я как врач о всех болячках своих подопечных знаю, а еще они на инструктора негатив сливают. Я для этого здесь и работаю, людям помогаю. Конечно, можно к психотерапевту сходить, только не каждый на подобный шаг готов, это ж надо признать: имею проблемы, которые сам разрешить не способен. А в спортзал только здоровому человеку дорога. Притопает усталый, замученный, в голове проблемы, побегает, поотжимается, поподтягивается. Штанга, гантели, на меня обиду или злость выльет, глядишь, конем в раздевалке скачет. Да, я владею частной информацией о клиентах, но я вам никогда ничего не расскажу. Люди мне доверяют, я не могу их обмануть, да и не удержится человек с длинным языком в тренажерном зале, не выспрашивайте, не предлагайте денег, это бесполезно.

— Андрей в беде, — тихо сказал я.

— Он не просил меня о помощи, — резонно заявил Саша, — и...

Инструктор замолчал.

— Что? — приободрился я.

— Он и правда ничего о себе не рассказывал, — покачал головой Никонов. — Я имею в виду о личном. Так, о пустяках трепались.

— Спасибо, — разочарованно ответил я, — честно говоря, я очень рассчитывал на вашу откровенность.

Никонов потер шею.

— Я уже объяснил свою позицию, но об Андрее и впрямь ничего не знаю. Могу дать лишь общую характеристику: умен, вынослив, образован, хорошо воспитан, никогда не выходит из себя, держит всех на расстоянии вытянутой руки, закрытая дверь.

— Дверь?

Саша кашлянул:

— Образно говоря. У меня всегда при общении с Вяльцевым остается ощущение, что он, как бы это сказать, никогда не впускает меня внутрь. Нет, он очень приветлив, внимателен, но до определенного предела, а потом, хлоп, дверь закрыта. Понятно?

— В принципе, да.

— И еще... Хотя нет, это ерунда, — замялся Никонов.

Но я вцепился в инструктора, как терьер в потерявшую бдительность лису.

— Саша, говорите, мне пригодится любая мелочь.

Никонов пригладил короткие волосы.

— Вяльцев молодой, ему по паспорту тридцати нет.

— Верно.

— Уж не знаю почему, но мне кажется, что Андрей старше, как минимум ему лет на семь-восемь больше, чем в документе указано.

— Отчего у вас возникла подобная уверенность?

Никонов пожал плечами.

— Нагрузку не так держит, как молодой, реакции другие. Знаете, иногда приходит женщина, выглядит изумительно, ни морщинки, подтянутая, спортивная и говорит: «Мне двадцать пять».

Начинаешь с ней заниматься и понимаешь: врет, тридцатник как минимум. Странные люди, мне же возраст знать надо, чтобы правильно тренировку построить. Вот и Вяльцев слукавил слегка, ему, думаю, к сорока подкатывает, хотя смотрится он молодцом. Впрочем, актерам свойственно приуменьшать возраст, в особенности женщинам. Только все равно смешно получается. Читал тут в одном журнале статью про звезду, родилась третьего июня, ясное дело, год не указан, а потом написано: в тысяча девятьсот семьдесят девятом году поступила в театральное училище. Ну просто анекдот! Сразу можно возраст вычислить. Ей после окончания школы сколько исполнилось? Шестнадцать-семнадцать!

— А с кем Андрей общался в клубе? — вернул я инструктора к нужной теме.

— Он приходил поздно, тут уже пусто в такой час, — пояснил Саша, — после десяти вечера мало посетителей.

Признав свое окончательное поражение, я попросил Сашу:

— Спрячьте мою визитку, если вспомните что-то интересное, позвоните, пожалуйста.

— Непременно, — вежливо кивнул Никонов и взял карточку.

Я допил невкусный кофе, сел в машину и поехал к Леониду Дубовику. Непонятно, почему Нора сначала велела направиться к фитнес-инструктору. Ясное дело, пресс-секретарь знает больше о жизни Андрея, чем тренер.

Дубовик жил в самой обычной блочной пятиэтажке. Я немного удивился, въехав в не по-московски просторный и зеленый двор. Мне казалось, что человек, работающий с Вяльцевым, мог себе позволить элитную жилплощадь.

Дверь в подъезд стояла нараспашку, ни о каком домофоне или консьержке тут и речи не шло, на грязной лестнице сильно пахло гниющим мусором, а подоконники были украшены банками из-под растворимого кофе, набитыми окурками.

Стараясь не дышать, я поднялся на последний этаж и вздрогнул. Дверь с номером 89 украшала белая полоска с синей печатью.

Потоптавшись у створки, я позвонил к соседям. Загремели замки, зазвенела цепочка, приоткрылась щель, из нее выплыл противный запах жирных щей, и послышался пьяноватый голос:

— Чаво надо?

— Простите, не знаете, где Дубовик?

Дверь распахнулась, и я увидел мужика в драных грязных штанах, над поясом нависал огромный живот, ноги, босые, с длинными серо-желтыми ногтями, похожие на лапы бродячей собаки, были такие же грязные и больные.

— А ты ваще кто? — поинтересовалась малопривлекательная личность.

Я отметил, что на левом плече соседа имеется татуировка, не цветная картинка, которыми сейчас любит украшать себя молодежь, а синее, плохо выполненное изображение кинжала, который обвивала змея, и решил не показывать удостоверение сотрудника «Ниро». Похоже, мужик побывал на зоне, неизвестно, как он отреагирует на встречу с детективом, пусть даже частным.

— Мы работаем вместе, — обтекаемо ответил я.

Толстяк сплюнул прямо на пол.

— Актер, что ли?

— Ну... не совсем.

— Гляжу, не похож ты на пидоров, — скривился грязнуля, — нет Леньки.

— Не знаете, куда он уехал?

Мужик выпятил нижнюю губу.

— Ты дурак? — неожиданно спросил он.

— В принципе нет, — ответил я.

— Тады че хрень гонишь? Видел, опечатано! Заметил бумагу.

— А когда менты ее присобачивают? Помер Ленька, допрыгался, пидор.

Я постарался сохранить хладнокровие.

— Дубовик скончался?

— Сечешь фишку.

— А когда?

— Ну, вроде пару дней назад, не помню.

— Сердце? Инфаркт?

Мужик загоготал.

— Он здоровее многих, не, свои пришибли.

— Кто?

— Пидоры.

— Дубовик имел гомосексуальные наклонности?

— Во, в точку, кланялся жопой вверх, — окончательно развеселился собеседник, — поза пьющего оленя! Да, видать, не угодил кому-то!

— Серега, — донеслось из квартиры, — скока ждать мона? Стынет!

— Скока нуно, стока и мона, — ответил мужик, потом, снова харкнув на пол, захлопнул дверь.

Я постарался сосредоточиться. Дубовик умер. На днях? Его убили? А потом задержали Андрея Вяльцева? Случайно ли лишился жизни единственный человек, способный рассказать подробности биографии актера?

— Уважаемый, — прошелестело сбоку.

Я повернулся влево и увидел, что дверь третьей квартиры, расположенной у самой лестницы, приоткрылась и оттуда выглядывает милая старушка в розовом халате.

— Вы приятель Ленечки? — загадочно спросила она.

— Скорей близкий знакомый.

— Идите сюда, — предложила бабушка.

Я вошел в крошечную прихожую и втянул голову в плечи. С моим ростом трудно в малогабаритных квартирах, легко стукаюсь лбом о люстры.

— Федор отвратительный грубиян, — застрекотала старушка, — маргинальная личность, тунеядец, нигде не работает, у метро бутылки собирает, ясное дело, он завидовал Ленечке. Тот Федору пару раз денег в долг дал, а потом понял, с кем имеет дело, и перестал оказывать помощь, а Федор обозлился и начал мерзости болтать. Не верьте, Ленечка был замечательным, он работал у нашего великого актера Андрея Вяльцева.

— Да? — изобразил я изумление.

— Точно, точно, — закивала бабуся, — приносил мне билеты, очень внимательный мальчик.

Денег никогда не брал, протянет контрамарку и улыбается: «Сходите, Надежда Павловна, в кино».

Я всегда бегала, Ленечка приглашал на особые сеансы, премьерные — для своих, двойное удовольствие получается: и фильм поглядишь, и всех звезд увидишь.

— Отчего он умер?

Надежда Павловна вытащила из кармана халата платочек.

— Подъезд наш видели? Западня! Темно, лампочки уроды из восемьдесят первой выкручивают, точно знаю, видела сама. Ленечка по ночам возвращался, оно и понятно, он же с Вяльцевым ездил! Я ему говорила: «Мальчик, не дразни гусей, не ходи в дорогих часах, не размахивай телефоном, сними перстень, время страшное, людей за копейку убивают, помни, где живешь! Сплошные пьяницы». Но Ленечка такой беспечный! Знаете, его тут ненавидели! Окна в машине сколько раз били, это недоумки из семидесятой, я знаю, видела. Вот и допрыгался, бедный. Его ограбили! В подъезде, ночью, тело Катя нашла, она на хлебозаводе работает, шла с ночной смены — и тут труп! Ой, горе.

Глава 13

Еле вырвавшись от милой бабушки, желавшей непременно рассказать о всех «уродах», населявших подъезд, я спустился на несколько пролетов вниз и позвонил в семьдесят девятую квартиру. Похоже, обитатели малопрезентабельной пятиэтажки совершенно не боялись грабителей, дверь распахнулась мгновенно, без лишних вопросов.

— Вам кого? — шмыгая носом, поинтересовался белобрысый мальчик лет двенадцати.

— Катю, работницу хлебозавода... — начал я, и тут же паренек заорал:

— Мамка, к тебе из милиции пришли.

Послышался топот, и из коридора показался еще один мальчик, похоже, первоклассник.

— Петьк, — с огромным любопытством спросил он, — а пистолет у него есть?

— Молчи, дурак, — ответил старший брат и пихнул младшего.

Обиженный ребенок не остался в долгу, он попытался дернуть брата за ухо, и в тесной прихожей началась драка.

— А ну пшли вон, — прогремело из глубины квартиры, потом в пространство, забитое вешалкой и шкафом, вплыла полная фигура в цветастом платье. Бац-бац, толстая рука привычно отпустила две оплеухи, мальчишки, втянув головы в плечи, юркнули в комнату.

— Уж простите, — сказала Катя, — на секунду оставить их нельзя, все время уродуются. У других дети как дети, а мне хрен знает что досталось! Ни отдыха, ни покоя. Проходите сюда, садитесь, чаю хотите?

Из комнаты раздался грохот.

— Сейчас вернусь, — пообещала хозяйка и бросилась на шум.

Я присел на табуретку и огляделся по сторонам. Почти половину жизненного пространства кухни занимал холодильник, а оставшиеся сантиметры были тесно забиты шкафчиками. На подоконнике — из-за отсутствия места хозяйка превратила его в буфет — толпились чашки. Вместо стола была откидная доска, а с веревок, протянутых под потолком, свисало недавно постиранное белье. Бедность тут кричала отовсюду, о ней говорил древний рефрижератор «Саратов», похоже, выпущенный еще до моего рождения, допотопная, громоздкая плита, протертая клеенка и эмалированный помятый чайник. Но на кухне царила чистота операционной, старенькие занавески, прикрывавшие стекла, были накрахмалены, потертый линолеум вымыт до блеска, а красные кружки на подоконнике стояли идеально ровной линией, хозяйка повернула их ручками в одну сторону. Диссонансом в крохотной пятиметровой кухне «звучала» лишь ярко-синяя коробка, на которой золотыми буквами было написано: «Кондитерская Манже». Я хорошо знал, где находится это, если можно так выразиться, кафе. «Манже» — дорогое и модное место, его любит посещать Николетта. Кофе в богато разукрашенном зале подают отменный, а еще там изумительные пирожные, насладиться которыми лично мне мешают два обстоятельства: не особо люблю сладкое и прихожу в ужас при виде цены. Ну из чего надо сделать эклер, чтобы просить за него тысячу рублей? Впрочем, несмотря на хамские цены, в «Манже» всегда толпится народ, там и в будние дни не присесть, а на выходные столик надо заказывать заранее.

«Манже», «Манже»... Кто совсем недавно упоминал об этом заведении? И неужели Катя позволяет себе столь дорогие сладости?

— Еще раз извините, — сказала женщина, протискиваясь через узкую дверь, — чаю?

— Нет, спасибо, — ответил я, — скажите, это вы нашли Леонида Дубовика?

— Охохонюшки, — протянула Катя и пристроилась на крохотном пуфике из искусственной кожи, стоявшем у окна, — вот страхотища!

Со смены шла, усталая, еле ноги тащила. Доперлась до подъезда, дверь открыла — темнотища! Снова лампочки вывернули. Во народ! Уж на что нам с Юркой тяжело мальчишек поднимать, муж у меня охранником служит, зарплата маленькая, но никогда не польстимся на чужое!

Не успела Катя произнести слово «охранник», как я моментально вспомнил шикарный подъезд дома, в котором находится офис Вяльцева, и услышал извиняющийся голос одного из секьюрити: «Мы эту Арфу наверх пустили, девка хотела чаевые за доставленные пирожные получить». К Андрею приходила курьер из «Манже», и она по непонятной причине устроила скандал.

— Шагнула в темноту, — продолжала тем временем Катя. — Запнулась, хорошо, за ящики зацепилась почтовые, не упала. И ведь сразу поняла, лежит человек на полу. Только на Соломатина погрешила, ну, думаю, снова набрался, до квартиры не дополз, в подъезде разлегся.

Я молча слушал обстоятельный рассказ. Катя, чертыхаясь, поднялась на второй этаж и позвонила в квартиру Соломатиных, дверь открыла Нинка, хозяйка.

— Забери свое счастье, — сердито велела Катя, — развалился у входа, чуть ноги из-за него не сломала.

— Не бреши, — зевая, ответила Нинка, — мой дома храпит. Ты ваще на часы глядела? Офигела совсем!

— Кто же тогда у почтовых ящиков спит? — изумилась Катя.

— Мне по фигу, — заявила Нина и захлопнула дверь.

Катя призадумалась, потом сходила домой, взяла фонарик и вернулась вниз. В голове у нее роились самые простые мысли. Если у входа устроился кто-то из соседей, то надо позвать его родных, но в подъезд мог зайти и бомж, потом его не выгонишь, переночует один раз и повадится ходить. Вон во втором парадном еле-еле бабу-пьянчужку вытолкали, три месяца под лестницей жила, устроилась со всеми удобствами, матрас приволокла!

Полная желания навести порядок, Катя направила луч фонарика на тело и похолодела. Дорогая обувь, качественный костюм... Нет, это не лицо без определенного места жительства, а Леонид Дубовик.

Катя примолкла.

— Дальше, — потребовал я.

Женщина пожала плечами.

— Домой побежала, хорошо, в обморок не свалилась, позвонила ментам, они потом уж труповозку вызвали и по квартирам пошли. Говорят, его ограбили, часы сняли, перстень. Ох, не надо было ему выпендриваться!

— Вы не заметили ничего необычного?

Катя скрестила руки на груди.

— Я че, каждый день убитых соседей нахожу? Уж куда необычней.

— Может, на ваших глазах из подъезда человек выскочил?

— В час ночи, — прищурилась Катерина, — у меня смена в двенадцать закончилась.

— И под лестницей никто не прятался?

— Так говорила уже, лампочку разбили.

— Ничего интересного не заметили?

— Нет.

— И не услышали?

— Да нет же.

— Около трупа были вещи?

— Какие?

— Допустим, борсетка, пакет, портфель...

— Не, ничего похожего.

— Газета?

— Ваще ничего, — быстро ответила свидетельница.

— Вы ничего не брали с места происшествия?

— Я?

— Вы.

— Думаете, стырила у Леньки кошелек с кольцом? — пошла в атаку Катя. — Во, правильно Юрка сказал: «Зря ты с фонарем полезла, теперь получишь по полной. Грабителя не найдут, на тебя кражу повесят. Ментам надо дело раскрыть». Только зря стараетесь, у моего шурина сын адвокатом работает. Вот так! Думали, раз мы бедные, то все можно? Обломалось. Спросите людей, я никогда копейки чужой не возьму.

— Не хотел вас обидеть, — сказал я, — и думал не о перстне и бумажнике. Вдруг вы подобрали пачку сигарет?

— И зачем мне дерьмо?

— Или коробку с пирожными.

Катя вздрогнула.

— Про че... болтаете?

— Наверное, ваши мальчики любят сладкое, — поинтересовался я.

— Ясное дело, дети же.

— Думаю, пирожные вы покупаете не каждый день.

— На праздник беру, — настороженно подтвердила Катя, — Новый год, Пасху.

— Но тогда был самый обычный день!

— Ваще не соображу, куда вы гнете.

Я ткнул пальцем в синюю коробку с золотыми буквами.

— Хорошо знаю кондитерскую, где вы приобрели угощение, похоже, в упаковке дюжина пирожных.

Катя схватилась за край клеенки и, судорожно сминая его в пальцах, попыталась оправдаться:

— И че? Раз бедные, то и угоститься нельзя? У мужа день рождения случился, гостей позвали. Че привязались? Нечего мне больше сказать, переговорили — и уходите.

— Катюша, — нежно прокурлыкал я, — врать надо уметь. В вашем случае следовало сообщить про некую семейную традицию. Ну, допустим, супруг именно в тот день впервые признался вам в любви, поэтому и отметили дату сладким чаем. Не надо про день рождения.

— Почему? — по-детски удивилась Катя.

— Информацию о любовном признании проверить трудно, а что вы станете делать, если потребуют паспорт Юрия и глянут на дату его рождения?

Катя открыла рот, закрыла его, снова открыла, но нужных слов не нашла.

— И еще одно обстоятельство, — добавил я, — сумма в двенадцать тысяч рублей кажется вам пустяком?

— Сколько?

— Двенадцать тысяч.

— Мне столько долго собирать надо, — промямлила Катя, — это хороший диван получается.

— Абсолютно согласен, разрешите, покажу вам фокус?

— Валяйте, — напряженно сказала хозяйка.

Я взял синюю коробку и потянул за крохотный язычок, приделанный в самом низу, выехал небольшой ящичек.

— Там что? — с неподдельным интересом спросила Катя.

— «Манже» кладет сюда подарок: талон на бесплатную чашку кофе и одно пирожное по вашему выбору, — ответил я.

— Ух ты! Не знала!

— А к купону степлером прикрепляют чек. Вы когда купили пирожные?

— Сегодня!!!

— На чеке стоит другая дата и время около одиннадцати вечера. И еще, ваша покупка стоила не двенадцать тысяч, как предполагал я, оценив размер тары, а пятнадцать!

Катя вцепилась пальцами в стол.

— Скока? — потрясенно ахнула она. — Пятнадцать штук за булки с кремом? Вы врете!

— Вот чек, — протянул я ей бумажку.

Пару секунд она изучала чек, потом прошептала:

— Я не знала! Неужели столько за пирожные можно отдать? Сколько же у него денег было? Вот сволочь, а я на диван никак не соберу.

— Катюша, — продолжал я, — ваши действия попадают под статью о воровстве в особо крупном размере.

Хозяйка схватилась ладонями за щеки и забормотала:

— Не хотела... я думала... ни... ой! Посадят! Позору не оберешься!

— Расскажите мне правду, — попросил я, — и забудем о коробке.

Катя схватила со стола посудное полотенце, быстро вытерла лицо и зачастила. Я осторожно нащупал в кармане диктофон. Надеюсь, аппарат не подведет.

Когда Катя вошла во двор, ее чуть не сбила с

ног незнакомая девица. Растрепанная красотка вылетела из родного подъезда пекарши, и Катюша захихикала про себя. На втором этаже живет семья Стефаненко. Жена, Татьяна, часто мотается по командировкам, а муж, Борис, сидит дома, плюет в потолок. В отличие от большинства соседей Борька не пьет, зато он бегает по бабам. Денег у местного Казановы нет, поэтому, едва Танька отправляется на вокзал, Бориска притаскивает очередную лахудру и весело проводит время: парень не только ленив, он еще и туп. Не успевает Танька вернуться, как местные кумушки тут же сообщают ей об очередном зигзаге любимого, и у Стефаненко случается народная русская забава: скандал с мордобоем. Где-то неделю назад Катя столкнулась с Таней, и та мрачно сказала:

— Все, надоело, подлец врет, выкручивается, подловлю его и вышвырну вон.

— Как же ты его выследить решила? — заинтересовалась Катя.

— Скажу, в командировку отправилась, погожу до ночи, в метро перекантуюсь и вернусь в квартиру, — изложила соседка план.

Поэтому, увидав несущуюся на всех парах девицу, Катерина сразу скумекала: Стефаненко осуществила задуманное. Девчонка поскакала на проспект, из ее волос выпала прямо к ногам Кати здоровенная заколка — краб, украшенный гроздью сверкающих камней. Пекарша подняла безделицу, она решила отдать ее Стефаненко, пусть Танька ткнет Борьке в нос улику, соврет, что нашла ее в кровати под подушкой.

Катя вошла в подъезд, споткнулась, дальнейший ее рассказ совпал с первой версией, вот только заканчивалась история по-иному.

Направив луч света на тело Дубовика, Катя сразу поняла: Леонид мертв. Пекарша не боится покойников, в свое время она работала санитаркой в морге, привыкла к умершим и научилась с первого взгляда разбирать, где мертвец, а где просто раненый человек.

Поняв, что ей придется вызывать милицию, Катя осветила фонариком лестницу. Она подумала, что у обеспеченного Дубовика мог быть при себе портфель, который до приезда ментов следует припрятать. Соседи вороватые, спустится кто и сопрет кожаную сумку.

Но никаких борсеток, папок или пакетов вблизи не обнаружилось, стояла лишь синяя коробка. Катя приоткрыла крышку и увидела множество пирожных неземной красоты.

— Наш завод такие не печет, — оправдывалась она, — картошку делаем, сухари в нее, сошедшие со срока, кладем. Никогда подобной вкусноты не видела. Я же не знала, сколько они стоят! Решила, просто сладкое, зачем его оставлять? Ментам не понадобится, им водки с колбасой подавай, вышвырнут корзиночки вон, или стухнут они в отделении. Вот и прихватила детям. И правда, такие свежие, нежные, быстро мы их съели, а коробку я оставила, она бархатом отделана, хотела в ней нитки держать. Ну кому плохо сделала? Надо было оставить? Чтоб скисли?

— Где заколка? — перебил я.

— Таньке отнесла.

— Ступайте, заберите назад.

— Она не отдаст!

— Катя! Если принесете краба, я навсегда забуду о пирожных и никому не расскажу о вашем воровстве.

— Это просто пирожные, — с отчаянием выкрикнула хозяйка, — не вещи или деньги!

— Но сладкое покупали не вы, — резонно ответил я, — нельзя брать чужое, даже если оно стоит копейку. Тем более уносить улики с места происшествия.

— Ща сгоняю, — подскочила Катя и убежала.

Я остался в кухне один и начал бездумно рассматривать разноцветные трусы и чудовищного вида лифчики, свисавшие с веревки. Уж не знаю, какие аргументы использовала Катерина, но через четверть часа она вернулась назад и отдала мне аляповатое изделие из пластмассы, украшенное осколками бутылочного стекла.

Глава 14

Нора не дала мне сказать и слова.

— Ваня, — поманила она меня, высунувшись из кабинета, — зайди.

Я бодро вошел в рабочую комнату Элеоноры, раскрыл было рот и тут же захлопнул его. В кресле, невзирая на поздний час, сидела симпатичная брюнетка в черном костюме. На девушке было слишком много косметики, тональная пудра цвета загара, румяна, алая помада, карие глаза окружены забором излишне черных ресниц, но даже в таком виде молодая женщина казалась симпатичной.

— Знакомьтесь, — бодро воскликнула Нора, — Иван Павлович, заведующий разведывательным отделением.

Я улыбнулся брюнетке, надо нам с Элеонорой наконец договориться о моем служебном статусе, а то постоянно путаемся.

— А это Олеся Реутова, ближайшая подруга покойной Сони Умер, — сказала Нора.

— Очень приятно, — машинально ответил я и тут же спохватился. — Извините, ничего приятного, учитывая недавно случившееся горе, нет.

— Вы не сделали ничего плохого, — просипела Олеся, — а у меня голос на нервной почве пропал, вот, хриплю.

— Соня на самом деле была женой Вяльцева, — заявила Нора, — здесь сомнений нет.

— Он ее обманул, — зашептала Олеся, — устроился за чужой счет, воспользовался добротой Сони и ее мамы Тильды Генриховны, обвел женщин вокруг пальца. Заявился в Москву из какой-то дыры. Думаю, хитрый Вяльцев мигом понял, с кем имеет дело. Сонечка выглядела наивным ребенком, Тильда точь-в-точь такой же была, они всему верили. Я им сто раз говорила, проверьте мужика, кто он, откуда, чем дышит! Нет, сразу его полюбили, к себе прописали, и сами знаете, что получилось. Андрей убил Соню.

Олеся низко опустила голову, я испытал прилив неприязни к Вяльцеву. Нора быстро приложила палец к губам и задала Олесе вопрос:

— Почему вы так уверены в виновности Вяльцева?

— А кто, кроме него? — грустно ответила Олеся. — У Сони было немного знакомых, из близких лишь я. Сонечка была очень замкнута, ей делалось плохо в чужих компаниях, еще она предъявляла к людям высокие требования и не прощала ошибок, у нее был сложный характер. Но я очень любила Соню, она платила мне той же монетой, всегда прислушивалась к моему мнению. Два раза лишь проигнорировала его. В первый, когда связалась с Андреем, и во второй, родив Марка. Как я умоляла ее не заводить ребенка, в ногах буквально валялась, упрашивала, объясняла: «Вяльцев никогда не станет хорошим отцом».

Нет, она уперлась ишаком и твердила:

«Ты его не знаешь, в Андрее бездна нежности, он просто не приучен демонстрировать чувства».

Все, увы, получилось по-моему, поверьте, я очень хотела бы оказаться не права. «Бездна нежности», получив благодаря прописке доступ к московским съемочным площадкам, ухитрился заработать кучу денег и бросил Соню, купив себе тайком квартиру.

— Вы несправедливы к Вяльцеву, — неожиданно сказала Нора, — сейчас в кино снимают человека независимо от его прописки. Советские времена прошли, теперь главное — талант.

Олеся бросила на Нору уничтожающий взгляд.

— Странная наивность, — фыркнула она, — ну и как отреагирует режиссер, когда к нему заявится чмо с рюкзаком и в калошах? «Здрассти, я будущий Джони Депп, снимите меня в блокбастере». Чушь. Знаете, как устраиваются провинциальные актеры?

— И как? — заинтересовалась Нора.

Олеся поправила густую челку и закинула ногу на ногу, ее черные туфли сверкали лаком.

— Конечно, лучше всего поступить в московский вуз и за время учебы завязать связи. Студентам тяжело, но тем, кто решил покорить столицу, будучи уже взрослым, практически невозможно пробиться.

— Андрей, насколько я помню рассказ Сони, успешно попал в институт, — напомнил я.

Олеся хмыкнула:

— Ага, верно. Вы только не знаете крохотную деталь, коренным образом меняющую все. У Тильды Генриховны имелась ближайшая подруга, Руфь Гиллер.

— Постойте! — воскликнула Нора. — Была такая актриса, очень известная, хорошо помню ее в роли Дездемоны.

— Точно, — закивала Олеся, — она самая. Руфь Соломоновна долгие годы является членом приемной комиссии института, куда Вяльцева приняли с распростертыми объятиями.

— Господи, сколько же ей лет? — восхитилась Нора.

— Тайна, покрытая мраком, — отозвалась Олеся, — сто, двести, триста... Нет ответа.

— Руфь жива? — недоумевала Элеонора.

— Да, и замечательно себя чувствует, но сейчас речь идет не о потрясающем долголетии Гиллер, — вернула беседу в прежнее русло Олеся. — Когда сволочь Андрей появился в квартире Сони, он в первый же день спел арию про свои невзгоды: родителей нет, на последние копейки купил билет в Москву, мечтает стать актером, если не поступит в институт, выбросится из окна... Соня вам рассказывала семейную легенду про то, как ее бабки находили женихов?

— Да, — хором ответили мы с хозяйкой.

— Тильда была добрейшей души человек, — вздохнула Олеся, — про ее наивность я уже сообщала. Она моментально поверила Андрею и, держа в уме дурацкую семейную традицию, кинулась звонить Руфи. Разве Гиллер могла отказать любимой подруге? Андрей попал в вуз. Теперь скажите, где лучше жить? В хорошей квартире, на всем готовом, купаясь в любви жены и тещи, либо в общежитии, питаясь магазинными пельменями?

— Глупый вопрос, — скривилась Нора.

— Вот, вот, — подхватила Олеся, — и Вяльцев оказался того же мнения. Он лишь один раз показал истинное лицо, когда попытался отговорить Соню рожать. Ну а затем в гору пошел, заработал на квартиру и бросил супругу, словно поношенную обувь.

— Быстро обернулся, — констатировал я, — цены на недвижимость растут.

— Он же ничего на жизнь не тратил, — возмутилась Олеся, — ел, пил, гулял и одевался за счет жены, отлично устроился. Соня дура, шла у мужа на поводу, не высовывалась, боялась ему удачную карьеру порушить. Мерзавец! Он ее убил!

— Из-за разрешения на выезд для ребенка? — протянула Нора. — Слабоват повод!

— Нет, — сердито перебила Олеся, — он испугался, что Соня про него правду расскажет.

— Какую? — спросил я.

— Всю. Про поступление в вуз, брошенного сына, измены жене. Мигом имидж мачо-красавчика лопнет!

— Однако странно, — задумчиво протянула Элеонора, — почему мысль о физическом уничтожении жены пришла в голову Вяльцеву лишь сейчас? Они с Соней давно разорвали отношения, если уж убивать бывшую супругу из страха быть разоблаченным, то следовало проделать это сразу после развода.

Олеся снова сложила руки на груди.

— Они договорились, что Соня никогда не напомнит о себе, она и не возникала, а тут поездка, будь она неладна.

— Еще одна странность, — не успокаивалась хозяйка.

— Какая?

— Почему Вяльцев записал на себя младенца?

— Куда ему было деваться? Мальчик появился в законном браке, — закашлялась Олеся.

— Некоторые мужчины, — тихо ответила Нора, — не считают штамп в паспорте достаточным основанием для признания ребенка и отказываются от отцовства.

— А Вяльцев не протестовал, — слегка повысила тон Олеся.

— Следовательно, он не законченный мерзавец, — сделала логичный вывод Элеонора.

— Негодяй и гад.

— Но мальчика он признал.

— Он его не воспитывал, денег не давал!

— Фамилию свою дал, — упорствовала Нора.

— Неправда! — заорала Олеся. — Разве вы не поняли? Вяльцев меньше всего хотел, чтобы известие о его женитьбе вылезло наружу! И Марка никто не признавал! Мальчик горькая безотцовщина!

— Тогда неясна ситуация с выездом, — рявкнула Нора, — либо Марк сын Вяльцева, тогда нужно разрешение. Если дело обстоит так, вы обязаны согласиться: мазать Андрея одной лишь черной краской никак нельзя, есть в нем и светлые пятна. Если же Вяльцев, образно говоря, отшвырнул мальчика, то зачем разрешение?

Олеся замерла.

— Ну в общем, — весьма неохотно произнесла она, — дело глупое. Сонечка, она, надо учесть, такое воспитание, Тильда...

— Не понимаю! — рявкнула Нора.

Олеся опустила глаза.

— Еще одна Сонина идиотская затея! Вы же никому не расскажете? Нет? Когда родился Марк, Андрей очень долго не шел в загс регистрировать младенца. Все тянул, находил причины: съемки до ночи, пресс-конференция, премьера фильма...

В конце концов Соне надоело, что Марк как бы не существует, и она сама зарегистрировала его.

— Подобную процедуру разрешено проделывать без отца малыша? — изумился я. — Бред. Любая женщина тогда сможет приписать, допустим, мне кучу отпрысков и потребовать потом алименты.

Олеся кашлянула.

— У Сони в загсе работала соседка, в одном подъезде жили. Вот она и помогла.

— То есть без согласия мужа Соня записала Вяльцева отцом ребенка, — безжалостно уточнила Нора.

— Ага, — подтвердила Олеся, раскрыла свою яркую бело-красную сумку, вынула платок и стала комкать его в руке.

— Андрей был в курсе? — спросила Элеонора.

— Нет, — менее уверенно ответила Реутова, — Сонечка не успела ему рассказать, Вяльцев вообще перестал домой заглядывать.

— Ясненько, — забарабанила пальцами по столу хозяйка. — Когда Иван Павлович сообщил актеру об отцовстве, подтвержденном свидетельством о рождении, у лицедея просто крышу сорвало.

— После вашего ухода он позвонил Соне и начал орать, той пришлось признаться в содеянном. Кстати, Соня страшно переживала, — стала выгораживать покойную подругу Олеся, — она просто не хотела, чтобы Марк рос ущербным. И не собиралась ни в коем случае говорить подросшему сыну о том, что он отпрыск известного актера. Андрей Вяльцев! Эка невидаль! Отличное имя, не слишком редкая фамилия. Жил-был Андрей Вяльцев, сел в самолет и попал в авиакатастрофу. Все. Марк стал бы сиротой, но зато он рожден в законном браке и признан отцом. Для Сони этот факт являлся крайне важным. Она была старомодного воспитания, Тильда засорила голову дочери всякой ерундой. Ребенок вне брака? Позор. Замуж без любви? Низзя! А вот за первого встречного — пожалуйста, это в духе семейной традиции. Соня не подумала, что, сделав Вяльцева отцом, она попадает от актера в зависимость, мысль о всяких разрешениях на выезд ей и в голову не пришла!

— Разобрались наконец-то, — кивнула Нора.

— Я пришла к вам не разбираться, — торжественно объявила Олеся, — а сообщить! Марка я беру к себе. Мы с мужем усыновим мальчика, причем постараемся сделать это в кратчайший срок. Кирилл, мой супруг, работает в Германии, здесь мы бываем наездами, Марку с нами будет хорошо.

— Не сомневаюсь, — ответила Элеонора.

— Правильно написано в газете, Андрей убийца, — жестко продолжала Олеся, — он уничтожил Сонечку, испугавшись правды! Вот так! Преступник должен быть наказан. Надеюсь, если вас вызовут к следователю, вы расскажете про приход Сони и всю катавасию с разрешением. А Иван Павлович обязан сообщить о беседе с Вяльцевым. Думаю, вы не захотите покрывать преступника.

— О какой газете идет речь? — внезапно спросила Нора.

— Вы не в курсе? — удивилась Олеся. Она раскрыла яркую сумочку, вытащила из нее аккуратно сложенную газету и дала Норе.

Хозяйка расправила лист и начала читать текст:

— «Невероятная сенсация. Любимец миллионов женщин Андрей Вяльцев убил свою бывшую жену. Преступление совершено с особой жестокостью, актер превратил лицо бедняжки в кровавое месиво. Представляю, с каким негодованием тысячи и тысячи теле- и кинозрителей сейчас восклицают: «Наш Андрюшенька никогда не ходил под венец, он неоднократно сообщал в интервью о своем одиноком, давно тоскующем о любви сердце». Неправда, девочки. У Вяльцева имелась супруга, Соня Умер. Еще есть ребенок, Марк, плоть от плоти нашего кумира. Завтра я сообщу вам шокирующие подробности о том, как женщина помогла Андрею взобраться на вершину славы и за что он лишил ее жизни.

Кстати, изобличить преступника помогли владелица детективного агентства «Ниро» Элеонора и ее друг и помощник Иван Павлович Подушкин. Они готовы дать показания в милиции. Подушкин лично нашел тело Сони, а Элеонора знает удивительные детали. Они не станут молчать. Нет! Следите за публикациями. Только в нашей газете вы найдете эксклюзив. Екатерина Фукс».

Ну не дрянь ли! — возмутилась Нора, откладывая листок.

— Согласна, — подхватила Олеся, — Вяльцев скотина.

— Я сейчас говорю о Фукс, — еще больше

обозлилась хозяйка, — не о такой статье речь шла, а о простом упоминании агентства, мне обещали добротное интервью в «Счастье».

— Скажите спасибо за бесплатную рекламу, — хмыкнула Олеся, — вот я бы девушке Фукс купила самую большую коробку конфет. Теперь Вяльцеву конец, даже если он от тюрьмы увернется, имидж погиб.

Нора уронила на пол нож для разрезания конвертов, я быстро наклонился и поднял его.

— Спасибо, — кивнула хозяйка.

— Я пойду, — заявила Олеся.

— Вас проводит Иван Павлович, — ответила Элеонора.

Девушка встала, сделала шаг и споткнулась о ковер, я подхватил ее под локоть.

— Осторожно!

— Спасибо, — прохрипела она в ответ.

Когда я, выпроводив Реутову, вернулся в кабинет, хозяйка изучала оставленную посетительницей газету.

— Что скажешь? — поинтересовалась она, отрывая глаза от статьи.

— Не следует ожидать порядочности от человека, зарабатывающего на жизнь сенсациями, — ответил я.

— Не об этой Катерине речь, — обозлилась Элеонора, — я спрашиваю об Олесе. Зачем она заявилась сюда с разговорами?

— Сообщить об усыновлении мальчика Марка, — предположил я, — она же четко сказала: «Думала, вы беспокоитесь о судьбе ребенка». Нехорошо признаваться, но я совершенно забыл о малыше. Очень некрасиво вышло, Марк остался один.

— Один, совсем один, — не к месту промурлыкала Нора. — Получается, что у Вяльцева имелась мощная причина убить Соню, она обманула его, повесила на него мальчика.

— Родного сына, — напомнил я.

— Ну и что? Вполне вероятно, Андрей не хотел давать младенцу свою фамилию. А что скажешь об Олесе?

— Весьма милая дама, — признался я, — очевидно, она очень любила погибшую подругу, раз берет на воспитание ее ребенка.

— А внешне?

— Вполне симпатична.

— На мой взгляд, у Олеси диспропорциональная фигура, — ухмыльнулась Нора, — слишком узкие бедра и большая, прямо-таки огромная грудь. Наверное, она вшила силикон. Ваня, скажи, с точки зрения мужчины, имплантаты — это хорошо?

Я смутился — не люблю обсуждать вслух интимные проблемы.

— Так как? — наседала на меня Нора.

— Внешне дама, сделавшая свой бюст более совершенным, выглядит красиво, — обтекаемо ответил я. — Сейчас масса возможностей для исправления ошибок природы: можно надеть брекеты, прилепить искусственные волосы, нарастить ногти. Но к чему это приведет? Женщины станут похожими, словно клоны, все с одинаково высокой грудью, без морщин, блондинки со спортивной фигурой. Мне кажется, что, усиленно подгоняя себя под некий стандарт, дама лишается шарма. Думаю, изменять надо лишь уродство, мешающее жить, например, волчью пасть или заячью губу.

— Одной и горб не помеха, — протянула Нора, — проживет с кривой спиной счастливо, другой ноготь неправильной формы оправданием для лени станет, сделает из него проблему. А что скажешь о ее одежде? Сумочке? Обуви? Похоже, туфли неудобные, девица споткнулась о ковер и чуть не упала. Кстати, входя в комнату, она также зацепилась за покрытие.

Вот тут я удивился еще больше.

— Простите, я не компетентен в вопросах моды, в особенности дамской. Но, по-моему, Олеся — женщина со вкусом, она выглядит достойно.

— Ладно, Ваня, — устало сказала Нора, — иди-ка ты спать, завтра трудный день.

Я отправился в свою спальню и уже хотел взять книгу, как на тумбочке начал подскакивать мобильный. Номер, высветившийся на дисплее, был мне незнаком, а голос, прозвучавший из трубки, я определенно слышал впервые.

— Алло, — протянул капризно незнакомец, — позовите Ивана Подушкина.

— Это я.

— Метеорит влетел прямо в окно? Он был горячий? Упал на стол и пробил его? Почему вы молчите?

— Извините, я не понимаю, о чем идет речь!

— Ой, вам, наверное, уже успела позвонить «Желтуха»! Но мы заплатим больше, чем они!

— Простите, с кем я разговариваю?

— Владимир Коэн, ежедневник «Клубничка», — заныл голос.

— Не соображу, чем я мог заинтересовать ваше издание.

— Николетта Адилье вам кем приходится?

— Матерью, — от неожиданности сказал я правду.

— Да? — поразился Владимир. — А мне она сообщила, что вы ее брат.

— Верно, — начал выкручиваться я, — с одной стороны, конечно, вне всяких сомнений, брат, с другой, если углубиться в корень вопроса, изучить его до дна, то в некотором роде ближе к сыну.

— Ладно, это неинтересно, — оборвал меня Владимир.

Несмотря на хамоватость заявления, я испытал к писаке благодарность.

— Лучше поговорим о метеорите, — продолжал Коэн.

— О чем?

— О булыжнике с неба, — прошептал Владимир, — ваша сестра предупреждала, что вы являетесь малообщительной, асоциальной личностью, но ведь не до такой же степени? Представляете наш тираж?

— Нет.

— Миллион.

— Чего? — не понял я.

— Человек, конечно, — заржал Владимир, — послезавтра вы проснетесь звездой.

— Почему? — окончательно растерялся я.

— Вашу фамилию Подушкин увидят три миллиона наших читателей.

Я попытался понять Коэна, потом машинально поправил борзописца:

— Секунду назад вы сказали, что у вас тираж миллион.

— Точняк! Но каждую «Клубничку» замусоливает минимум три человека, а может, даже пять. Вот какую славу получишь, — без особого стеснения перешел он на «ты», — давай живенько про метеорит! Значитца, ты стоял на кухне в тот момент, когда мужик с собачьим именем Монти пек торт. Этот Монти вышел на пару минут, и тут в комнату вломился метеорит! Опиши свои ощущения.

Меня внезапно озарило, сразу вспомнились каменюка-торт и простофиля кузен с коржом в неуклюжих лапах.

— Кто вам сообщил про небесное тело? — простонал я.

— К твоей сестре программа «Ненормальные новости» рванула, — словоохотливо пояснил Коэн, — в съемочной группе герла есть, она звякнула и говорит: «Хватай, Вовка, Подушкина, эксклюзив состряпаешь». В завтрашний номер не успеваю, его уже сверстали, но через день выстрелим сенсацией.

— Извините, — сдавленным голосом произнес я, — сейчас... э... я в ванной, душ принимаю. Разрешите, перезвоню спустя четверть часа?

— Не вопрос, — гнусно захихикал Владимир, — понял! В койке с девочкой. Завидую. Мне предстоит трахаться с материалом. Заканчивай и звони. Жду! Чао, Подушкин.

В нормальном состоянии я бы возмутился, услыхав подобные речи, но сейчас воспринял «выступление» Коэна абсолютно спокойно, в душе жило лишь одно желание — немедленно связаться с Николеттой.

Глава 15

— Квартира госпожи Адилье, — промурлыкал слащавый тенорок.

— Позовите Николетту, — нервно приказал я.

— Она занята.

— Сейчас же дайте Николетте трубку.

— Это невозможно.

— Послушайте, кто вы такой?

— Пресс-секретарь госпожи Адилье, можете называть меня просто Монти.

— Монти! Ты меня не узнал?

— Ваня!

— Не кричи, а подтяни маменьку к аппарату или принеси ей телефон.

— Ванечка! Тут такое!

— Какое? — мрачно спросил я.

Монти, захлебываясь от восторга, начал излагать новости. По мере их поступления я потел, краснел, вздрагивал. Вкратце ситуация выглядела так.

У Монти четверо суток подряд болела голова, у парня случается мигрень, от нее его не спасают ни порошки, ни таблетки, ни сиропы. Монти адаптировался к беде и даже способен вести относительно обычный образ жизни, но сейчас с ним произошло невероятное. Вытащив из помойного ведра торт-каменюку, Монти немедленно почувствовал облегчение. Невидимый тугой ремень, стягивавший виски, лопнул, и кузен ощутил легкость, злой недуг ушел прочь. Предполагаемая невеста — если помните, ее зовут Алена — пришла на чай вовремя, и парочка села наслаждаться угощением. Женщина отковырнула крохотный кусочек от торта, с видимым трудом проглотила его и отодвинула тарелку.

— Невкусно? — испугался Монти.

— Замечательно, — заулыбалась Алена.

— Тогда угощайся, — исполнял роль хлебосольного хозяина кузен.

— У меня жутко зуб болит, — призналась дама.

— Ой, бедненькая, — всплеснул руками жалостливый Монти, — анальгин принести?

— Он не поможет, — простонала Алена.

Монти заметался по гостиной, предлагая даме коньяк для полоскания клыка, аспирин, тройчатку, водочный компресс и валерьянку.

— Наверное, мне лучше вернуться домой, — пролепетала Алена в конце концов, — очень неудобно получилось. Ты так старался, пек торт, а я испортила вечер, думала, боль пройдет, но с каждой минутой мне лишь хуже делается!

И тут Монти осенило, он сгонял на кухню, приволок несчастный торт-каменюку и протянул потенциальной невесте:

— Приложи его к щеке.

— Это что? — изумилась Алена.

Простодушный Монти выложил недалеко ушедшей от него по уму даме историю про метеорит. Алена, впав в восторг, приложила многострадальный корж к щеке и вскоре воскликнула:

— Монти! Прошло! Чудо!

На беду, именно в эту минуту Алене на мобильный позвонила подруга с жалобой на изматывающий токсикоз.

— Немедленно лети сюда! — закричала Алена.

Не стану утомлять вас ненужными деталями, скажу лишь, что тошнота покинула беременную, и она на радостях слопала весь торт — бывшую «Лесную поляну», а не «метеорит».

К восьми вечера явилась Николетта и была огорошена рассказом Монти, воплями Алены и булькающими звуками из сортира, которые издавала беременная. Последнюю вновь затошнило, но не от токсикоза, а вследствие элементарного обжорства. Согласитесь, схряпать одной килограммовый бисквит, украшенный взбитыми сливками и обсыпанный какао, без последствий не получится.

Николетта, выслушав речи парочки, развила бешеную активность, и сейчас ее снимают для программы «Ненормальные новости». Телевизионщики находятся на кухне, они пришли в экстаз от покореженного стола.

— Представляешь, Ванечка, — стрекотал Монти, — у их оператора жуткий остеохондроз, ужасный, невероятный, но стоило ему прислониться спиной к метеориту, как позвонки моментально отпустило. А у режиссера язва прошла! Чудо! Извини, дружок, надо дверь открыть, подождешь?

— Хорошо, — процедил я сквозь зубы.

Из трубки послышались шорох, скрип, далекие голоса, потом снова прорезался тенорок Монти:

— Ванечка, не сочти за обиду, больше не могу беседовать, тут столько корреспондентов прикатило! Радио и еще телевизионщики.

— Монти, — долетело издалека стоккатто Николетты, — иди сюда!

— Пока, Ванечка, — торопливо попрощался кузен и отсоединился.

Я потряс головой и набрал номер Коэна.

— Накувыркался? — спросил Владимир. — Давай побалакаем.

— Имею встречное предложение.

— Говори.

— Лучше встретиться лично.

— Лады, где и когда?

— Завтра, в районе обеда, ресторан «Монс» подойдет?

— Шикарное место, — обрадовался Коэн. — Еда, надеюсь, за твой счет?

— Кто приглашает, тот и платит, — согласился я.

— Супер, есть маленькая просьбочка, мне еще отписаться надо, давай столкнемся не очень поздно, в районе двух-трех!

— Хорошо, — не стал спорить я, нажал на красную кнопку и тут же набрал другой номер.

— Але, — с явной неохотой ответил женский голос.

— Аллочка, это Иван Павлович.

— У, старый вредина. Никогда просто так не звякнешь, опять надо адрес узнать? Или телефон?

— Я такой корыстный?

— Ужасно!

— На этот раз всего лишь хочу спросить совета.

— Спрашивай, — зевнула Аллочка.

— Ты хорошо знаешь мир журналистики?

— Лучше вообще с ним не сталкиваться, не один год в газете лямку тяну, — погрустнела Аллочка, — но теперь наш листок никому не нужен, миллионные тиражи в глубоком советском прошлом, нынче «Клубничка», «Желтуха» и «Треп» в фаворе, людям подавай обнаженку, расчлененку и сплетни.

— Сколько надо заплатить корреспонденту, чтобы он не печатал о тебе статью?

— Компромат?

— Нет, просто сообщение, никакого негатива.

— Тогда чего тратить бабки, нехай строчит, — удивилась Алла.

— Понимаешь, информация, которая вроде исходит от моего имени, неверна.

— Угу. Отталкивайся от гонорара. Сколько ему в бухгалтерии за заметку дадут?

— Понятия не имею.

— Поинтересуйся и предложи чуть больше, но ненамного, а то он заподозрит неладное и заломит цену.

— Спасибо. А что отвечать, если он поинтересуется, по какой причине я не желаю славы?

— Скажи, что начальство на работе будет недовольно, у вас запрещено общаться с прессой, отмониторят фамилию и выставят вон из фирмы. Кстати, это правда.

— Огромное спасибо! Ты меня выручила!

— Как обычно, — ехидно отозвалась Аллочка, — давно жду приглашения на ужин, романтический!

— Прости, Аллочка, наверное, я уже выпал из категории принцев.

— Ты в ней никогда не состоял, — сердито отбила мяч старая знакомая, — девушки всегда соглашались закрутить роман с тобой лишь в случае тотальной пустоты на личном фронте.

Я обиделся, но виду не подал, поболтал с Аллочкой еще минут пять, потом принял душ, лег в кровать, взял книгу и неожиданно уснул, не выключив свет.

Утром Нора выдала мне план действий.

— Сначала поедешь в кондитерскую «Манже», — приказала хозяйка, — и найдешь там девушку с оригинальным именем Арфа. Прежде чем начать беседовать с ней, покажи заколку в виде краба местным сотрудникам, вдруг кто и опознает аксессуар. Потом полетишь к Руфи Гиллер. Ей скоро сто лет стукнет, но, похоже, старик Альцгеймер не принадлежит к числу близких знакомых актрисы. Голос у нее молодой, энергия бьет ключом, а еще она уверяет, что отлично знала твоего отца и была с ним в особых отношениях.

Взяв под козырек, я спустился в подъезд и был незамедлительно окликнут охранником Алексеем:

— Иван Павлович, доброе утро.

Я кивнул и пошел к двери.

— Уж простите, не подходит, — крикнул мне в спину секьюрити.

— Вы о чем?

— Неужели забыли? Кроссворд. Средство для закапывания. Вернее, это не совсем кроссворд, ну неважно, короче, лопата с совком не подходят. Вдруг чего еще придумаете?

Я остановился у выхода.

— Попробуйте мотыгу.

— Супер! — обрадовался любитель загадок. — И как сам не допер!

Не знаю, как вас, а меня иногда удивляют самые простые вещи. Допустим, от чего зависит популярность кафе. Например, кондитерская «Манже», ну что в ней такого замечательного? Да, она расположена в самом центре, в красивом здании у метро. «Манже» имеет большую собственную парковку, что сразу делает кафе привлекательным для автомобилистов. Впрочем, тут и вкусный кофе, и замечательные пирожные, и милый, улыбчивый персонал, состоящий в основном из молодых девушек. Но ведь в Москве сейчас десятки, если не сотни кофеен, и в каждой подадут вполне качественную выпечку. Если разобраться до конца, то в эклерах и корзиночках «Манже» нет ничего особенного, кроме отчаянно дорогой цены.

И вот парадокс! Буквально в двух шагах от «Манже» находится вполне приятное заведение.

Там тоже делают эспрессо, капучино, латте и иже с ними, приносят сладкое, улыбаются, а счет выставляют в десять раз меньше, чем в модном кафе. Но в этой кафешке посетителей раз-два и обчелся, а в «Манже» народ ломится. И почему такое происходит? Право, загадка.

Я поставил машину в углу площадки и вошел в битком набитый зал.

— Хотите кофе? — ринулась ко мне девочка в форменном темно-бордовом костюме.

Нет, покататься на лыжах! Ей-богу, глупый вопрос, заданный человеку, который заглянул в кофейню. Впрочем, спокойней, Иван Павлович, служащая всего лишь выполняет свою работу, она не виновата, что у тебя при виде скопления народа портится настроение.

— К сожалению, место есть только у стойки, на высоком стуле, — запричитала администратор, — как освободится столик, сразу проведу вас.

— Меня устроит и барный стул, — кивнул я.

— Пойдемте, — девушка заспешила вперед, — вот сюда, устраивайтесь. Настя! Клиент!

Толстушка за стойкой моментально расплылась в улыбке.

— Что желаете? У нас тридцать два вида кофе.

Я решил не рисковать.

— Двойной эспрессо и кусочек вон того пирога, похоже, он с маком.

— Наш фирменный, — засуетилась толстушка, — называется «Поцелуй Манже», вам понравится.

Продолжая болтать, девушка не забывала орудовать руками. Я вытащил из кармана заколку и воскликнул:

— Случайно не ваша?

Барменша обернулась.

— Что?

— Да вот нашел на полу, думаю, кто-то из официанток обронил, — пояснил я и мгновенно понял уязвимость выбранной тактики.

Сейчас пышечка резонно ответит: «Вполне вероятно, что «краб» посеяла посетительница».

Но толстушка отреагировала иначе:

— Вау! Дмитриес!

— Кто? — не понял я.

— «Дмитриес», — повторила барышня, — название фирмы, которая делает прибабахи для волос, они очень дорогие, думаю, что заколка на двести баксов тянет.

— Вы шутите, — поразился я, — это все лишь кусок пластмассы со стекляшками, надеюсь, вы не приняли стразы за настоящие камни?

— Уж не дура, — обиделась барменша, — но у «Дмитриес» такие цены! Ленк, не знаешь, чья это штукенция?

Симпатичная брюнеточка, бежавшая мимо бара, притормозила, поставила на стойку поднос с пустыми чашками и безапелляционно заявила:

— Леркина! Она ее недавно купила и жаловалась, что плохо волосы держит, падает!

— Точно! — подпрыгнула барменша. — То-то она мне знакомой показалась.

— А где Лера? — живо спросил я. — Можно ей позвонить?

Брюнетка схватила поднос.

— Не видела ее, у Маши спросите.

— Вы пейте спокойно кофе, — решила помочь мне толстушка, — а «краб» можете у меня оставить.

— Нет, — отказался я.

— Думаете, не отдам? — захихикала барменша. — За фигом мне заколка? У меня стрижка короткая.

— Лучше позовите Леру, — твердо попросил я.

Пышечка скорчила гримаску и крикнула:

— Маш, поди сюда!

К бару вновь подошла девушка с подносом, на этот раз официантка оказалась блондинкой.

— Ну? — не слишком радушно спросила она.

— Где Лерка?

— Не пришла.

— Совсем?

— Нет, наполовину, — сердито отреагировала Маша, — ноги тут, а башка дома. Хотя Лерка частенько мозги в комоде оставляет.

— Сегодня ее смена.

— Знаю.

— Почему тогда ее нет?

— Вопрос не ко мне, — отчеканила блондинка.

— Не дуйся.

— На дур не обижаются.

— Сама ты дура! — вспыхнула толстушка. — Стараешься для других и получаешь по полной. Лерка заколку потеряла, а он нашел.

Палец, украшенный дешевым колечком, ткнул в мою сторону. Маша моментально профессионально заулыбалась.

— Здрассти.

— Доброе утро, — кивнул я. — Вы, похоже, дружите с Лерой?

— Общаемся, — обтекаемо ответила Маша.

— Хочу вернуть ей заколку.

Блондинка протянула руку:

— Давайте.

— Нет, лучше я сам вручу вещь хозяйке.

Толстушка захихикала, а Маша сказала:

— Тогда ждите, авось заявится.

— Лера часто опаздывает? Мне долго сидеть? Знаете, очень неудобный стул, — абсолютно искренне сказал я.

Интересно, кто придумал высокие, так называемые барные стулья? Долго на них не продержаться, сначала заболит спина, потом онемеют ноги, затем сведет судорогой плечи.

— Она всегда вовремя прибегает, — сердито ответила Маша, — а сегодня заболела.

— Точно знаете? — насел я на официантку.

— Маш, — влезла в разговор толстушка, — постой чуток, я кое-куда сношусь.

— Ну ладно, — неохотно процедила Маша, — пользуйся моей добротой.

Глава 16

Барменша побежала в служебное помещение.

— Вы уверены, что заколка принадлежит Лере? — спросил я у Маши.

Та лениво ответила:

— А кому еще придет в голову столько денег за фуфло отвалить? Может, конечно, кто из посетительниц потерял, но Лерка об этой дряни мечтала и очень похожую купила. Оставьте, передам.

Я заговорщицки подмигнул Маше:

— Лучше я сам. А не подскажете телефон Леры?

— Зачем? — проявила бдительность Маша.

Я изобразил смущение.

— Понимаете, я не женат.

— И что?

— Был вчера в кафе, меня обслуживала Лера, очень симпатичная девочка. Заколку она уронила, я поднял, но сразу не отдал, постеснялся. Ночь не спал, мучился, а сегодня решился...

Маша прищурилась.

— Влюбились?

— Да! — с жаром воскликнул я.

Официантка зевнула.

— Красиво врешь! Спой еще раз.

— Вы мне не верите?

— Неа.

— Почему?

Маша лениво зевнула.

— Не похожи вы на мужика, которому Лирка понравится, вы человек обеспеченный, с образованием, а Лира дура!

— Как вы назвали подругу? — весьма невежливо перебил я Машу.

Официантка усмехнулась:

— Говорите, влюбились? Даже имя не выяснили. Почему ж не спросили: «Девушка, как вас зовут?» Большинство посетителей так делает. И потом, у нас бейджики есть, можно его почитать, подумать, поразмыслить...

Наглая девица явно издевалась надо мной, но охотничий пес, желающий схватить дичь, не должен обращать внимание на шумы и посторонние запахи.

— Естественно, я видел значок на груди официантки и хорошо запомнил, что она Лера, но вы сейчас назвали подругу по-иному!

— Подругу, — фыркнула Маша, — это она ко мне пристегнулась, не знаю, как от прилипалы отделаться, да и жалко убогую. Значит, прочитали на бейджике «Лера»?

— Да, да.

— Ой, прям совсем заврался!

— Деточка, — не выдержал я, — попытайтесь разговаривать вежливо, перед вами клиент.

— Если кофе заказать хотите, то посетитель, если про Лирку выспрашиваете, то врун, — не сдалась Маша. — Лерка! Ха! Она Лира, идиотское, конечно, имечко, ее так кто-то из родителей назвал. Лирка рассказывала, но я над головой пропустила. Была охота ее бредни слушать! Такое иногда несет. Уши в трубочку завязываются. Ее у нас все Леркой называют, и она не обижается.

— Арфа! — воскликнул я. — Ну конечно! Лира — Арфа! Охранники попросту перепутали музыкальные инструменты.

— Вы че? — насторожилась Маша.

Я схватил девушку за руки.

— Совсем не любите Лиру?

— Я не лесбиянка.

— Не в сексуальном смысле. Хотите помочь подруге?

— Она опять вляпалась? — понизила голос Маша.

— Лира часто попадает в неприятности?

— Она жуткая дура!

— Маша, нам надо поговорить!

— Уже говорим.

— В спокойном месте.

— Че, теперь вы в меня влюбились?

Я вытащил визитку.

— Прочтите тихо, только не кричите от удивления.

— Ничего странного, — хмыкнула Маша и засунула карточку в карман форменной курточки, — Настька дура, ну барменша наша. Вот она бы в сказку про внезапную любовь мигом поверила, а я сразу поняла: не зря носом шуруете. Дрёмина наняла? Неверного мужика пасет?

— Кто? — не понял я.

Маша прислонилась к стойке.

— Дрёмина, наша постоянная клиентка. Ее муж здесь всех официанток общупал, последняя, на кого он запал, была Лирка. Она теперь, когда его в дверях видит, на кухне прячется. У Лирки к другому любовь, она от актера Вяльцева фанатеет. Ой, цирк! Выкупила у Алиски заказ! Ха!

— Машенька, вы курите?

— А че? Ща про рак говорить будете?

— Нет, нет, просто вам, наверное, не разрешают курить в помещении?

— Точно, на улицу выгоняют.

— Давайте подымим в моей машине.

Маша прикусила нижнюю губу.

— Гарантирую полнейшую вашу неприкосновенность, — начал упрашивать я, — и еще сто евро за беседу.

Маша тряхнула волосами.

— Пошли, я имею право на перерыв. Только больше не врите, а то сказали, что вчера Лиру здесь видели! Ха! Ее смена в понедельник была, вчера Лира сюда и не заглядывала.

Не успела девушка устроиться на сиденье моей машины, как я начал забрасывать ее вопросами.

— Лира — фанатка Вяльцева?

— Это не секрет, она все газеты с его интервью скупала, — усмехнулась Маша. — Я ей говорила: «Не трать времени зря. Ничего не получится, у парня девок грузовики, ну в лучшем случае трахнет тебя, и все». Нет, она точно с приветом. Такие деньги за заказ отвалила! Недельные чаевые! Правда, Алиска тоже хороша, она ж знала про Лиркину любовь, могла так уступить, но решила не прогадать.

— Машенька, поподробнее, пожалуйста, — взмолился я.

— Я не сплетница, — строго отозвалась девушка, — только об этой истории все знают! «Манже» имеет систему доставки заказов на дом. Кофе, конечно, не повезут, а вот пирожные с дорогой душой.

Некоторое время тому назад в комнату, где в свободную минутку отдыхают официантки, влетела Алиска, одна из курьерш, которые развозят заказы.

— Девчонки! — заорала она. — Ваще! Супер! А ну, угадайте, кому сладкое понадобилось?

— Президенту, — буркнула Лена Крылова. — Заткнись, Алиска, дай в тишине посидеть.

Но курьершу было трудно остановить.

— Нет, — запрыгала она, — на фиг мне президент.

— Действительно, — заявила Маша, — он давно женат. Судя по твоей красной роже, повезешь эклерчики богатому, молодому, холостому, слепоглухонемому принцу!

Алиска заморгала густо намазанными ресницами.

— Почему слепоглухонемому? — удивилась она.

— А кому ты еще понравиться можешь? — захихикала Маша.

Алиска обиженно надулась, но новость, рвущаяся наружу, была сногсшибательной, поэтому курьерша заорала:

— Да, к молодому, богатому, и он круче принца! Пирожные я везу Андрею Вяльцеву.

Официантки загалдели.

— Вау! К тому самому?

— Круто.

— Автограф возьми.

— Сфоткайся с ним на мобильный!

— Билет попроси на премьеру, завтра новый фильм показывают!

Алиска убежала, остальные девушки ушли в зал. Спустя полчаса Маша стала искать Лиру, не обнаружила ее на рабочем месте, пошла на кухню и столкнулась в коридоре с Алисой.

— Че к красавчику не торопишься, — не удержалась ехидная официантка, — или решила прическу соорудить? Да он на тебя даже не глянет.

— К Вяльцеву Лира поехала, — пояснила Алиса.

— Ваще! — всплеснула руками Маша.

— А я вместо нее в зале, — продолжала Алиса, — она так просила, плакала...

Алиса прятала от Маши глаза, и последняя живо сообразила: не из альтруистических соображений она поменялась с официанткой.

— Сколько тебе Лирка дала? — в лоб поинтересовалась Маша.

— Чаевые за неделю, — фыркнула Алиса, — совсем Лерка дура! А мне че? На Вяльцева секунду смотреть? Деньги нужнее. Только ты девкам не трепись.

Я покачал головой.

— Видно, сильно было желание Лиры прикоснуться к кумиру.

— Никогда этого понять не могла, — завздыхала Маша, — в «Манже» куча знаменитостей ходит. Девчонки просто писаются! Ах-ах, смотрите, Герман из группы «Клык», ой-ой, там певица Гортензия, вон, вон, актриса Лопайко из сериала! Уф, пуф, бух! Противно до жути. Начинают выяснять, кто звездам кофе понесет, приседают, кланяются, автограф просят. Зачем мне клочок бумаги с чужой подписью? Хрень! А в прошлую смену Лирка новый номер отмочила!

— Какой?

Маша выбросила окурок в окно.

— Пришел перед самым закрытием мужик. Одет богато, ботинки на пару тысяч евриков тянут, часы опять же не пластмассовые, сел за мой столик, заказал эспрессо и рулет. Гляжу, поковырял сладкое и тарелку отодвинул, не понравилось.

Маша слегка расстроилась, от недовольного клиента чаевых не дождешься, а завтра надо платить хозяйке за квартиру, каждая копейка на счету. Посетитель поманил Машу, та, держа наготове ручку, пошла к столику, ожидая услышать: «Выпишите счет».

Но клиент неожиданно сказал:

— Девушка, сделайте мне домой набор пирожных, на ваш вкус, самых лучших.

Обрадованная Маша бросилась выполнять поручение, ей капает процент от заказа, поэтому наиболее вкусными по странному совпадению оказались самые дорогие пирожные.

Маша принесла мужчине коробку, он расплатился, оставил на чай целую тысячу рублей и ушел. Не успела за ним захлопнуться дверь, как к Маше подлетела Лира, красная, взлохмаченная, явно находящаяся на грани истерики.

— Манечка, — судорожно залепетала она, — мне надо уйти, срочно, прямо сейчас.

— До закрытия еще полчаса, — напомнила подруга.

— Плиз, прикрой меня, никому не говори, — рыдающим тоном принялась упрашивать Лира.

— Нас только двое осталось, — уперлась Маша, — завтра на свиданку погонишь. Последний час работают парами, я не собираюсь разрываться.

— Машенька, народу уже не будет.

— И чего?

— Отпусти меня!

— Фиг тебе.

— Все равно уйду, у меня судьба решается, — топнула ногой Лира, — видела мужчину? Ну того, с эспрессо.

— Ага, — кивнула Маша и, не утерпев, похвасталась: — Штуку на чай дал!

— Пока ты ему пирожные собирала, — обморочным голосом продолжала Лира, — он меня подозвал, салфетку попросил... ну, как объяснить! Сейчас в машине ждет! Отпусти!

— А как же Вяльцев, — усмехнулась Маша, — прошла любовь, завяли помидоры? Дура ты, Лирка. Мужик не из постоянных клиентов, первый раз притопал, разве можно с ним уезжать ночью! Вдруг маньяк?

— Нет, нет, нет, — заколотилась в истерике Лира, — он пресс-секретарь Андрея Вяльцева, звать Леней. Показал паспорт и рабочее удостоверение, оно Андрюшей подписано, я его автограф расчудесно знаю. Мы сейчас поедем к нему, потом сам Вяльцев прикатит! Лично!

— Ты уже пирожные отвозила, — напомнила Маша, — и по морде от охраны получила.

— На этот раз я гостьей Лени буду, — парировала Лира.

— С чего он тебя позвать решил? Подавальщицу! — попыталась вразумить обезумевшую подругу Маша. — Где ты и где Вяльцев? Почему этот Леня заинтересовался Лиркой? Давно в зеркало гляделась? Краса ненаглядная! Пойди в туалет, позырь на себя.

Вместо того чтобы смертельно обидеться, Лира схватила Машу за плечи.

— Ты ничего не знаешь! Вообще! Это страшная тайна! Да! Мы давно связаны! Пока! Я ушла. Не хочешь выручать — не надо! Можешь хозяйке пожаловаться, мне насрать! Выгонят, и плевать!

Ошарашенной Маше осталось лишь крикнуть в спину явно обезумевшей подруге:

— Будь осторожна!

Лира обернулась, помахала рукой и крикнула:

— Спасибо. Когда стану богатой и счастливой, непременно вспомню, сколько хорошего ты для меня сделала!

— И вы не забили тревогу, когда сегодня утром поняли, что Лиры нет? — укоризненно спросил я.

Маша глубоко вздохнула.

— Она звонила в районе одиннадцати, понесла чушь, я даже не разобрала какую. Поняла одно: она сегодня не придет, просит прикрыть ее. Вот нахалка! Небось перепила вчера, в гости к кому-нибудь бегала, а мне отдуваться. Так просто ей это с рук не сойдет! Придет — за себя три смены отработать заставлю. Ушла тогда из кафе, ни ответа, ни привета, а сегодня опять с заявлением про отгул.

— Лира алкоголичка?

— Не видела ее раньше с рюмкой, — честно призналась Маша.

— Почему же решила тогда, что Лира пьяная?

— Она чушь несла. Вроде... ща... «лежала без

ума», «еле дошла», «пошевелиться не могу», «плохо совсем, руки трясутся». Я живо вычислила, она набухалась, теперь с птичкой сидит.

— Птичкой?

— Угу, перепил! — заржала Маша.

Я подождал, пока противная девица успокоится, и, стараясь сохранять хладнокровие, сказал:

— Вы газеты читаете?

— За фигом?

— Купите «Клубничку» или «Желтуху». Думаю, они уже успели дать короткое сообщение о смерти Леонида Дубовика, пресс-секретаря актера Андрея Вяльцева, тело мужчины обнаружено в его подъезде. На полу, возле трупа, стояла фирменная коробка из кондитерской «Манже».

Маша поперхнулась дымом только что закуренной, уже второй за время нашего разговора, сигареты.

— О...ть! — вырвалось у нее.

— Это еще не все. Вы были правы, когда предположили, что я солгал, сказав, будто нашел заколку в кондитерской. Вернее, я слукавил лишь в одном: я действительно случайно обнаружил ее, но не в зале «Манже», а под лестницей, в непосредственной близости от убитого Дубовика, — слегка исказил я события.

— Е...! — прошептала Маша. — Лирка его шандарахнула? Да не! Ей такое не под силу!

— Маша, мне необходимо срочно поговорить с Лирой, дайте ее телефон, адрес. Если не сумею получить от нее объяснений, буду вынужден отнести улику в милицию, тогда делом займутся сотрудники МВД. Понимаете?

Маша закивала.

— Можете не звонить. Я с утра пытаюсь до нее дозвониться. Мобильный выключен, домашний не отвечает. Наверное, дрожит с бодунища. Думала в обед к ней забежать и под зад пнуть. Она будет бухать и кайфовать, а мне отдуваться? Одно не пойму, че я ее всегда покрываю.

— Говорите адрес Лиры!

Маша опустила стекло в машине и высунула руку в окно.

— Видите темно-серое здание?

— Да.

— Там она живет. Потому и в «Манже» устроилась, близко на работу ходить. Подъезд около входа в пивную, этаж последний. Я у нее не бывала, Лирка никого к себе не приглашала, хотя кое-кто из наших нарывался. Та же Алиска подкатывалась к ней:

«У нас горячую воду выключили, пусти помыться, че те, жалко? Не протру ванну».

Лира ответила:

«Я бы с радостью, но живу в коммуналке с девятью соседями, они скандал поднимут».

— Откуда тогда вы знаете про подъезд и этаж? — решил я поймать Машу на нестыковке в рассказе.

Официантка выбросила в окно очередной окурок.

— Зимой Лирка жаловалась, что крыша течет, с потолка капает, а домоуправление не чешется, из чего я заключила: она живет на последнем этаже. А на подъезд Лирка каждый день жаловалась. Мужики из пивной выходят, хотят отлить и куда прутся?

— В ближайшее парадное.

— Во! Точняк! Лирка предлагала домофон повесить, но соседи жлобы, денег давать не желают. Идите к пивной, не ошибетесь.

Глава 17

Запах в подъезде стоял омерзительный. Это какими же жадными жлобами надо быть, чтоб не купить домофон и не запереть крепко-накрепко дверь, через которую внутрь дома проникают люди, использующие парадное в качестве бесплатного туалета?

Стараясь не дышать и переступая через зловонные лужи, я поднялся на самый верх, где радостно отметил, что на лестничную площадку выходит лишь одна дверь. Я ткнул в звонок, через некоторое время нажал кнопку раз, другой, третий, но никто не спешил на звук.

Я приложил ухо к створке, но ничего не услышал, ни один шорох не долетал из квартиры, внимательно осмотрел косяк, выщербленную плитку на полу... Что-то тут странное... Что? В ту же секунду я сообразил, что, по словам Маши, Лира живет в коммуналке, но звонок один и нет никаких табличек с перечислением жильцов.

Попрыгав безрезультатно под дверью, я поднялся на семь ступенек вверх и сел на подоконник, здесь лестница заканчивалась, двери на чердак не было, очевидно, туда нельзя попасть из этого подъезда.

Неожиданно я почувствовал усталость, глаза начали сами собой закрываться. Можно не смотреть на часы, они показывают полдень. У меня странный организм, три раза за сутки меня клонит в сон, неудержимо, до состояния обморока. Впервые это происходит ровно в двенадцать, затем в шестнадцать тридцать и в двадцать ноль-ноль. В свое время я обращался к врачу, выслушал нудную лекцию о биоритмах и получил совет:

— Не сопротивляйтесь, не ломайте организм, послушайте его, прилягте на часок, и снова обретете бодрость.

Интересно, каким образом можно выполнить предписание медика? Представляю выражение лица Норы, когда я заявлю: «Сейчас посплю шестьдесят минут и отправлюсь выполнять ваше поручение».

Но бороться со сном очень трудно, поэтому я нашел оптимальный выход: в момент, когда веки начинают тяжелеть, я стараюсь закрыть глаза и провести несколько минут в покое. Не скажу, что всегда удается помедитировать, но сегодня мне повезло. В принципе я мог спуститься в машину, но ноги почти перестали мне повиноваться. Забыв о брезгливости, я привалился спиной к грязному стеклу. Подъезд служит туалетом для посетителей пивной, но на последний этаж не долетали ни звуки, ни запахи, вокруг стояла полнейшая тишина. «Пять минут отдохну и пойду вниз», — вяло подумал я и перестал бороться с дремотой.

— Сколько раз тебе говорить, — завизжала Николетта, — Вава, выпрямись! Ешь суп красиво! Где салфетка? Чего молчишь! Отвратительный ребенок! Снова на уроке мух считал и двоек принес. Вот Женя Рудин — радость родителей. Его сегодня на собрании хвалили, а я чуть под землю не провалилась. По всем предметам двойки.

— По литре пять, — робко напомнил я.

— Молчать! — заорала маменька. — Закрыть рот! Павел! Павел! Снова в кабинете заперся! Я должна одна мерзкого мальчишку воспитывать! Павел!

Продолжая выть сиреной, маменька понеслась по коридору. Стараясь не заплакать, я начал давиться ненавистным молочным супом. Боже, какая гадость! Ну кто придумал варево из вермишели и белой жидкости, подернутое пленкой. Меня сейчас стошнит.

— Ванек, — сказал Владимир Иванович, выходя из холодильника, — не обижай Нико, у нее и так тяжелая жизнь.

Я опешил. Откуда на кухне взялся отчим? Маменька унеслась к отцу в кабинет. Тот сейчас оторвется от написания любовно-исторического романа и начнет воспитательную работу с сыном. Владимир Иванович появится в моей жизни позже, спустя много-много лет после смерти Павла Подушкина. Николетта пока не знает своей судьбы, ей предстоит стать вдовой и... Минуточку, откуда маленький Вава в курсе дела?

— Ванек, ты дурак, — отрубил Владимир Иванович и полез назад в рефрижератор.

Дверь «ЗИЛа» заскрипела, противный звук ударил по ушам, вонзился в мозг, мои глаза внезапно раскрылись, я испытал огромное облегчение и чуть не свалился с подоконника.

Надо же, я заснул всего на полчаса, но как глубоко! Слава богу, я давно вырос, и теперь никто не заставляет меня есть ненавистный молочный суп. Я потер руками гудевшую голову и внезапно понял: скрип двери холодильника мне не почудился, я слышу его наяву. Не успел я сообразить, откуда доносится противный звук, как дверь квартиры Лиры открылась, оттуда выскользнула тоненькая фигурка со спортивной сумкой в правой руке.

— Лира! — обрадованно крикнул я и начал спускаться по лестнице.

Девушка нервно вздрогнула, завертела головой в разные стороны, потом догадалась посмотреть в направлении окна, ахнула, закрыла лицо руками и шлепнулась на сумку.

— Вам плохо? — спросил я. — Лира, не бойтесь.

— Меня зовут Таня, — пролепетала девушка, не отрывая от лица ладоней, — Иванова. Лира попросила... сумку... принести. Вещи ей собрать. Я ничего не знаю. Отстаньте. Уйдите!

— И куда вам велено доставить саквояж?

— Ну... э... не хочу отвечать! Не ваше дело! Чего пристали!

Я схватил девицу за плечи, легонько встряхнул и велел:

— Придите в себя! Лира, давайте поговорим.

— Меня зовут Таня, — упорно врала глупышка.

— Вы очень испугались, когда Дубовика убили?

— Да, — всхлипнула дурочка, потом, спохватившись, попыталась исправить оплошность, — ничего не знаю! Кого убили? Где?

— Вы потеряли заколку, — ласково сказал я.

Лира раздвинула пальцы левой руки и посмотрела на меня.

— Какую?

— Эту.

— И где я ее посеяла?

— Да здесь, в подъезде, — солгал я, — зашел, смотрю, под батареей лежит. Вещь дорогая, настоящий «Дмитриес». Она ваша?

— Ага, — прошептала Лира, — спасибо.

— Точно вам принадлежит?

— На днях купила ее за двести баксов, могу чек показать, — закивала Лира, — думала, на улице обронила, очень было жалко!

— Забирайте.

Наманикюренная лапка потянулась к «крабу», утыканному чудовищными стразами. Я быстро отдернул руку.

— Точно свое взять хотите?

— Я не воровка, — ответила Лира, — и уже сказала, у меня чек есть!

— Ладно, тогда объясните, каким образом «краб» очутился около тела убитого Лени в подъезде Дубовика? — спросил я и в упор уставился на девушку.

Врать нехорошо, аксессуар обнаружили во дворе Дубовика, но мне необходимо «сломать» официантку.

Лиру заколотило в ознобе.

— Это не мое!

— Только что вы утверждали обратное.

— Нет, нет, нет, — монотонно забубнила Лира, потом с надеждой воскликнула: — Меня зовут Таня.

— Иванова? — ехидно продолжил я. — Вас послали за вещами?

— Да, да, да, — закивала девушка.

Мне надоела дешевая комедия.

— Лира, пошли к вам в квартиру, берите сумку.

— Зачем?

— Нам надо поговорить.

Неожиданно глупышка повиновалась, она вскочила и юркнула за дверь, забыв про вещи. Я подхватил неожиданно тяжелый баул и поспешил за хозяйкой.

Сразу за вешалкой расстилался длинный извилистый коридор, по обеим сторонам которого тянулись шкафы, набитые книгами. Лира побежала вперед, а я из чистого любопытства скользнул взглядом по корешкам и ахнул.

— Прижизненное издание Пушкина!

— Где? — обернулась Лира.

— Да вот оно. На третьей полке! Неужели вы не знаете, чем обладаете?

Лира подошла ко мне.

— Конечно, знаю. А вот вам откуда известно, что оно прижизненное?

— Был такой известный библиофил — актер и писатель Николай Павлович Смирнов-Сокольский, — пояснил я. — Мой отец тоже увлекался собирательством, но ему было далеко до Николая Павловича. Иногда папа ездил к Сокольскому в гости, брал с собой меня. Если честно, я очень плохо знал хозяина, был слишком юн, когда тот умер. Зато его жену, тетю Соню Близниковскую, я очень любил. Помню, у них были два пса с абсолютно не собачьими именами Сара и Рива. После смерти супруга тетя Соня повесила в кабинете портрет покойного. И вот удивительная вещь: если хозяйка начинала ругать собачек, те сломя голову неслись в рабочую комнату актера и начинали лаять на его изображение. Но увы, все уже давно умерли, и животные, и тетя Соня, нет в живых и моего отца. Однако я очень хорошо помню, как он читал книгу Николая Павловича, в которой тот рассказывал о раритетах своего собрания, показывал мне фотографии томов и говорил об их ценности, культурной и материальной. Потом, учась в Литературном институте...

— Вы не из милиции! — с огромным облегчением воскликнула Лира.

— Нет, — коротко ответил я, решив оставить в стороне информацию об агентстве «Ниро».

Лира прижалась к одному из шкафов.

— Мой отец тоже знал Сокольского, в молодости он был принят к нему в качестве секретаря. Хотя на самом деле папа никогда не служил у Николая Павловича. Просто он хотел писать свои картины. Но в советские времена заниматься чистым искусством могли лишь те, кто состоял в творческих союзах, остальным предписывалось где-нибудь служить. А Сокольский был членом Московской организации писателей и имел право нанять себе литсекретаря.

— Знаю, знаю, — закивал я, — кое-кто из моих приятелей пользовался этой возможностью. Трудовая книжка есть, стаж идет, только писатель секретарю не платит, а тот нигде не работает, пишет спокойно свои книги или картины. Простите, как звали вашего папеньку?

— Алексей Николаевич Оренбургов-Юрский, — тихо ответила Лира, — он давно умер.

В моем мозгу закопошились обрывки воспоминаний.

— Алексей Николаевич! Николетта с отцом обсуждали его, причем не раз! Была какая-то история с нянькой сына. Вроде жена Оренбургова-Юрского пожалела дальнюю родственницу, взяла ее в дом нянчить своего мальчика, а та отбила супруга у доброй женщины, женила его на себе. Там случилась трагедия! Вспомнил! Мальчик вырос и убил их всех.

Лира стиснула кулаки.

— Нянька — моя мама! И она никого не отбивала!

— Простите, — искренне извинился я, — право, я некрасиво поступил, повторяя сплетни.

— Все было не так, — сердито перебила меня Лира. — А что, люди еще вспоминают то происшествие?

— На чужой роток не накинешь платок! — развел я руками.

— Верно, но я думала, все давно забыто! История случилась черт знает когда! И мама не виновата. А он ответит за все!

— Кто? — потерял я нить разговора.

Лира моргнула, потом сдвинула брови и решительно ответила:

— Вяльцев!

— Андрей?

— Да!!!

— Актер? Звезда телесериалов и прочих лент?

— Именно он! — зло рявкнула Лира. — Я его погублю! И ведь почти добралась до него! Осталось лишь проверить! Совсем близко подошла! А тут с Дубовиком такое! Жуть!

Внезапно Лира захлопнула рот, потом, сделав шаг назад, спросила:

— Если вы не из милиции и не пришли арестовать меня, то откуда взялись? Чего хотите?

— Мы можем сесть?

— Конечно, — кивнула Лира, — идемте в гостиную.

Устроившись в старом, но очень удобном кожаном кресле, я вынул визитку, дал ее Лире и вкратце рассказал о деле Сони Умер.

— Значит, полагаете, Андрея подставили? — протянула Лира, выслушав рассказ. — Насолил он всем крепко, мерзавец. Эх, жаль, я тут ни при чем. Когда найдете автора затеи, позовите меня, с огромной радостью обниму его и спасу от правосудия. Так Андрею и надо! Он это заслужил.

— Вы забываете о несчастной, убитой женщине, Соне Умер, — напомнил я, — и о мальчике Марке, который в раннем детстве остался без родителей.

— Я тоже осталась без родителей, — эхом

отозвалась Лира, — ничего, выжила! Не работать бы мне никогда официанткой, будь мама или папа живы! А все он! Андрей!

— Да что вам сделал Вяльцев?

— Более десяти лет назад он убил моих родителей. Подонок!

— Вы ошибаетесь! Андрей молод, он никак не мог совершить то преступление.

— Ха! Юрке здорово за тридцать пять! Просто он щуплый, черты лица мелкие, вот и смотрится мальчиком. Крохотная собачка до старости щенок.

— Юрке? Но Вяльцева зовут Андреем!

— Верно, но он Юра.

— Кто?

— Да Вяльцев ваш распрекрасный! Юрий Алексеевич Оренбургов-Юрский!

Я старательно закивал головой, делая вид, что все понял. Лира внезапно улыбнулась.

— Сейчас объясню, есть, правда, некоторые сомнения... Но, думаю, я не ошибаюсь.

Я притих в кресле, а Лира, сцепив руки на колене, начала рассказывать.

Алексей Николаевич Оренбургов-Юрский был признанным художником. В юности он, как многие, испытывал трудности, поэтому работал литсекретарем, но в зрелые годы обрел материальное благополучие. Картины Юрского, слегка кондовые, по-советски правильные, вызывали презрительную усмешку у диссидентствующих эстетов.

— Только посмотрите на полотно, — говорили они, передергиваясь от отвращения, — «Утро в колхозе», «Урок в сельской школе», «Проводы в армию»! Да Юрский везде ставит в центр композиции одну и ту же женскую фигуру! Просто меняет одежду! Самотиражирование! Ни таланта, ни оригинальности, ничегошеньки у Лешки нет.

Но это было шипением в кустах, официальная критика хвалила живописца взахлеб, на Алексея Николаевича потоком лились награды и премии. А еще Юрский везде успевал, энергия била из него ключом. Художник вскакивал в пять утра, до полудня рисовал в мастерской, потом мчался заседать на каком-нибудь собрании, после летел на открытие выставки коллеги, вечером веселился на вечеринке. Не случалось ни одного светского мероприятия, где бы не мелькала дородная фигура Юрского и не слышался его густой бас прирожденного барина.

— На Лешку давно работают рабы, — зудели заклятые приятели, — он лишь подписывает полотна.

Слухи о чужих талантах, которыми пользуется Юрский, выросли после того, как художник еще начал выпускать книги, сказки для детей.

— Вообще обнаглел, — возмущались теперь еще и писатели, — везде без мыла влез, лижет на самом верху задницы, поэтому и литератором стать разрешили.

Слухов о Юрском хватало, и все они были грязными, зато газетные рецензии пестрели словами «удивительный художник», «талантливый прозаик», «значимое общественное лицо». Похоже, Алексею Николаевичу было наплевать на мнение окружающих, книги и картины он создавал с завидной регулярностью, чем бесил как врагов, так и друзей.

У Алексея были жена Ирина и сын Юрий. Если о главе семьи говорили постоянно, то о супруге сообщить было нечего. Ира не работала, вернее, она числилась смотрителем в одном из московских музеев, но на службе никогда не показывалась. Женщина вела хозяйство, принимая бесконечных гостей. Алексей Николаевич был хлебосолен, домой он возвращался к полуночи и редко не приводил с собой пять-шесть приятелей. Ирина покорно угощала всех, улыбалась и не демонстрировала ни малейшего недовольства. Идеальная супруга, ни разу не поставившая мужа в щекотливое положение, замечательная мать, верная жена.

Представьте изумление окружающих, когда они узнали о внезапной кончине Ирины, совсем еще не старой дамы, полной сил и здоровья.

Глава 18

Официальной причиной смерти был назван рак, но уже через день после гибели Ирины тучами зароились слухи.

— Какая ерунда! — восклицали сплетники. — Она ничем не болела. Вон Сергей Петрович был у Юрского третьего дня дома, Ирина, как всегда, улыбалась.

— Она ему изменяла, — с горящими глазами шептали дамы, — Юрский жену убил.

Еще сильней возбудили толки похороны несчастной, Ирину закопали почти тайком, на второй день после кончины, не предупредив никого о церемонии.

— Ну дела, — разводила руками Ада Марковна, всегда занимавшаяся в Союзе писателей скорбными ритуалами, — мне ничегошеньки не сказали. Может, со стороны художников помогали?

Тема смерти Ирины Юрской стала главной на кухнях, в салонах и ресторанах, где собиралась творческая интеллигенция. Через две недели после смерти жены Алексей Николаевич явился на открытие очередной выставки, не обращая внимания на множество косых взглядов, он разрезал красную ленточку и пошел пить шампанское. Естественно, живописца за глаза осудили, но Юрский приготовил сплетникам новую порцию жареного.

Десятого ноября в Дубовый зал Дома литераторов влетела Роза Дадаева и заорала:

— Вера! Знаешь новость?

Жена писателя Сергеева, мирно жевавшая у камина фирменного цыпленка-табака, подавилась и сердито ответила:

— Что случилось? Отчего такой крик?

— Оренбургов-Юрский женился, — завизжала забывшая о приличиях Роза.

Все присутствующие замерли и повернули головы к Дадаевой.

— Врешь! — выпалила Сергеева.

— Нет, — гордая тем, что стала первой вестницей потрясающей новости, замотала кудлатой головой Роза, — только что расписались.

Зал загудел.

— Это неприлично, — старалась перекричать всех Роза, — даже трех месяцев не прошло после кончины бедной Ирочки.

Еще через день стали известны новые подробности. Оказывается, второй мадам Юрской стала некая Варвара, дальняя родственница Ирины, привезенная из провинции в качестве домработницы.

К Новому году не осталось ни одного человека, который бы сомневался в произошедшем, теперь все знали суть дела: Ирина застала Алексея в одной постели с прислугой и выбросилась из окна.

Эта версия объясняла все: поспешность похорон первой жены Алексея Николаевича, нежелание вдовца устраивать пышные проводы и неприлично быструю вторую женитьбу. Еще сильнее языки замололи после того, как у Варвары родилась дочь. Младенца объявили шестимесячным, чем вызвали улюлюканье толпы.

— Он нас держит за идиотов! — возмущалась Ада Марковна. — Поймал меня вчера и давай рассказывать про девочку всякие подробности, как ее в специальном ящике доращивают.

— Вы сложите месяцы, и все сойдется, — забилась в экстазе Роза Дадаева. — Ребенку, он говорит, шесть месяцев?

— Врет! — перебила Ада Марковна.

— Ну все равно! Шесть?

— Да.

— Прибавим три месяца со смерти Ирочки, имеем девять. Все верно, она их в койке поймала и выбросилась, — резюмировала Роза.

Но сколько ни обсуждай новость, она скоро всем надоест. Появились новые интересные поводы для бесед, и об Алексее Николаевиче и Варваре перестали судачить. Новая волна интереса к Оренбургову-Юрскому поднялась после шокирующего известия: сын живописца от первого брака, мальчик Юрий, подрос и убил отца вместе с его новой женой. Сводную сестру парень не тронул, Лира спокойно спала в своей комнате, пока брат опускал на головы ближайших родственников топорик для разделывания мяса.

На суде убийца держался нагло, он ничего не отрицал и сделал шокирующее заявление.

На момент смерти Ирины ее сыну Юрию исполнилось десять лет, и он очень хорошо помнил страшный день. Накануне мама уехала поздно вечером на дачу, она поцеловала мальчика и сказала:

— Будь умницей, не мешай папе, слушайся Варю, ложись вовремя спать, я вернусь во вторник.

— Ой, как долго, — заныл Юра.

— Ты же хочешь осенние каникулы провести на воздухе? — улыбнулась Ира.

Юра тихо вздохнул: учебный год только начался.

— Значит, надо успеть с ремонтом, — нежно закончила мама и ушла.

На следующий день мальчика в десять вечера отправили спать. Юра провертелся под одеялом, потом на цыпочках пробрался в мамину комнату и лег на кровать. У Алексея и Ирины Юрских были разные спальни. Исходивший от подушек запах любимых духов мамы успокаивал, мальчик натянул на голову пуховое одеяло, оставил лишь небольшую щель для воздуха и мирно заснул.

Разбудил его резкий стук, Юра раскрыл глаза и сквозь небольшое пространство между одеялом и матрацем увидел Ирину. Он хотел воскликнуть: «Мамочка! Ты уже вернулась!» — но слова застряли в горле, вид у мамы был страшный.

Шагая словно робот, она подошла к окну, распахнула его, влезла на подоконник... И тут в спальню вбежали папа и Варя.

— Стой, — закричал Алексей Николаевич, бросаясь к жене, — надо поговорить!

Ирина обернулась, помахала мужу и родственнице рукой, а потом шагнула вниз. Через несколько секунд послышался глухой удар и чей-то крик:

— Люди! Сюда-а-а!

Отец добрел до окна, глянул вниз и велел Варе:

— Иди оденься.

— Надо милицию вызвать, — лязгая зубами, предложила нянька, замотанная в простыню.

— Сам разберусь, — рявкнул отец и, схватив прислугу за плечи, выпихнул ее в коридор. Кстати, Алексей Николаевич тоже был почти голый, в одних трусах.

Юра, плохо осознавший, что произошло, выкарабкался из-под одеяла и побежал в детскую. Сначала он испугался, решил, что папа и Варвара начнут его ругать за то, что он улегся спать в маминой спальне. Мальчик юркнул на свою софу, и проделал он это весьма вовремя.

Не успел он натянуть одеяло, как в комнату вошел отец, одетый в пижаму и халат.

— Юра, — тихо позвал он, потом настойчивее добавил: — Эй, Юрий!

— Не буди, он спит, — сказала Варя, тоже успевшая влезть в домашнее платье.

— Думаешь, он ничего не заметил? — прошептал отец.

— Нет, конечно, квартира большая, где ее комната и где его детская! Что теперь будет? — всхлипнула Варя.

— Ничего, — тихо ответил отец, — пошли пока в кабинет.

Пара удалилась, Юра вскочил и кинулся в столовую. Когда-то кабинет отца и столовая представляли собой единое целое. Но потом Ирина добыла «стенку», и из одной комнаты вышло две. Никаких кирпичных преград возводить не стали, поэтому, если сидеть в столовой тихо-тихо, то легко станешь невидимым участником беседы, которую ведут в кабинете.

Юра был, с одной стороны, мал, с другой — уже достаточно вырос и понял суть происшедшего. Папа не любит маму, вернее, он ее разлюбил, теперь у Алексея Николаевича сильное чувство к Варе, более молодой и красивой, чем Ира. Мама ни о чем не подозревала, она доверяла и мужу, и родственнице, начала ремонт дачи, хотела закончить его к осенним каникулам сына. Почему мама вернулась раньше времени, Юра не знал, но только Ира вошла в дом в момент, когда ее совершенно не ждали, и застукала мужа вместе с прислугой.

Юра, оцепенев, слушал, как Алексей Николаевич поучает Варю:

— Скажешь, что спала.

— Да, — отзывалась нянька.

— Услышала мой крик.

— Да.

— Пошла посмотреть, что случилось.

— Да.

— Ничего не знаешь.

— Хорошо.

— Ира была в климаксе. У нее случались депрессии.

— Да.

— Она говорила о самоубийстве часто, каждый день.

— Хорошо, — монотонно твердила Варя.

У Юры начала кружиться голова, и он сумел незамеченным вернуться в кровать. Что отец объяснял милиции, как удалось замять историю, мальчик не знал. Его через две недели после смерти мамы отправили в Ленинград, где у папы жила сестра, Валентина Николаевна.

— Ребенок не может находиться в квартире, где погибла мать, — мотивировал свой поступок

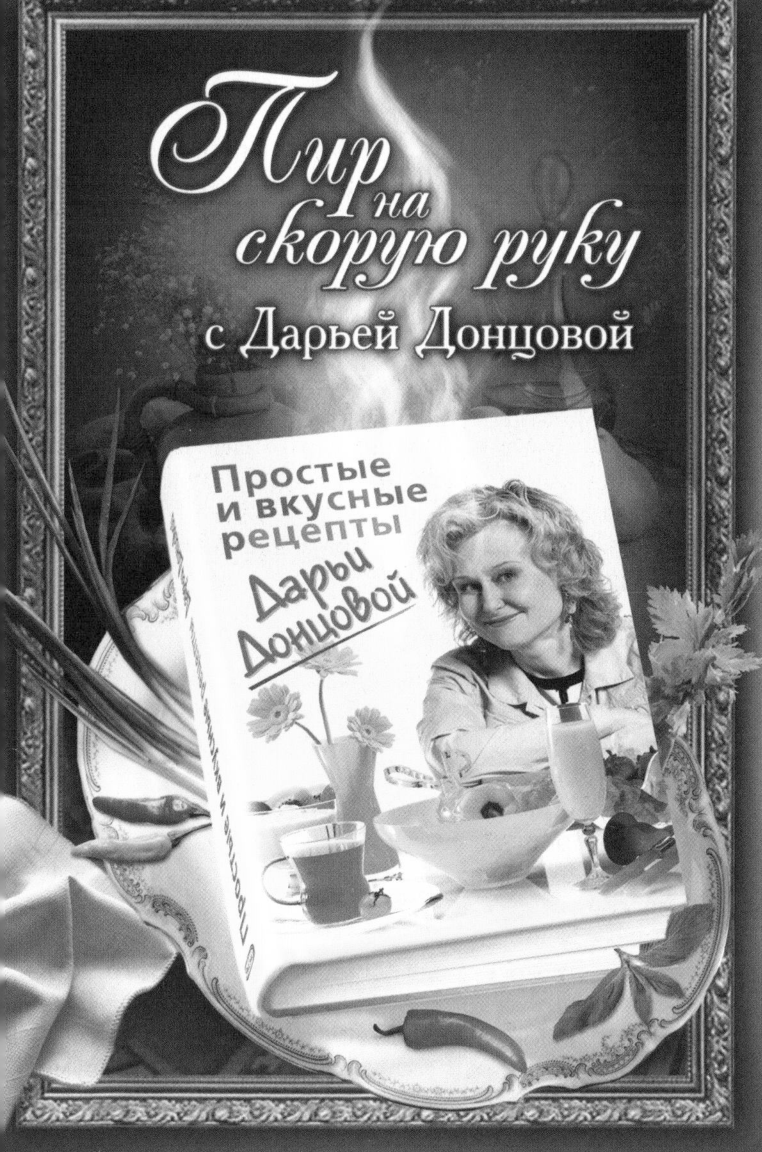

Дорогой мой читатель!

У каждой хозяйки найдется пара–тройка секретов приготовления ее любимых фирменных блюд. Я не исключение и всегда готова поделиться своими секретами с Вами. Хотите? Тогда читайте мою новую книгу «Простые и вкусные рецепты».

*С любовью
Дарья Донцова*

Рецепт в подарок!

Фаршированный перец

1 кг болгарского перца, 0,5 кг отварного мяса, 1 стакан риса, 2 ст. л. растительного масла, 150 г сметаны жирности 10%, 2 ст. л. томатной пасты, 100 г воды, соль, перец.

Мясо пропустить через мясорубку и смешать со сваренным рисом. От перцев отрезать плодоножки, вынуть семечки. Каждый перец наполнить фаршем.

Далее возможны варианты. На дно чугунной кастрюли налить растительное масло и положить часть перцев, наполненных фаршем. Сверху полить соусом, готовящимся следующим образом: сметану смешать с томатной пастой и холодной кипяченой водой. Посолить, поперчить. Должна получиться жидкость, по консистенции похожая на кефир. Вылить часть соуса на слой перцев. Положить сверху следующий слой и тоже полить соусом. Закрыть кастрюлю плотно крышкой и тушить на малом огне.

Существует другой способ готовки. Перцы уложить в огнеупорную посуду, налить 0,5 стакана воды, посыпать сверху тертым сыром или обмазать майонезом и тушить в духовке. При подаче на стол рекомендуется украсить блюдо зеленью, а так же консервированными грибами и кукурузой.

Я готовлю Вам подарки!

Дорогие мои, любимые Читатели!
Те, кто знает все мои книги, и те,
кто просто открыл впервые и зачитался!
Теперь в каждой моей новой книге
Вас ждут разноцветные купоны на получение подарков!
Присылайте их по адресу: 111673, Россия, г.Москва,
а/я "Дарья Донцова" - и выигрывайте!

Вас ожидают три розыгрыша!

1-й розыгрыш состоялся в августе: каждый пятый участник выиграл стильный шарфик!

2-й розыгрыш состоялся в октябре: каждый десятый участник, выиграл бытовую технику!

3-й розыгрыш в декабре: разыгрываются семейные поездки в Египет среди тех, кто пришлет пять заполненных купонов!

Суперприз - семейная поездка в Египет!

www.eksmo.ru www.dontsova.ru

Присланные Вами купоны участвуют во всех трех розыгрышах!

телефон горячей линии:
(495) 642-32-88

Пожалуйста, заполните печатными буквами.

Фамилия

Имя

Отчество

Индекс

Республика, край, область

Город/населенный пункт

Улица, дом, корпус, квартира

Контактный телефон: код страны код города

номер

Дата рождения: число месяц год

1. Знали ли Вы (до этого момента), что у Дарьи Донцовой каждый месяц выходит новая книга?

Отметьте галочкой в соответствующей колонке.

да	нет

2. Сколько книг Дарьи Донцовой Вы прочли за последние 6 месяцев?

Отметьте галочкой в соответствующей колонке.

1	2	3	4	5	6	7	8	9	10	11 и больше

3. Книги каких из перечисленных в таблице авторов Вы читали за последние 6 месяцев?

Поставьте галочки в соответствующих колонках таблицы напротив каждого из авторов.

Автор	Читал (а) за последние 6 мес.	Нравится	Скорее нравится	Скорее не нравится	Не нравится
Т. Устинова					
Т. Полякова					
Г. Куликова					
А. Маринина					

отец, — идет следствие, сюда без конца ходят посторонние люди, через полгода я заберу Юру.

Полгода вылились в десять лет. Алексей Николаевич не торопился ехать за сыном, может, он не хотел постоянно видеть перед собой мальчика, до удивления похожего на покойную мать. А может, против присутствия ребенка в семье возражала Варя, Юра правды не знал. У них очень скоро родилась дочь, и пара, похоже, была счастлива. А вот отрочество Юры никак нельзя назвать радостным.

Отца он видел раз в году, Алексей Николаевич приезжал на денек к сестре и всегда говорил сыну дурацкую фразу:

— Господи, как ты вырос.

На этом их общение заканчивалось, Юрский убегал по делам, а после сразу ехал на Московский вокзал. Тетка Валентина Николаевна была не замужем, своих детей не завела, работала патологоанатомом и характер имела соответствующий, никаких сюсюканий или нежностей в отношении Юры она не допускала и подчас бывала жестокой.

Один раз подросток в ночь перед своим днем рождения разрыдался и решил покончить с собой. Около трех утра он прошел на кухню, схватил нож и начал резать вены на ногах. Юра не имел понятия об анатомии человека, ему казалось, что кончина от любого поврежденного сосуда должна наступить почти сразу. Лезвие ранило кожу, кровь текла, потом останавливалась, Юра в полном отчаянии уродовал ноги, и тут появилась Валентина.

Она отняла у племянника нож и с презрением воскликнула:

— Идиот. Возьми пластырь и залепи порезы, а потом вымой пол.

Юра, впавший от этих слов в еще большее отчаяние, со всей силы воткнул нож в голень, вот тут кровь взметнулась фонтаном.

Валентина отвесила парню оплеуху, потом принесла инструменты, поколдовала над ногой и сказала:

— Ты такой же дурак, как Ирина, слабый, безвольный, аморфный. Жизнь дана для борьбы, а не для лежания в вате. Выбрось глупости из головы, тебе еще повезло, у других ни отца, ни матери, ни теток нет, лезут из дерьма к солнцу. Шрам на ноге останется, ну да ты не девка, в короткой юбке тебе не ходить. Впрочем, все равно идиот. Помнишь хоть, как большого пальца на стопе лишился?

Юра мрачно ответил:

— Да, я сунул ногу в решетку водослива, маленьким был, вытащить не сумел. Я заорал, никто не слышал, палец распух, и совсем плохо стало. Когда взрослые пришли, я сознание потерял, дальше не помню, очнулся в больнице, палец пришлось ампутировать.

— Хватит дурью маяться, теперь еще и шрам, мало тебе было отсутствия пальца, лучше готовься к поступлению в институт! Алексей деньги на твое содержание регулярно перечисляет, но на взятки не отсчитывает, тебе самому стараться придется! — перебила мальчика тетка.

Юра внял ее совету и попал в медицинский институт. Ему было все равно куда идти, а перед глазами маячила Валентина, с постоянством повторявшая:

— Лишь человек в белом халате, даже если он служит в морге, способен делать людям добро.

Когда Юра перешел на третий курс, Валентина умерла. Завещания она не оставила, квартира была муниципальной, прописку в ней юноша имел временную, и его попросили освободить жилплощадь.

Юра даже обрадовался подобной коллизии, за пару лет обучения в медвузе он понял, что совершенно не хочет быть врачом, его стезя — актерство. В институте имелся студенческий театр, вот там парень впервые вышел на подмостки и заболел сценой.

Подхватив сумку с нехитрым скарбом, Юра приехал к отцу, прибыл, так сказать, по месту прописки. Алексей Николаевич встретил сына приветливо, Варвара была безукоризненно вежлива, сводная сестра, которую не в меру романтичная мать назвала странным именем Лира, не проявила агрессии. В принципе знакомство с новыми родственниками прошло удачно, но Юра испытал настоящий шок.

Валентина не была нищей, только она выживала на зарплату. В Питере Юра жил в мрачной квартире, обставленной со спартанской простотой, а отец обитал во дворце, набитом золоченой мебелью на резных ножках. На стенах в богатых рамах висели картины, в коридоре тянулись массивные дубовые шкафы, набитые книгами. Но особенно поразил Юру накрытый к обеду стол. Перед юношей положили много приборов, поставили штук шесть фужеров, и еду подавала горничная, одетая в черное платье и белый фартук. До сих пор подобный антураж Юра встречал лишь в кино, парень вспотел от напряжения и испытал унижение, глядя, как маленькая Лира ловко управляется со всеми ножами, вилками и ложками.

Во время еды Алексей Николаевич прочитал сыну проповедь на тему: «Профессия актера зависима, не дури, учись дальше на врача».

Юра уперся:

— Нет, хочу в театральное, в Москве.

— Езжай в Ленинград, — завела мачеха, — неужели тебе не жаль потерянных лет? Два курса за плечами, иди на третий, не глупи.

— Ни за что, — мотал головой Юра.

Отец рассердился, вскипел, и мирный вечер перетек в скандал. Спать юношу положили в столовой на диване. Едва он лег, как маленькая тень скользнула в комнату.

— Кто там? — прошептал юноша.

— Лира, — ответил нежный голосок, — не сердись на папочку. Он тебя любит, просто всегда кричит.

— Ладно, — нехотя ответил Юра, который лежал в трусах поверх одеяла, парень не испытывал ни малейшего желания сближаться с девочкой, — иди в кровать.

— И я тебя люблю, — прошептала Лира, — ты мой единственный братик. Ой, а что у тебя с ногой? Пальчика нет, и шрам! Больно, да?

Не успел юноша пошевелиться, как девочка наклонилась, поцеловала его и убежала, оставив аромат детского шампуня и варенья. А еще на подушке у Юры появились небольшая помятая шоколадка и плюшевый мишка. У парня защипало в носу, до сих пор ему не делали подарков, желая продемонстрировать добрые чувства. Юра сел, он решил зайти в детскую к Лире и поболтать с ней, сестра оказалась доброй и совсем не противной. За столом она улыбалась не для того, чтобы унизить брата, а по привычке, приобретенной с младенчества. И когда она увидела уродливую ногу Юры, то чуть не заплакала.

Тут внезапно за стенкой раздался голос Варвары:

— Он не может здесь жить!

— И куда Юре деваться? — нервно воскликнул отец.

— Назад, в Ленинград, следует убедить парня продолжать обучение там.

— И где ему жить?

— Иногородним обязаны давать общежитие.

— Валентина умерла.

— И что?

— Он будет один в чужом городе.

— Ленинград ему родной.

— Может, Юра и правда хочет в театральный.

— Глупости, — отрезала Варя.

На мгновение голоса замолкали, потом мачеха с жаром продолжила:

— Предположим, он останется в Москве, будет жить у нас.

— М-да, — проронил отец.

— Я уже не говорю о том, что Юрий абсолютно невоспитан, — цедила сквозь зубы Варвара. — Я чуть со стыда не сгорела во время обеда, рыбным ножом полез в супе мясо резать, сахар пальцами хватал. Чай пил из блюдечка, отличный пример для Лиры. Но это еще цветочки, урожай созреет через годик. Что станем делать, если он женится? Сюда жену приведет, родит ребенка, ужас! Квартира превратится в коммуналку.

— Он здесь прописан, — напомнил отец.

— Вот, — разозлилась Варвара, — сто раз говорила, займись решением вопроса, определи его официально к Валентине. Так нет, тянул кота за хвост. А результат? Жилплощадь ушла, и Юрий здесь. В общем, как угодно избавь нас от него! Не желаю иметь в своей семье постоянный укор. И вообще, ты уверен, что сын от тебя? Ничего от Юрских в нем нет. Ирка могла и налево сходить! Ну-ка вспомни, у нее был роман с Прилежиным, потом он ее бросил, и она тебя зацапала, живехонько родила, штамп в паспорте получила. Точно, он от Прилежина, похож на него до тошноты. И теперь чужой мужик тут в трусах разгуливать станет, еще Лиру изнасилует.

— Что ты хочешь? — глухо спросил Алексей Николаевич.

— Верни его в Ленинград.

— Он не уедет.

— Боже! Хитрей надо быть, — зачастила Варвара, — ты же знаком со всеми. Позвони ректорам театральных институтов, всем, их не так много в Москве, и скажи: «Сын с ума сошел, возомнил себя великим актером, но никаких данных не имеет. Ни красоты, ни таланта, даже ростом не вышел. Если он провалится на экзаменах, то вернется к профессии врача и забудет о дури, поставьте голубчику самый низкий балл».

Обломается Юра везде и отвалит в Ленинград, а с квартирой ты ситуацию решишь. Но смотри, до Нового года он должен быть выписан, вдруг с нами беда случится, умрем разом?

— Типун тебе на язык, — возмутился Юрский.

— Человек должен все предусматривать, — менторски продолжала Варвара, — мы живые люди, значит, смертны. Если погибнем вместе, Юрий получит право на эту квартиру и имущество, на сберсчет в банке и на многое другое, ограбит Лиру, выгонит ее вон. Сообразил? Парня нужно выписать завтра, а еще немедленно составь завещание в пользу дочери.

— Ты права, — ответил отец.

Глава 19

Лира примолкла, я тоже не нашел слов, и мы застыли в тишине. Наконец девушка кашлянула и продолжила:

— Юрий дождался, пока папа и моя мама лягут спать, взял на кухне топорик для разделки мяса и убил их.

— Боже, — покачал я головой, — на что только не идут люди, желая решить квартирный вопрос.

Лира затрясла головой:

— Нет. На суде Юрий был откровенным, он объяснил, что не в деньгах или квадратных метрах дело. Понимаете, он решил восстановить справедливость, говорил: «Алексей Николаевич и Варвара фактически убили мою мать и остались безнаказанными».

— Насколько я понял, Ирина сама шагнула из окна, — перебил я Лиру, — Юрий видел, что никто не толкал его мать.

— Оно, конечно, так, — протянула Лира, — но он говорил о доведении до суицида, об измене мужа, ну и так далее.

— Вы были на суде?

— Да.

— Ребенка допустили на процесс?

Лира кивнула.

— Я поставила условие: или сижу в зале, или, как Ирина, прыгну из окна, не убережете, найду момент. Я за одну ночь повзрослела на двадцать лет, хотела сидеть и смотреть в глаза убийце. Ладно, это ненужные детали. Юрию дали десять лет, а меня отправили в детдом, родственников у меня не было.

— Понятно, — через силу произнес я.

— Никакого образования, кроме школьного, я не получила, — продолжала Лира, — работала после десятого класса в разных местах, деньги нужны на жизнь, сейчас в «Манже» с подносом бегаю.

— В книжных шкафах полно раритетов, — не подумав, ляпнул я.

Лира отшатнулась.

— Ну и глупость вы сказали! Это память о папе!

— Да, действительно, простите.

Хозяйка встала и прислонилась к подоконнику.

— Полгода назад я пришла в гости к подруге, та ребенка родила, дома сидит. Мы с ней про знакомых посплетничали, потом Ксюха телик включила, хотела сериал досмотреть. Я многосерийные ленты не люблю и никогда их не смотрю, но вместе с ней села, чушь несусветная, смех разбирал.

Лира, стараясь не показывать своего отношения к происходящему на экране, смотрела в телевизор. Ксюша, обожавшая «мыльные» оперы, постоянно толкала подругу в бок.

— Во, смотри, они в кровать ложатся! Ой, какой он красивый!

— Кто? — спросила Лира.

— Андрей Вяльцев, — задохнулась Ксения, — глаз не оторвать.

Лира стала рассматривать коренастого молодого человека, пытавшегося изобразить страсть. На взгляд Лиры, никакой особой привлекательностью Вяльцев не обладал. Явно крашеный блондин со стероидными мускулами, верхняя часть мачо еще смотрелась, зато нижняя оказалась непропорционально короткой.

— Ноги-то у него, — начала Лира и осеклась.

Голень Вяльцева пересекал уродливый шрам, и камера, очевидно, по недосмотру режиссера показала физический дефект: отсутствие большого пальца на той же ноге. Слишком много совпадений, чтобы они просто были совпадениями.

— Кто он, этот Андрей Вяльцев? — подавив крик, поинтересовалась Лира.

Ксюша закатила глаза.

— Ты первый день творения! О нем все бабы мечтают!

— Ясно! А откуда он взялся?

— Вот, почитай, — сунула Ксюша подруге глянцевый журнал.

Лира изучила интервью, Вяльцев особо не откровенничал, о личной жизни он сказал очень коротко: «Родители давно умерли, я приехал из провинции, поступил в вуз и начал активно сниматься еще на первом курсе. Семьи не имею, свою любовь не встретил».

В душе Лиры поселилась уверенность: Вяльцев — это Юрий, непонятным образом сумевший трансформироваться в Андрея и стать звездой.

Девушка принялась собирать об актере материалы, и чем больше она узнавала о нем, тем сильнее убеждалась, что ее догадка верна. Во всех интервью Вяльцев подчеркивал: разговаривать на тему детства не желает, его доактерская жизнь неинтересна, он предпочитает беседовать лишь о творчестве. А еще Андрей упорно повторял: «Любимой пока нет, я принадлежу своим зрителям и жену выберу из числа фанаток...»

— Шрама на голени и изуродованного пальца

мало для установления личности, — возразил я, — это может быть простым совпадением.

Лира уперла руки в боки.

— Ага! В «Манже» ходит женщина, Людмила Сергеевна, она в милиции работает, всегда за мой столик садится. Ну я и попросила ее помочь. Знаете, что выяснилось?

— Нет, конечно.

— Вяльцев Андрей Михайлович умер, вернее, он стал жертвой несчастного случая. Я все выяснила. Актер весьма неохотно сообщил в одном из интервью, что его родина маленький городок Карск. А умерший Вяльцев из того же поселения, но самое интересное не это. Юрий отбывал срок в колонии, около поселка Топилино, именно там, на переезде, и погиб Андрей Вяльцев. Вот так! Есть еще фактики! Мой сводный брат — убийца Юрий Алексеевич Оренбургов-Юрский, отсидел свой срок, был выпущен на свободу и... пропал.

— Как это? — насторожился я.

— Просто! — закричала Лира. — Исчез, испарился, нигде не прописан, не работает, из страны не выезжал. Я тщательно искала его и убедилась: он растворился без следа. А Вяльцев умер, об этом запись есть. И что получается? Юра пропал, зато Андрей воскрес, правда, Вяльцев моложе убийцы, но иногда человек и в шестьдесят тридцатилетним смотрится, редко, но бывает. Если прибавить ко всему ногу! Славно?

Я внезапно вспомнил свою беседу с фитнес-инструктором Сашей Никоновым. Тренер не сумел ничего конкретного сказать о клиенте, в отличие от большинства посетителей спортзала Вяльцев никогда не распространялся о личных проблемах, но один вывод Саша сделал, решил, что актер из профессионального интереса сильно преуменьшил свой возраст.

— Ему хорошо за тридцать, — предположил Никонов, — внешне он смотрится совсем молодым, но меня обмануть трудно, я по реакции тела сужу.

Лира, не подозревавшая о моих мыслях, тем временем продолжала рассказ.

— Я решила с ним встретиться, посмотреть ему в глаза!

— Зачем?

— Чтобы убедиться, что это Юрий!

— Глупая идея!

— Нет!!!

— По внешнему облику трудно судить, и потом, я сомневаюсь, что вы так хорошо после одного дня общения запомнили брата.

— Его харя на всю жизнь врезалась мне в память, — прошипела Лира, — да, прошло много лет, он потолстел слегка, изменил прическу, но голос! Эти растянутые гласные! Он! Стопудово! Я хотела войти к нему и сказать: «Думаешь, прошлое умерло? Надеялся, сестра погибла в детдоме? А я жива и погублю тебя, дам интервью всем газетам, обойду всех журналистов, расскажу о Юрии Оренбургове-Юрском. И что тогда случится с Андреем Вяльцевым? Его перестанут снимать!»

— Вы сильно рисковали, такое поведение крайне неразумно, — покачал я головой, — предположим, вы правы, Андрей — это Юрий. Он исполнил свою мечту, стал актером, получил деньги, славу, почет и уважение, сумел скрыть уголовное прошлое, и тут вы с шантажом. Людей убивают, если они слишком много знают!

— Вот, — радостно засмеялась Лира, — в самую точку, это и был мой план.

— Не понимаю!

Девушка забегала по комнате.

— Да очень просто. Вы правы, прямых доказательств против Вяльцева у меня нет, шрама мало, наврет про отметину, скажет, собака покусала, небось он все продумал. Наверное, у настоящего Вяльцева не было родственников. В общем, я составила план, приезжаю к нему домой и рассказываю, что знаю. Зуб даю, он захочет меня убить. А я письмо написала и подружке отдала, Ксюхе, она ничего не знает, но должна, если меня машина собьет или грабитель по башке даст, немедленно в ментовку бежать. Я не идиотка, бумагу с описанием всего у нотариуса заверила, чтобы не сомневались, там моя подпись. Я должна отомстить за родителей! Я обязана!

— Ты дура! — вырвалась у меня абсолютно несвойственная мне грубость.

— А вот и нет, — обиделась Лира, — я все рассчитала, вот только как к нему проникнуть? И тут мне повезло...

— Пообещала Алисе чаевые за неделю и поехала доставлять Вяльцеву пирожные по заказу, но, похоже, поговорить вам не удалось!

— Ага, — протянула Лира, — он такой хам! Я вошла в прихожую, даю коробку, он мне деньги и... десять рублей чаевых.

— Не щедро!

— Скупердяй, — запоздало возмутилась Лира, — я от денег отказалась, вежливо так сказала: «Мне ничего не надо, давай поговорим, есть интересная тема. Мы родственники, близкие, я сестрой тебе прихожусь, еле-еле сумела встречи добиться...»

Лира замолчала

— И дальше? — поинтересовался я, зная ответ.

— Секьюрити принеслись и вытолкали меня.

Лира вернулась на работу и стала думать, что предпринять дальше. Теперь она знала адрес Андрея и решила написать тому письмо, без угроз, чтобы не оказаться в милиции, мирное послание, с просьбой о приватной беседе. В конверт Лира вложила две фотографии, свою вместе с родителями и снимок со свадьбы Алексея Николаевича и Ирины. По мнению девушки, эти документы должны были убедить Вяльцева в правдивости автора послания. Если честно, то Лира не особенно надеялась на успех предприятия, но пару дней назад, вечером, за полчаса до закрытия кондитерской, в «Манже» появился мужчина, он подозвал Лиру, показал ей письмо и тихо сообщил:

— Меня зовут Леонид Дубовик, я правая рука Андрея Вяльцева и хочу обсудить с вами некие документы. Но здесь неудобно разговаривать, отпроситесь с работы, и поедем ко мне, попьем чаю и побеседуем.

Лира обрадовалась: лед тронулся, она сумела-таки добиться своего. Дубовик купил самую большую коробку пирожных и усадил официантку в машину. По дороге он спокойно расспросил спутницу, выслушал ее аргументы и сказал:

— Ваша жизненная история поражает, но у Андрея была не менее горькая судьба. Его мать родила в четырнадцать лет, нелюбимого ребенка били, шрам на ноге и отсутствующий палец — следы давних травм, нанесенных озверелой родительницей. Получив паспорт, Вяльцев сбежал из дома. Сейчас я открою вам страшную тайну Андрея, не имею права это делать, но выхода нет.

Приехав в столицу, Вяльцев растерялся, у него не было ни денег, ни друзей, ни жилплощади. И тут случилось невероятное везение, Андрей познакомился с девушкой-москвичкой, женился на ней, и новые родственники помогли устроиться парню в институт. Факт бракосочетания и наличие у Вяльцева сына тщательно скрывают от фанаток, герой-любовник должен быть желанным для зрительниц. Вы ошиблись, Андрей не Юрий! И сейчас он вам сам все расскажет.

— Я увижу Вяльцева? — обрадовалась Лира.

— Именно так, — кивнул Леонид, — Андрей будет откровенен, ему неприятна эта ситуация, и он надеется, что, удостоверившись в его полнейшей непричастности к кровавому убийству, вы не раскроете тайны Вяльцева. Андрей продемонстрирует вам фотографии матери и покажет документы, из которых вы поймете: он прикинулся мертвым, чтобы родительница его не нашла.

Когда пара дошла до подъезда, Леонид открыл дверь и ухмыльнулся.

— Прошу.

— Темно, — поежилась Лира.

— Соседи постоянно лампочку выворачивают, не бойтесь, у нас тихо.

— Идите первым, — попросила Лира.

— Вы дама, — усмехнулся Леонид.

— Я вам уступаю.

— Воспитание мне не позволяет, — засопротивлялся спутник.

Настойчивость Дубовика показалась Лире странной, и она решила схитрить. Девушка шмыгнула в темноту, но вместо того, чтобы идти вперед, к лестнице, резко взяла вбок и прижалась к стене. Леонид двинулся следом, но он, не зная о маневре Лиры, направился к ступенькам.

До слуха притаившейся девушки долетел сначала глухой звук, будто на пол шлепнулся куль с мукой, затем раздался короткий вскрик:

— А-а-а!

Справа, под лестницей, зашуршало, на Лиру напал безумный страх, она, по-прежнему прижимаясь спиной к стене, маленькими шажками пошла к двери, стараясь двигаться абсолютно бесшумно.

И тут в подъезде вспыхнул тусклый свет. Лира, уже дошедшая до выхода, увидела, как над распростертым телом Дубовика склонилась темная фигура с фонариком в руке.

Обезумев от ужаса, Лира, не замеченная преступником, юркнула во двор и помчалась прочь со всех ног, слава богу, ей по дороге никто не встретился, кроме тетки, похоже, пьяницы, медленно идущей к подъезду.

— Я права, — восклицала Лира, — Вяльцев решил меня убить, я чудом спаслась. Прихлопнули Дубовика, и теперь я имею веские улики против Юрки. Знаете, как поступлю?

— Теряюсь в догадках, — пробормотал я.

— Сейчас уеду к Ксюхе, — затараторила Лира, — никто о ней не знает, в этой квартире оставаться опасно. Вдруг Вяльцев сюда заявится или подошлет кого. Надо было еще раньше слинять, да у меня сил не нашлось, упала в кровать и почти все время продрожала! Ну ничего, сейчас в себя пришла, поеду к Ксюньке, сяду на телефон, узнаю, какое отделение милиции смерть Дубовика расследует, и заявлюсь к следователю с интересным рассказом.

— Вы сумеете опознать человека, который убил Леонида?

— Лица я не видела, — нехотя призналась Лира, — вроде он в черном плаще был или в темно-синем.

— Вполне вероятно, что на Леонида напал грабитель.

— Ой, не смешите, — возмутилась Лира, — лучше скажите, в какой ментовке Вяльцев содержится. Вот мерзавец!

— Прежде чем обвинять человека, надо убедиться в его... — начал я, но Лира не стала слушать.

— Абсолютно уверена, это он напал!

— Сам Вяльцев? Решил выступить в роли киллера?

— Он уже один раз подобное проделал, зарубил моих родителей.

— Именно поэтому и не возьмется за следующее убийство, — попытался я образумить Лиру, — вспомните слова Дубовика: у Вяльцева полно фотографий и бумаг, подтверждающих, что он не менял ни фамилию, ни биографию.

— Сказочка, — фыркнула Лира, — ладно, я теперь не стану держать рот на замке и все расскажу про Юрия, мне терять нечего, а он лишится всего. Помогите мне!

— Чем? — осторожно спросил я.

— Теперь, когда дело повернулось, — заявила Лира, — и вместо меня Леонида прикокнули, очень умирать не хочется, а Вяльцев обозлится и охоту на сестричку откроет. Довезите меня до Ксюши, тут близко, пара кварталов всего.

— Ладно, — согласился я.

Без всяких приключений мы добрались до

длинного серого дома, Лира вышла из машины, взяла сумку и мечтательно протянула:

— Я его уничтожу! Морально! А физически посажу! Он убил моих родителей.

— Два раза за одно преступление не судят.

— Посмотрим, — сердито ответила Лира и взялась за ручку двери, — запоминайте, квартира десять, пятый этаж, Ксения Лузгина. Если он меня достанет, идите к Ксюньке и заберите письмо, я все написала. О'кей?

Глава 20

По дороге на встречу с журналистом Владимиром Коэном я соединился с Норой и коротко отчитался перед хозяйкой.

— Поняла, — спокойно ответила Элеонора. — Надеюсь, ты записал рассказ Лиры на диктофон?

— Никогда не забываю включить аппарат, — обиделся я.

— Ну и славно, — одобрила Нора, — теперь по плану у нас Руфь Соломоновна Гиллер, построй с ней беседу, опираясь на факты, полученные от Лиры. Поинтересуйся, так уж ли провинциален был Андрей? Если парень провел много лет в Питере, то это один человек, коли прибыл из крохотного городка — другой. Опытная актриса должна заметить акцент, говорок.

— Ясно, только можно мне пообедать?

— Нет проблем, — милостиво разрешила Нора.

Получив «добро», я повеселел и к ресторану «Монс» подкатил в хорошем настроении.

— Здравствуйте, Иван Павлович, — учтиво поклонился метрдотель, завидев меня на пороге, — давненько не заглядывали.

— Добрый день, Гриша, — отозвался я, — к сожалению, я пока не заработал на ежедневное посещение «Монса».

— А вас ждут, — сменил тему Григорий, — самый дальний столик, около красного торшера.

Я кивнул, пересек зал, увидел тощего парня с сальными, то ли давно не мытыми, то ли слишком сильно намазанными гелем волосами и сказал:

— Вы, очевидно, Владимир?

Юноша отложил вилку.

— Иван? Я здесь заказал немного, очень есть хочется, надеюсь, вы не против?

— Конечно, нет, — стараясь быть приветливым, ответил я, оглядывая стол.

Тарелка с устрицами, черная икра, хрустящие тосты, крабовый салат и фужер с темно-коричневым напитком, по цвету явно дорогой, элитный коньяк. Да, «легкий перекус» с журналистом обойдется мне в кругленькую сумму.

— Ну, ты готов стать звездой? — усмехнулся Коэн, щедро намазывая икру на кусок хлеба.

— Не совсем.

— Не бзди! Слава всякому приятна.

— Боюсь, мой босс будет недоволен, в нашей фирме не поощряются контакты с прессой, — сразу взял я быка за рога.

— Твой начальник идиот!

— Вовсе нет.

— Ему пиар не нужен?

— Полагаю, он великолепно обходится без него.

— Чушь, — заявил Владимир и начал заталкивать в рот крабовый салат, — люди офигенные бабки тратят на рекламу, а тут задарма срослось!

Неужто он не сечет фишку! Жесть! Эй, официант, неси горячее!

Меня уколола жадность. Он еще и второе заказал! Неужели в тощего мужика влезет такое количество еды? Куда она поместится?

— Давай сначала, — расплылся в гадкой улыбке Владимир, — про метеорит. Ты пек торт! Голубой?

— Бисквит? — поразился я. — Нет, светло-коричневый.

— О тебе идет речь, — захихикал Коэн, — ты голубой?

— В каком смысле?

— Вау! В прямом! Ты пидарас?

— Я? Нет, я мужчина традиционной ориентации, но при чем тут мои сексуальные наклонности?

— Торт меня смутил, — пояснил Владимир, вгрызаясь в принесенный официантом кусок мяса, — нас редактор строго предупредил: хорош про пидоров писать, надоели. А че поделать, если они везде пролезли, плюнь — и попадешь в голубого. Нормальный мужик не станет сладкое готовить, поэтому я и напрягся. Ну, будет баллоны гонять, говори по сути, я обработаю литературно твои корявые речи — и на полосу.

Я вдруг вспомнил где-то услышанный анекдот. «Вовочка, — с гневом восклицает учительница, — что за ерунду ты написал в сочинении: Пушкин дрался на дуэли с Лермонтовым, а Дантес был у них секундантом. Татьяна Ларина и Анна Каренина покончили с собой, не поделив любовника графа Монте-Кристо, собачка Муму и Герасим состояли в интимной связи, а поросята Нуф-Нуф, Ниф-Ниф и Наф-Наф на самом деле женщины-лесбиянки! Как такая глупость тебе в голову пришла?» — «Не знаю, Марь Иванна, — отвечает Вовочка, — вам не нравится, а я уже три года вполне успешно сотрудничаю в газете, в отделе литературной критики».

— Ну че, язык съел? Вань, говори! — поторопил Коэн.

И тут у меня ожил мобильный.

— Вава, — трагическим шепотом произнесла Николетта, — катастрофа!

— Ты заболела?

— Хуже! Приехала Деля, она хочет забрать камень. Вава! Сюда! Скорей!

— Извини, я занят.

— Ах вот как, — завопила Николетта столь пронзительно, что я отодвинул аппарат от уха, — у меня отбирают метеорит! Похищают! Грабят! А ты! Черствый волк с сердцем, покрытым черепицей. Я изойду на слезы! Умру! Немедленно сюда! Сию секунду!

Из трубки полетели гудки.

— Извините, — сказал я Владимиру, — семейные проблемы требуют прервать беседу.

Внезапно Коэн встал, пока он выпрямлялся, его руки ухитрились запихнуть в рот остатки икры, мяса и картошки фри.

— Плати — и едем, — пробубнил он, давясь едой.

— Куда?

Владимир лихо опустошил фужер с коньяком, я невольно вздохнул, напитка было граммов двести, не меньше.

— Эй, счет, — завопил Коэн, — живо, нам некогда сопли жевать! Вань, отстегивай мани.

Я расплатился, плохо понимая, что происходит, и пошел к машине. Владимир сел на переднее сиденье и с легким презрением отметил:

— Жесть.

— Вы о чем?

— О твоей тачке. Чистая жесть.

— Не уверен. Хотя точно не скажу, из какого металла сделана машина.

Коэн разразился хохотом.

— Ну, блин, жесть, — простонал он, — ваще! Я думал, ты жжешь! Ан нет! Поехали в Саратов!

Я выронил ключ зажигания.

— Куда? В Саратов? Но нам туда за час не добраться!

Владимир сложился пополам. Я терпеливо ждал, пока борзописец придет в себя и объяснит, в чем дело.

— Жесть, — вымолвил наконец журналюга, — а ты прикольный. Едем скорей к бабе, у которой сейчас отнимают метеорит, я очень хорошо слышал, как она из трубы орала!

— Это невозможно!

— Почему? — скривился Владимир. — Что мешает тебе отправиться туда и сделать суперматериальчик?

Я взялся за руль. Действительно, этот наглец прав: если я сейчас притащу его к Николетте, то, вероятнее всего, маменькина свекровь Деля постесняется устраивать скандал, а все объяснения прессе захочет дать лично Николетта, она не разрешит мне тянуть на себя одеяло славы. И какие ко мне тогда будут претензии? Явился по приказу Николетты, спас метеорит и ухитрился избавиться от надоедливого Коэна!

— Поторопись, — икнул корреспондент, свесил голову на грудь и захрапел.

Я открыл окно, чтобы туда выдували отвратительный запах, источаемый Коэном. Мало того, что репортер, похоже, последний раз мылся на Новый год, так от него еще несет алкоголем.

Дверь нам открыл Монти.

— Ванечка, — закатил кузен глаза, — тут такое!

— Какое? — спросил я, оглядывая черные провода, змеями тянувшиеся по коридору.

Монти заломил руки.

— Радио, телик, я так устал, сил нет. Люди пристают, спрашивают. И у всех проходят болезни.

— Суп-п-пер, — прозаикался Коэн, держась за мое плечо. — Показывай примочку, малыш!

— Это кто? — ужаснулся Монти.

— П-п-пресса, — ответил Владимир.

Кузен отступил в коридор.

— О, нет.

— Да, — решительно сказал я, — где Николетта?

Монти поднял руку, и тут из гостиной раздался отчаянный визг. Забыв про плохо стоящего на ногах Коэна, я рванул на шум.

Николетта оказалась жива-здорова, более того, противный звук издавала не маменька, верещала сильно накрашенная баба в невероятной желто-красно-зелено-синей тунике.

— Она ушла, — сиреной надрывалась незнакомка, — насовсем. Прямо сразу, понимаешь?

Поскольку странная мадам обращалась явно ко мне, я решил утешить обезумевшую гостью и вежливо ответил:

— Не стоит расстраиваться, вполне вероятно, что она вернется.

Вопившая застыла с раскрытым ртом, затем, понизив голос, заявила:

— Ну уж нет! Чего ты мне желаешь! Я мучилась язвой не один год, желудок постоянно болел, только прикоснулась к нему, все прошло! Ты откуда?

— Из машины, — ответил я, — вернее, из прихожей, но до этого сидел в автомобиле!

— Идиот, — гаркнула «туника», — какое издание представляешь? Сначала получи у пресс-секретаря, черт, забыла, как его зовут, разрешение на интервью!

— Вава, — заверещала Николетта, влетая в гостиную, — вот он!

— Пришел по первому зову. — Я не упустил момента показать решимость помочь ей.

— Вот он, — в экстазе повторила Николетта, — милый, замечательный, потрясающий, волшебный...

Я смутился, право, маменька перегибает палку. Конечно, ей хочется продемонстрировать журналистам (а их в комнате человек пять или шесть, сосчитать трудно, люди с фотоаппаратами постоянно перемещаются, отчего мельтешит в глазах), какого отличного сына она сумела воспитать, но столько лестных эпитетов сразу! Это уже слишком.

— Восхитительный, умопомрачительный, элегантный, приносящий удачу и счастье, исцеляющий страждущих, — не останавливалась Николетта.

Я кашлянул и попытался продемонстрировать скромность.

— Вовсе не так уж я хорош, каким предстаю из твоих слов, и совершенно не обладаю экстрасенсорными способностями.

Николетта окинула меня тяжелым взглядом.

— А кто говорит о тебе?

На долю секунды я растерялся и произнес:

— Но ты сейчас...

— Вава, — мгновенно перебила меня Николетта, — эти ботинки не подходят к легкому костюму! Они тупоносые! И цвет! Мерзопакостно!

Я ощутил прилив раздражения. Согласен, меня можно назвать ретроградом, больше всего мне по душе простой, классический костюм. Но я вовсе не чураюсь моды, в моем гардеробе имеются и джинсы, и пуловеры, и футболки. Однако есть вещи, которые я не надену никогда. Допустим, мятые до неприличия шаровары с карманами по бокам и дырками на коленях. Не по вкусу мне и искусственно состаренные куртки такого вида, словно пять их предыдущих владельцев умерли на помойке от глубокой старости, и тишотки с неприличным рисунком не радуют. Я не очень разбираюсь в современных тенденциях прет-а-порте, но при этом не осуждаю никого из мужчин, надевших на себя розовую рубашку со стразами, голубую бейсболку, зеленые брюки и оранжевый шарф. Если человеку хочется выглядеть цирковой обезьяной, не стану ему помехой, сам, однако, ни за какие коврижки не выряжусь клоуном. Но вот ботинки!

Обувь — моя страсть, я могу рассказать о штиблетах все и научить вас правильно выбирать их. Начнем с того, что летнюю пару надо покупать вечером, после шести, а зимнюю, наоборот, в первой половине дня. Ну да сейчас не время раздачи добрых советов. Николетта ничего не смыслит в мужских туфлях! Тупоносые! Это самая последняя тенденция!

— И ремень тошнотный, — выпустила еще одну стрелу маменька. — И вообще, я говорила о НЕМ.

Цепкие лапки Николетты схватили авоську, сплетенную из бисера, она была настолько чудовищна, что у меня заломило виски. Сквозь наплывающую боль я увидел, как маменька вытаскивает злополучный торт. Журналисты засверкали вспышками фотоаппаратов.

— ОН исцеляет всех, — голосом мессии объявила Николетта, — метеорит, посланец внеземной цивилизации.

— Ну-ка, покажи! — прогремело из коридора, и в гостиную вихрем влетела тощая дама, замотанная, несмотря на относительно теплый сентябрь, в горностаевую шубу.

— Деля! — взвизгнула Николетта и быстро сунула окаменелый торт в сумку. — Ты уже здесь! Быстро добралась!

Я втянул голову в плечи. Ну надо же, я не узнал свекровь Николетты, матушку Владимира Ивановича, мою названую бабушку.

Хотя как бы я сумел это сделать? Деля покрасилась в огненно-рыжий цвет, завилась мелким бесом и, похоже, похудела еще на пять килограммов, хотя последнее предположение кажется совершенно безумным: скелет не способен потерять лишний вес.

— Во-первых, здравствуй, Нико, — менторским тоном осадила невестку свекровь.

— Добрый день, — прошипела маменька.

— Очень некрасиво так отвечать, — укорила ее Деля, — добрый день кому? Всем или только мне? О, Ванечка! Здравствуй, мой дружочек, подойди скорей, поцелую тебя.

Я приблизился к даме и приложился к морщинистой ручке, интересно, как отреагирует мама отчима, если я сейчас скажу: «Бабуля, счастлив вас видеть»?

Но я не стану экспериментировать, приберегу сие высказывание на тот момент, если мне захочется мгновенной смерти. Услышит милая дама слово «бабушка» и разом прихлопнет Ивана Павловича как муху, долго мучиться не стану, скончаюсь в одночасье.

— Ну, котик, — нежно пропела Адель, — как наши делишки?

— Огромное спасибо, Деля, — тоном послушного школьника ответил я, — замечательно, сейчас как раз изучаю книгу про йоркширтерьеров, знаешь, это потрясающие собаки!

Бабуля расцвела.

— Мальчик мой! Хочешь погладить Кики?

— Почту за счастье, — покривил я душой.

— Сашка, дрянь, иди сюда скорей, — завопила Деля с такой силой, что один из фотографов уронил камеру.

В комнату заглянула растрепанная девушка.

— Вы меня звали?

— Орала, орала и наконец доoралась! — гаркнула бабуля. — Где Кики?

— Во, — простодушно ответила Саша и протянула хозяйке собачонку самого отвратительного вида.

Лохматое тельце, маленькая головка с торчащими ушками, черные зернышки глаз, ошейник с бриллиантами и омерзительный характер — это Кики. Правда, ко мне собачка по непонятной причине испытывает светлые чувства, зато Николетту она ненавидит всеми фибрами своей йоркширской души. Справедливости ради следует отметить, что маменька испытывает к лохматому чудовищу те же чувства.

— Кикинька, — чмок-чмок, — солнышко, — засюсюкала Деля, хватая артритными пальцами шавку, — смотри, кто тут стоит! Ванечка! — Чмок-чмок! — Котик любимый! Ну, поцелуйтесь скорей.

Я приблизил лицо к Кики и постарался не дышать, мохнатый уродец удушающе пахнет слишком сладкими духами Дели.

— Ой, Ванечка, — пришла в неописуемый восторг Деля, — она тебя лижет! Николетта, естественно, не пожелает сказать Кики «добрый день».

Я с интересом посмотрел на маменьку. Мой отчим патологически богат и при этом обожает тратить деньги на капризы Николетты. Если ранее маменька являлась, так сказать, вторым номером среди светских дам, пальму первенства крепко держала цепкими ручонками Кока с зятем-нефтяником, то сейчас госпожа Адилье захватила лидирующие позиции. Ее бриллианты больше, одежда шикарней, а новый «Мерседес», преподнесенный мужем к дню рождения, затмил автомобиль заклятой подружки. В прежние годы Николетта могла рассчитывать лишь на мое не слишком жирное жалованье и убивалась, что не может устроить подлинный светский прием, с обильным фуршетом и толпой лакеев. Нынче она в состоянии каждый день закатывать вечеринки. По идее, Николетта должна быть счастлива, но судьба решила поиздеваться над ней, поэтому вместе с вожделенным материальным благополучием Николетта получила Делю, лучший образчик свекрови. Деля обожает Кики и способна капитально испортить жизнь тому, кто не приветит шавку. Одну из предыдущих супруг своего сына она выгнала из дома киноолигарха за то, что та, придя к Деле, не поздоровалась с Кики. Интересно, как сейчас поступит маменька?

Глава 21

Николетта покраснела, сделала пару вздохов, сняла с плеча бисерную сумку, положила ее на диван и со светской улыбкой произнесла:

— Невероятно рада видеть вас вдвоем в своем доме. Кики сейчас принесут паштет, специально для нее держу в холодильнике баночку, настоящая фуа-гра из Парижа!

Деля шлепнулась на диван и посадила йоркшириху около сумки с «метеоритом». Я мысленно зааплодировал маменьке. Нет, не правы те люди, которые полагают, что человека украшают естественность и непосредственность реакций. Светское воспитание — вот ключ к спокойной жизни. Что хорошего произошло бы, не удержи сейчас маменька себя в рамках? Больше всего Николетте хочется взять торшер и опустить его на голову Деле, а потом, наступив каблуком на горло поверженной врагине, с воплем «банзай!», вышвырнуть в окошко Кики. Но светское воспитание не позволит маменьке совершить такое, поэтому сейчас Деле подадут кофе, а Кики приволокут миску с дорогущим паштетом. Кстати, о последнем. Пару недель назад я навещал Николетту, и наша беседа протекала под мирный бубнеж телевизора, внезапно маменька перестала пилить меня за нежелание жениться и воскликнула:

— Тише!

Я насторожился и замолчал.

— Слышишь? — прошептала Николетта.

— Что? — понизив голос, осведомился я. — Никто не звонил.

— Тс! Телевизор! Ведущий рассказывает про йоркширов!

Толстый мужик на экране и в самом деле держал в руках умильную собачку.

— И последнее, — долетело до моего слуха из динамика, — нельзя закармливать животное деликатесами. Черная икра, жирный творог, сметана, сладкое печенье, я мог бы долго перечислять, чем угощают своих йоркширов их безответственные владельцы. Конечно, собака съест и еще попросит, но, балуя таким образом любимца, вы убиваете его. Знавал я семью, где йорка угощали фуа-гра, печенью раскормленного гуся, увы, бедный пес не прожил и двух лет.

— Значит, икра, жирный творог, сметана, сладкое печенье и самое замечательное — фуа-гра! — воскликнула маменька.

— Ты решила завести йорка? — удивился я.

— Фу, нет, конечно, — нервно воскликнула маменька. — Вава! На мой взгляд, Элен Давыдова непременно согласится пойти с тобой погулять, ее отец...

Я моментально забыл о странном интересе маменьки к собачьей диете и начал отбиваться от очередной невесты. Но сейчас, когда Николетта стала шумно требовать принести в гостиную миску с гусиной печенью, чтобы от души угостить милую сердцу Кики, я вспомнил ту телепередачу и сообразил: маменька надумала избавиться от собачки, изображая к ней невероятную любовь. Сама Николетта никогда не ест фуа-гра, и до сих пор в ее доме сего деликатеса не водилось. Значит, ласковая невестка специально купила строго запрещенный для животного деликатес и сейчас с самой сладкой улыбкой угостит песика пищей, от которой у крошки должен наступить паралич печени.

Внезапно мне стало жаль Кики, и я сказал Деле:

— Не стоит давать любимице фуа-гра.

— Почему? — нахмурилась бабуля.

— Птичий грипп шествует по земному шару, — нашел я должное объяснение, — мы не знаем ничего о состоянии здоровья того гуся, печень которого предлагаем Кики!

Николетта метнула в меня убийственный взгляд.

— Верно, Ванечка, — закричала Деля, — молодец! Я не подумала о заразе. Нико, угости лучше фуа-гра этих людей с камерами. Кстати, что тут происходит?

Маменька и тетка в разноцветной хламиде, перебивая друг друга, начали вываливать на Делю кучу информации. Я, знавший правду о метеорите, был сражен человеческой тупостью и способностью зомбироваться. Оказывается, у маменьки от прикосновений к небесному телу резко обострилось зрение, закурчавились волосы и пропала изжога. Думаю, Николетта могла похвастаться и излечением иных болезней, типа артрита, запора и тромбофлебита, но ведь у молодой женщины, недавно приехавшей из свадебного путешествия, таких хворей не бывает. Как правило, проблемы со здоровьем начинаются после пятидесяти, а всем известно: вот уже много лет подряд Николетте тридцать пять!

Дама в пестрых тряпках оказалась более откровенной, она, захлебываясь от восторга, сообщила о язве, колите, геморрое, полипах и герпесе, которые исчезли лишь при одном касании к «метеориту». Но больше всего меня поразили мужчины. Ну согласитесь, дамам свойственны неадекватные реакции, а в медицине описаны случаи излечения от паралича, когда обезумевшая в результате стресса особа приезжает поклониться святому, под влиянием толпы впадает в экстаз и бойко вскакивает с инвалидного кресла. Я хорошо осведомлен об эффекте плацебо, кое-кто из докторов активно им пользуется, дает пациенту здоровенную красную таблетку и утверждает:

— Сейчас вы получили лучшее средство от мигрени, американское, новое, экспериментальное, помогает стопроцентно!

Яркая пилюля на самом деле раскрашенный сахар, но вот парадокс, у особо внушаемого субъекта моментально проходит головная боль. Думаю, секреты психики человека еще не до конца изучены. Может, Господь задумывал людей как самоизлечивающиеся организмы? Экзальтированная Николетта и нервная дамочка в тунике могли при контакте с окаменелым тортом почувствовать временное улучшение здоровья, но наглые мужики с фотоаппаратами! А они, между прочим, несли чушь похлеще маменьки.

— Зуб самозапломбировался, — заявил лысый толстяк в жилетке со множеством карманов.

— Эрекция офигительная, — хохотнул парень с камерой, — ваще я и раньше не жаловался, но сейчас!

— И еще волосы растут, — добавил толстяк, хлопая себя по обширной плеши.

— Пока кудрей не видно, — не выдержал я.

— Так изнутри щекочет, — не сдался идиот, — скоро вылезут.

Деля встала.

— Хорошо. Мне пора. Сашка, бери метеорит, и уходим.

Прислуга заморгала:

— Чего брать?

Николетта прижала к себе сумку.

— С какой стати вы решили присвоить мой камень?

Деля прищурилась:

— У мужа и жены общее имущество, так?

— Верно, — закивала маменька.

— Владимир мой... мой...

Деля заколебалась, слово «сын» ей явно не хотелось произносить. Я с интересом наблюдал за бабусей: что перевесит — желание казаться нимфеткой или жажда популярности. Победило второе.

— Сын, — решилась Деля, — а мать и ребенок неделимы, следовательно, раз камень Владимира, то он и мой. Сашка, бери сумку!

— Эй, эй, — завопила маменька, — минуточку! Бисерная оправа стоит дорого и...

— Сашка, — легко переорала маменьку Деля, — отдай Элен тряпку, забери содержимое, и уходим.

— Я не Элен! — взвизгнула Николетта.

Деля уставилась на супругу сыночка.

— Марфа? — с легким сомнением спросила она. — Хотя нет, ту сучку я отлично помню. Сейчас, сейчас! Натали первая, Марго вторая, Лиза третья, Марфа без росписи, Антонина четвертая, Света пятая, шестая кто? А? Тебя как зовут?

Николетта стала свекольно-синей.

— Ах да! Нико! — взвизгнула Деля. — Господи, всех и не упомнить. Жен полно, мать одна, камень я забираю.

— Он влетел в мою квартиру! — завизжала маменька.

— И стал общим имуществом, — пожала плечами Деля.

— Не отдам! — заорала Николетта.

Журналисты в полном восторге защелкали фотоаппаратами, на их лицах застыло выражение неприкрытого счастья. Борзописцев можно было понять: приехали за сенсацией, а получили к ней в придачу абсолютно бесплатно еще и скандал, очень удачный день выдался!

— Имущество делится пополам, — топала ногами маменька.

— Отлично, — мгновенно отреагировала Деля, — распилим камень на равные части.

— Э нет! — не согласилась маменька. — Тебе одна треть!

— Почему? — оскорбилась Деля.

— Нас с Владимиром двое! Следовательно, мы берем большую половину.

Я вздохнул, маменька неподражаема. Половина не способна быть большей или меньшей, на то она и половина.

— Не примазывайся, это нас с сыном двое! — рявкнула Деля.

Дамы вскочили и пошли друг на друга, Николетта вытянула вперед руку и пошевелила пальцами с длинными, острыми гелевыми ногтями.

— Ничего не получишь, — решительно заявила маменька.

Деля спряталась за прислугу и приказала:

— Сашка, врежь ей, иначе уволю.

Та поплевала на ладони.

— Сейчас прольется чья-то кровь! — радостно заорал, входя в комнату, абсолютно протрезвевший Коэн.

Я быстро встал перед Николеттой.

— Спокойно, решим проблему мирным путем.

— Пусть уж лучше подерутся, — воскликнул

лысый толстяк, — отличный кадр получится, непостановочный.

Николетта, не выпуская из рук бисерного мешка, рухнула на диван.

— Сердце! Помогите!

Я мысленно зааплодировал: слава богу, маменька вспомнила об испытанном, никогда до этого не подводившем ее средстве — умирании на глазах у почтенной публики. Журналисты, раздосадованные несостоявшейся дракой, вновь воспряли духом. В конце концов, запечатлеть смерть хозяйки метеорита не менее приятно, чем заснять ее потасовку со свекровью.

Воспользовавшись тем, что народ устремился к маменьке, я дернул за руку Делю и шепнул:

— Идемте скорей.

Надо отдать должное бабуле, она не стала громко вопрошать: «Куда? Зачем? Почему?»

Деля легкой тенью выскользнула в коридор и поторопилась за мной на кухню.

— Слушаю тебя, Ванечка, — сказала она, прислонившись к холодильнику.

— Вы знаете, — издалека начал я, — я очень люблю Кики.

— Она моя доченька, — засюсюкала Деля, — собаченька сладенькая, кисонька ласковая.

— Только для того, чтобы Кики прожила много лет, я и решился открыть вам тайну!

Глаза Дели вспыхнули огнем.

— Какую?

Я кашлянул и как можно убедительнее сказал:

— Я был тут один в момент падения метеорита.

— Да?

— Он рухнул на стол. Видите дыру?

— О-о-о, — закатила глаза Деля, — ты, Ванечка, удивительно храбрый человек, Володька бы умер! Знаешь, он трусоват.

— В момент, когда небесное тело ударилось об пол, оно раскрылось, — фантазировал я, — как грецкий орех, я понятно объясняю?

— Более чем, дружочек, — зашептала Деля.

— Выпала сердцевина, а что у ореха лучше?

— Ядрышко.

— Именно так, — радостно закивал я, — пустая скорлупа потом сомкнулась, в кухню прибежала Николетта, и началось! Ядро же я спрятал.

— Ванечка!!! — почти лишаясь чувств, протянула Деля. — Где оно?

Я открыл ящик одного из кухонных столиков, если память мне не изменяет, здесь должен лежать брусок для правки ножей, потерявший от старости свою форму. Кусок точила некогда принес мой отец, обожавший, как я уже упоминал, всяческие инструменты. Взгляд выхватил серый камень, слава богу, он цел и невредим.

— Вот, Деля, возьмите, положите его около домика Кики, — торжественно заявил я, — йоркшириха будет теперь всегда здорова.

Глаза бабули наполнились слезами.

— Ванечка, поверь, я никогда не забуду твоего поступка.

— Право, ерунда, я просто искренне полюбил Кики.

— Мой мальчик!

Надушенная лапка потрепала меня по плечу.

— Наклонись, солнце, я должна поцеловать тебя!

Я покорно нагнулся. Деля легко прикоснулась губами к моей щеке, потом спросила:

— Ванечка, значит, у меня ядро?

— Да.

— А у Николетты скорлупа???

— Именно так.

— О! Шикарно!!!

Я улыбнулся. Продавцы всяческих кремов и масок для лица неправильно рекламируют свой товар. Им следует, показывая дамам баночку с жирной субстанцией, заговорщицки шептать: «Данная питательная маска не только омолодит лицо той, кто купит средство, она способна вызвать морщины у всех ее подруг».

Представляете скорость, с которой милые дамы рванут к прилавкам?

Деля обернулась.

— Ванечка, я пока никому не расскажу про ядро.

— И правильно!

— Пусть Нико еще похвастается, потреплется о чудодейственном метеорите, — захлебываясь от счастья, прошептала Деля, — а потом появлюсь я, и все поймут: у Николетты дрянь, скорлупа! О! О! О!

Бабуля выскользнула в коридор.

— Душенька, — понесся в ту же секунду по квартире ее визгливый голос, — не стоит нам, кисонька, из-за ерунды нервы рвать. Нет необходимости делить метеорит, он твой, лапонька!

Я испустил вздох облегчения, слава богу, война откладывается.

— Ты, ваще, молоток, — донеслось от окна, — цирк в гирляндах! Лихо бабусе туфту втюхал.

Я вздрогнул — из узкого пространства между холодильником и стеной вылезал Коэн.

— Как ты сюда попал? — подскочил я. — И сумел же поместиться в пятисантиметровую щель!

— Учился у мастера, вернее мастерицы, Юлька постоянно повторяла: «Если во время скандала из комнаты уходят двое, беги и проследи за ними. Самое интересное случается в тишине».

Я покачал головой, остается лишь удивляться, каким образом Коэн незамеченным прошмыгнул в кухню. Хотя она имеет Г-образную форму, мы с Делей беседовали в длинной части, а холодильник помещается в короткой.

— Очень тебя прошу, — взмолился я, — не болтай об услышанном!

Владимир усмехнулся:

— Лады, ваще, ты мне понравился. Значит, метеорит фуфло?

— Да, это торт.

Коэн вытаращил глаза:

— Чего?

Я выложил правду. Журналист начал ржать. Пока он вытирал слезы, катившиеся по щекам, я быстро вынул бутылку с коньяком, порезал сыр и сказал:

— Прости, за фужерами надо сходить в гостиную.

— Чашками обойдемся, — отмахнулся журналист, — неважно, из чего глотать, наливай, не стесняйся.

Я подождал, пока Коэн примет пару доз благородного напитка, и осторожно сказал:

— Очень прошу тебя, сделай одолжение, не сообщай о моей роли в данной истории. Я попал в совершенно идиотское положение, никогда не думал, что Монти всерьез воспримет мое шуточное заявление о метеорите.

Владимир, посмеиваясь, выслушал мой рассказ и слегка заплетающимся языком заявил:

— История в духе Юльки, ей бы понравилась.

Эх, жаль, сгинула баба, никаких следов не оставила! Правда, в последнее время статейки начали появляться. Очень по стилю на Юлькины похожи, тот же язык, закрутка, провокация, даже привычка давать материал с продолжением. Я уж подумал, неужели Юлька вернулась? Но потом сообразил, что она бы непременно позвонила, нашла способ встретиться. Господи, я ж ее любил! Как! До белых глаз! Никогда ни с кем такого после не было! Баба-трясина, схватила и утянула! Ваня, слушай, расскажу про Юльку!

Я украдкой глянул на часы, мне меньше всего хочется сейчас работать психотерапевтом для Коэна. В его жизни случилась любовь, о которой журналист не способен забыть. Мне надо ехать к пожилой даме, актрисе Руфи Гиллер, Нора страшно обозлится, если я не выполню ее поручение. Но, с другой стороны, я во что бы то ни стало обязан подружиться с Коэном, иначе тот опубликует историю про метеорит, которую я по наивности, неизвестно зачем, выболтал репортеру. Я очутился между тигром и львом, куда ни кинь, везде клин. Не попаду к Гиллер — слопает Нора, выйдет газета с рассказом про торт — меня прихлопнет Николетта. Ну и дурака же ты свалял, Иван Павлович, зачем разоткровенничался с Коэном?

— Я приехал в Москву хрен знает откуда, — завел Владимир и схватил бутылку.

Я изобразил на своем лице горячий интерес и уставился на журналюгу. Очень скоро Коэн напьется по самые брови и заснет, а я спокойно поеду к Гиллер. Главное, постоянно подливать ему в чашку коньяк, убью тем самым двух зайцев. У Владимира сложится ощущение, что я его друг, способный выслушать нытье, и репортер из благодарности не настрочит статейку, а к Гиллер можно поехать вечером, старуха все равно сидит дома.

Глава 22

Биография Коэна не показалась мне оригинальной. Амбициозный молодой человек, звезда журналистики местного масштаба, золотое перо районной газетки, возомнил себя маститым репортером, решил, что плавание в тесных водах заштатного городка недостойно его, и подался покорять Москву. В багаже, кроме пары рубашек, выходных брюк и шикарных ботинок, имелись подборка наиболее интересных собственных статей и диплом об окончании института культуры, местной кузницы кадров для клубов, газет, журналов и областного театра.

Владимир прибыл в столицу полный надежд. Он поехал в первый день на Ленинские горы, увидел под собой невероятно огромную Москву и, словно Растиньяк[1], воскликнул:

— Я непременно покорю тебя!

Через неделю Владимир слегка приуныл. Столица безжалостна к иногородним, в особенности если у них нет денег, связей, жилья и родственников. Одежда журналиста, модная в провинции, вызывала улыбки у столичных штучек. Диплом института культуры не производил никакого впечатления на редакторов, а папку со статьями они даже не хотели открывать.

— Это уже написано, — холодно заявила Вла-

---

[1] Растиньяк — один из героев О. де Бальзака.

димиру одетая в рваные джинсы девица, сидевшая в помещении одного гламурного журнала в кабинете с табличкой «Главный редактор», — приносите эксклюзив, тогда и побеседуем.

В конце концов Владимир с огромным трудом устроился на радио помощником редактора. Гордо звучащая должность на самом деле была самой низшей на иерархической лестнице, Владимир оказался мальчиком на побегушках: принеси — подай — уходи вон. Как назло, программа, на которую с огромным трудом удалось устроиться, посвящалась литературе, вела ее эффектная блондинка Лена Кадушева. Ведущая бесила Владимира до трясучки. Во-первых, она была хороша собой, во-вторых, великолепно одевалась, в-третьих, господь не обидел ее умом, а еще Лена отлично умела разговорить собеседника, имела авторитет у коллег, не боялась спорить с начальством — в общем, являлась тем, кем мечтал быть Владимир.

«Будь я хорошенькой мордашкой, — иногда с тоской думал он, — тоже уже стал бы суперзвездой».

Повторяя про себя эту фразу, Владимир хорошо понимал: не в красоте дело, похоже, Кадушева талантливее его. Но с завистью к бабе он худо-бедно справлялся. Самым тяжелым был прием гостей, тех самых звезд, с которыми Лена беседовала у микрофона. Чаще всего в эфире участвовали писатели, долго и нудно рассуждавшие о судьбах литературы, иногда, правда, попадались люди, которых Владимир слушал с восторгом, но, как правило, помощник режиссера тихо засыпал. Иногда к Лене приходили журналисты, и тут Володя обливался желчью: ну чем он хуже надутого козла из журнала «Витязь»?[1] Только тем, что появился на свет в провинции. Доведись ему родиться в Москве, восседал бы сейчас у микрофона и нес благоглупости об особой роли журналистики в жизни общества.

Как-то раз Лена сказала:

— Володечка, сделай одолжение, завари хороший чай, не из пакетика.

— До сих пор никто не жаловался, — пожал плечами помощник режиссера.

— К нам придет Юлия Чупинина, — пояснила Кадушева, — заведующая отделом культуры журнала «Резонанс»[2].

— И чего? — пожал плечами Владимир.

— «Резонанс» имеет большой тираж, — пояснила Лена, — его читают в разных местах, Юля талантлива, она редкий пример серьезного журналиста, пишет отличные статьи, имеет собственное мнение и ни под кого не прогибается. У Чупининой безупречная репутация, и потом, я ее просто люблю, всех вышеперечисленных причин хватит, чтобы заварить качественный напиток?

Ощущая себя описавшимся котенком, которого безжалостная рука хозяина ткнула носом в лужу на полу, Владимир отправился выполнять указание. Не успел он открыть коробку с печеньем, как дверь кабинета распахнулась, и веселый голос колокольчиком прозвенел:

— Привет!

Володя оглядел стоящую на пороге девушку в мини-юбке и буркнул:

---

[1] Название придумано автором, совпадения случайны.

[2] Название придумано автором, совпадения случайны.

— Здорово.

— А где Лена?

— Кадушева занята, — не пошел на контакт Владимир.

— Можно я подожду?

— У нее через пятнадцать минут эфир.

— Я знаю.

— Лучше завтра зайдите, — решительно отбрил ее Володя, который не переваривал наглых московских девиц, абсолютно уверенных, что им позволено все.

Девушка почему-то рассмеялась, и тут в комнату влетела Лена.

— Юлечка! — воскликнула она. — Ты пример для многих! Никогда не опаздываешь. Давай перед программой чайку попьем. Володя, у нас есть заварка?

Помощник режиссера выкатил глаза и от неожиданности ляпнул:

— Так она Чупинина? Я совсем иной ее представлял!

Щеки Лены покрыл легкий румянец, а Юля снова звонко рассмеялась, потом подошла к оторопевшему парню и воркующим голосом спросила:

— А какой вам виделась заведующая отделом культуры «Резонанса»? Толстой теткой позднеклимактерического возраста в бифокальных очках и «халой» на макушке?

— Ага, — ответил ошарашенный Владимир.

Юля расхохоталась:

— Лен, а он прикольный! Где ты откопала такую простоту?

— Прикольнее некуда, — мрачно ответила Кадушева, — пойдем лучше в студию, похоже, чаю мы не получим.

После работы Володя пошел привычно к метро, его обогнал красивый серебристый «Мерседес», автомобиль притормозил, из водительской двери высунулась Юля.

— Садись, подвезу.

— Сам доберусь, — огрызнулся Володя.

— Дурачок, — ласково пропела Чупинина, — я не кусаюсь.

По непонятной причине Коэн послушался и влез в авто.

— Шикарная тачка, — похвалил он, — наверно, в «Резонансе» отлично платят.

— Не жалуюсь, — усмехнулась Чупинина, — только на «мерс» не накопить, это подарок бывшего мужа.

Вот так начался их стремительный роман. На следующий день Владимир переехал в уютную квартирку девушки, и Юля азартно принялась делать парню карьеру. Для начала она велела ему взять псевдоним.

— Никольских много, — объясняла Юля, — нужно нечто звучное, даже эпатажное, вроде Волконский-Задунайский.

В конце концов придумала псевдоним Коэн. Затем Чупинина купила любовнику «правильные» джинсы, элегантную обувь и модные пуловеры. Владимир в полном ужасе стоял в примерочной кабинке и смотрел, как раскрасневшаяся Юлечка охапками таскает шмотки. Когда же взор журналиста упал на ценник, вот тут его чуть не хватил удар.

— Юля, — осторожно сказал он, — я не торгую нефтью! Моей зарплаты не хватит даже на рукав от свитера.

— Ерунда, — отмахнулась любовница, — берем все, я заплачу сама.

— Я не альфонс! — взвился Володя.

— Вернешь должок, когда встанешь на крыло, — не дрогнула Юля, — я сейчас в порядке, напрягов нет.

И это было правдой. В квартире Чупининой был сделан хороший ремонт, кухня сверкала дорогой техникой, в ванной стояли шеренги банок, пузырьков, флаконов, бутылочек, шкаф в спальне ломился от нарядов, а холодильник был забит вкусными деликатесами, Юля не ограничивала себя в тратах.

— Откуда у тебя деньги? — не выдержал один раз Владимир.

— Хамство вопроса подразумевает отсутствие ответа, — фыркнула Юля, но потом добавила: — Я сотрудничаю во многих изданиях, пишу и в газеты, и в журналы, а еще бывший муж подкидывает алименты. У нас с ним договор: я кое-чего не рассказываю посторонним, он делится золотыми дублонами.

— И кто у нас муж? — процитировал культовый фильм Владимир.

— Борис Чупинин, — словно между прочим сообщила любовница. — Может, слышал? Я не стала фамилию после развода менять.

— Тот самый? — ахнул Владимир. — Владелец холдингов и заводов?

— Ну да, — спокойно ответила Юля, — мы разошлись, как в море корабли. Давай больше не беседовать о материальной стороне жизни.

Владимир кивнул, понятно, почему любовница живет на широкую ногу. Борис Чупинин отсыпает бывшей супруге хорошее содержание. Небось за минуту она получает столько, сколько Коэн за год.

— Не куксись, — дернула Владимира за нос Юля, — я нашла тебе место в газете «Треп».

— Желтая пресса, — скривился Коэн.

— Дурак, — шлепнула любовника Юля, — завтра пойдешь к главному и предложишь тему: певица Розамунда тайно родила мальчика от писателя Гостева. Есть съемка, парочка суперских фото. Розамунда топлес сидит на коленях у пьяного литератора. За такую инфу тебя в «Трепе» оближут и классно заплатят.

— И где я материал возьму?

— Вот, — протянула Юля папку, — тут полно всякого, садись и пиши.

Владимир открыл первую страницу в скоросшивателе и присвистнул:

— Вау, откуда джинса?

— Это верняк, — ответила Юля, — фуфло не гоняю. Где взяла, там больше нет, разговаривай с главным уверенно, требуй хороший оклад.

Коэна приняли на службу, и он быстро вошел во вкус. Работа в «Трепе» оказалась захватывающе интересной. На первых порах Владимира снабжала материалами Юля, но вскоре он освоился и сам стал добывать нужную информацию.

— Ты моя Галатея, — смеялась Юля, когда Владимир с упоением рассказывал об очередном успехе.

Через полгода Коэн стал лучшим репортером, получавшим больше всех в издании. Вернее, он считал, что его гонорар самый крутой, пока один раз не зашел в бухгалтерию и не услышал, как заведующая орет на подчиненных:

— Почему Рольфу деньги не передали?

— Так ему двадцать тысяч долларов положено, — оправдывалась сотрудница, — только завтра сможем, сейчас столько в кассе нет!

Володя застыл. С «Трепом» сотрудничал корреспондент, подписывавший свои материалы собачьей кличкой «Рольф». Мужика никто в глаза не видел, но то, что статьи у него получались невероятные, признавали все. Где Рольф нарывал факты, оставалось неизвестным, но сообщаемая им информация шокировала. Самые глубоко запрятанные человеческие тайны вытаскивались Рольфом на свет, и на него не подавали в суд, потому что журналист никогда не врал, имел в портфеле необходимые справки и бумаги.

Слова бухгалтерши «двадцать тысяч долларов» никак не выветривались из памяти, и Коэну страшно захотелось посмотреть на таинственного Рольфа. Сначала он порасспрашивал коллег и выяснил: репортера не видел никто, а настоящего имени парня, похоже, не знал даже сам главный редактор. Рольф шифровался почище разведчика, но Владимир был упорен и в конце концов выяснил: таинственное золотое перо «Трепа» получает деньги лично от самого главбуха, причем встреча происходит не в редакции, а в шумном, каждый раз новом кафе, и на «стрелки» является доверенное лицо репортера.

Владимир мысленно потер руки, в нем ожила ищейка, очень хотевшая обнаружить Рольфа. Коэн не понимал, отчего подобное желание жгло душу, но решил не сопротивляться ему.

Слежку за главбухом репортер организовал в лучшем духе детективных фильмов. В нужный день нацепил очки, наклеил искусственную бороду, нахлобучил парик. Но дама особо не пряталась, ровно в девять вечера она вошла в кафе около станции метро «Тверская». Лучшего места для тайной встречи и не найти, в ресторанчике постоянно клубится народ. Коэн догадался подняться на второй этаж и с балкона обозреть нижний зал. Главбуха он нашел сразу, та сидела почти в самом центре помещения. Владимир затаился. Очень скоро его терпение было вознаграждено: к сотруднице редакции подошла довольно полная брюнетка в халатоподобном ярко-красном платье. Финансистка протянула ей пакет из плотной коричневой бумаги, бабенка взяла его и пошла к выходу. Коэн бросился к лестнице, пары секунд хватило ему, чтобы скатиться по ней, но черноволосой особы уже не было в харчевне, толстуха оказалась проворной.

Владимир выскочил на площадь и начал озираться, надеясь увидеть ярко-красное пятно, платье курьера было слишком приметным. Слева зиял вход в подземный переход, справа находилась троллейбусная остановка. Недолго думая, Владимир кинулся вниз по ступенькам и застыл: народу под землей клубилась туча, одни спешили в метро, другие толкались возле ларьков. Стояло лето, многие надели яркую, цветную, в том числе красную одежду.

Признав свое поражение, Коэн поехал домой и сел смотреть фильм, купленный по совету Юли. Примерно через час вернулась с работы любовница.

— Чего такой мрачный? — весело спросила она.

— Зуб болит, — ответил Коэн, который не собирался рассказывать девушке о своих поисках.

— Сейчас ужин сделаю, — пообещала любовница, — только в душ сгоняю, а то жарко, сил нет.

Юля исчезла в ванной, оттуда донесся плеск воды, а Владимир решил сходить за пивом. Он сунул ноги в кроссовки и наткнулся взглядом на сумку Чупининой, которую та швырнула прямо у входа. Коэн схватил довольно объемистый ридикюль и хотел повесить его на вешалку, но уронил. Саквояж раскрылся, из него вывалились скомканное ярко-красное платье-халат и черный парик.

Владимир уставился на вещи, и тут из ванной вышла Юля.

— Супер, — нахмурилась она, — ты шаришь в моих вещах!

— Я случайно сумку уронил, — принялся оправдываться Владимир. — А зачем тебе парик?

— По глупости купила, — усмехнулась Юля, — давно хотела имидж изменить, но покраситься поостереглась, вдруг изуродуют, решила сначала парик примерить.

— И платье с собой носишь!

— Это халат.

— Все равно. Зачем он тебе?

— Жарко же, — пожала плечами Юля, — вспотела и переоделась. Эй, ты никак ревнуешь?

Владимир машинально кивнул, любовница засмеялась и обняла Коэна.

— Глупышок, я никогда не живу одновременно с двумя, такое не для меня.

— Значит, ты хорошо знаешь Рольфа, — выпалил Коэн и, заметив, как вытянулось лицо Юли, быстро добавил: — Только не ври, я видел тебя сегодня в кафе. В парике и в красном халате. Небось обмоталась полотенцами, чтобы толстой выглядеть?

Чупинина усмехнулась.

— Нет, — вдруг спокойно ответила она, — есть специальные толщинки.

— Ваще! — восхитился Владимир. — Так ловко удрала! Я побежал в переход и не поймал тебя.

— Болван, — констатировала Юлия, — я вошла в соседний ресторан, переоделась в туалете и через черный ход для сотрудников ушла прочь. Не умеешь следить за людьми — не берись!

— Ты знаешь Рольфа! — теперь уже со стопроцентной уверенностью констатировал Владимир.

Юлия молчала.

— Ну скажи, — заныл Коэн.

— Зачем?

— Хочу с ним познакомиться, — честно признался Володя.

— Зачем? — монотонно повторяла Юля.

— Ну... надо!

— Зачем?

— Между прочим, я могу стать круче Рольфа! — запальчиво воскликнул Володя. — Я этого мужика за пояс заткну!

Юля села на пуфик, стоящий в коридоре, и вдруг начала хохотать.

— Ой, не могу, — приговаривала она сквозь смех, — он хочет быть круче Рольфа! Самооценка букашек растет! «Мужик»! Ну, дурак! Кретиноидиото!

И вдруг в голову Коэна пришла простая мысль, до того простая, что журналисту стало жарко.

— Рольф — это ты! — выкрикнул он.

Глава 22

Наверное, Юля испытывала к Владимиру чувство, похожее на любовь, иначе по какой причине она раскрыла ему страшную тайну.

Госпожа Чупинина, заведующая отделом

культуры, высокоинтеллектуальная особа с высшим филологическим образованием, твердо знавшая, что Камю[1] — это не только марка элитного коньяка, даже щипцами не прикасавшаяся к желтой прессе, надев на себя личину Рольфа, являлась лучшим репортером «Трепа».

Юлия обладала большими связями, ее любили и уважали, Рольфа, с упорством маньяка раскапывающего чужие тайны, ненавидели. И никому не приходило в голову, что Чупинина и мерзопакостный журналюга на самом деле одно и то же лицо.

Постепенно до Володи стала доходить правда. Да, Чупинина была когда-то женой богатого человека, но никакого денежного содержания она теперь не получала, нехилые суммы девушка зарабатывала сама. «Треп» платил репортеру невероятные деньги, да и было за что. Каждый очерк Рольфа становился сенсацией, его долго обсуждали читатели и смаковали коллеги. Измазать человека грязью — в этом виде спорта Чупининой не было равных. Впрочем, многие журналисты собирают богатый урожай на навозных кучах, но Юлю от всех отличало одно: она никогда не писала неправду.

— Где ты раскапываешь сведения? — приставал Володя к любовнице.

— Они носятся в воздухе, — пожимала плечами Юля, — надо просто уметь слышать и видеть. На любого человека можно нарыть компромат, а уж потом твое дело, опубликуешь статью в газете или попросишь выкупить инфу.

— Ты о чем? — поразился Володя.

---

[1] Камю Альбер (1916—1960) — французский писатель и философ.

— Некоторые секреты очень грязные, — пожала плечами Юля, — наделал некий N в молодости глупостей, потом уехал из своего родного местечка в Москву, сменил фамилию, наивно решил: прошлое похоронено навсегда, и живет спокойно. Но ничто не пропадает бесследно. Говорила уже, разуй уши, раскрой глаза. Материал о Феоктистове читал?

— Директоре крупного завода, который в юности убил двух детей?

— Да! Знаешь, как я поняла, что у милого Геннадия Сергеевича не все чисто в биографии? Феоктистов написал книгу, кстати, довольно неплохую, я приехала к нему в качестве литературного критика от «Резонанса», — вводила Юля любовника в курс дела. — Мы сидели в кафе и очень мило беседовали, вдруг один из посетителей со всей дури заорал: «Феликс! Сколько лет, сколько зим!»

Геннадий резко побледнел, обернулся, Юля невольно повторила его движение и увидела, как тучный дядька обнимает и целует белобрысого мужчинку, занимавшего столик у окна. Ситуация не показалась особенной — неожиданная встреча двух приятелей, давно не видевших друг друга. Юля вновь поглядела на Феоктистова и сделала стойку. Директор завода дрожащей рукой схватил бокал с минеральной водой, залпом осушил его, вытер вспотевший лоб платком и неожиданно начал путано оправдываться:

— Жарко как! И душно! Похоже, у меня давление подскочило, извините, Юлечка, поеду домой, прилягу.

Глядя, как Феоктистов метнулся к двери, Чупинина задала себе вопрос: почему директор испытал ужас? Может, у него в самом деле случился гипертонический криз или начался приступ стенокардии? Однако еще несколько секунд назад Феоктистов весело шутил и пытался ухаживать за журналисткой, лицо он потерял после громкого вопля: «Феликс! Сколько лет!» Но отчего он так отреагировал на чужое имя? Он же по паспорту Геннадий?

Юля осторожно потянула за ниточку и аккуратно размотала клубок, правда, ей понадобилось почти полгода, чтобы вычерпать озеро и поскрести ведром по дну, но игра стоила свеч.

Материал, помещенный в «Трепе», взорвался как бомба. Настоящая фамилия Феоктистова была Петровский, и он не Геннадий, а Феликс. Двадцать лет тому назад нынешний директор, тогда молодой парень, убил двух детсадовцев и сумел избежать наказания. Когда за педофилом пришла милиция, сексуальный маньяк растворился в неизвестности, а в Москве появился Геннадий Феоктистов.

Можно было завидовать Юле, смеяться над ее манерой менторски вопрошать в статьях: «Кто накажет преступника?», издеваться над словом «ангел», которое Рольф лепил через каждую фразу, подсчитывать гонорары репортера, злиться и восклицать: «Если такие писаки востребованы, то мир летит в тартарары» — но приходилось признавать: Юлечка обладала зоркостью орла, трудолюбием слона и хитростью обезьяны, она постоянно работала, даже когда лежала на диване и тупо смотрела сериал. В голове у нее вертелись мысли о статьях, и она могла внезапно воскликнуть: «О черт! Теперь понимаю, как построить материал».

Первое время Владимир восхищался любовницей, потом начал испытывать комплекс неполноценности. Он сам не умел найти такую тему, чтобы страна ахнула. Нет, Коэн нарывал сенсации, но они являлись самыми простыми, а не эксклюзивными. Затем Володя начал испытывать еще более сильный душевный дискомфорт, Юля могла подбросить ему тему, походя уронив:

— Займись театром Рогачева: там во время спектакля прямо на сцене отравили актрису, этот факт и администрация, и милиция тщательно скрывают.

Коэн начинал бить ластами и писал хлесткий очерк, за который получал супергонорар и овации от читателей. Обрадоваться на сто процентов ему мешало знание того, что тему дала Юля, бросила крошки с барского стола, сама не занялась делом, оно ей показалось малоинтересным, не заслуживающим ее царственного внимания.

Затем Коэн почувствовал легкую брезгливость. Двуличие Чупининой его поражало, в «Резонансе» она строчила пафосные статьи о судьбах российской литературы, обвиняла писателей так называемого легкого жанра в развращении русского народа, топтала «Желтуху», «Клубничку», «Треп», радела за чистоту слова и затевала дискуссии на тему, имеет ли право человек употреблять нецензурные выражения.

Вернувшись домой, Юлечка хваталась за ноутбук и превращалась в Рольфа, трансформация происходила моментально, и Володю все чаще посещала мысль: Юлия Чупинина — это маска, а Рольф — истинная сущность возлюбленной. Хорошо, что коллеги из «Резонанса», боявшиеся в присутствии всегда одетой в безукоризненный офисный костюм Юлии произнести слово «жопа», не видели, как она дома, нацепив на себя майку с неприличной картинкой и потертые джинсы, матерится сквозь зубы на зависший компьютер.

Иногда Коэн испытывал острое желание поскрести ногтем кожу Чупининой и посмотреть, что там, под ней, покажется кровь или проглянут металлические части робота? Какая она, настоящая Юля? Зачем ей Владимир? Способен ли Терминатор любить? И что для Чупининой главное в жизни?

Правда, ответ на последний вопрос Коэн знал великолепно: основной ценностью для любовницы являлись деньги. Ради крупной суммы Юлечка шла на все, она могла позвонить герою очередного скандального репортажа и предложить:

— Материал никогда не увидит свет, если вы раскошелитесь.

Чупинина вела себя честно: откусив здоровый кусок от чужого сберсчета, она отдавала жертве все документы, фотографии и предупреждала:

— Будьте осторожны, если Рольф смог докопаться до сути, это способен сделать и другой репортер.

Стоит ли упоминать о том, что на «стрелки» с объектом шантажа Чупинина всегда ходила в гриме и представлялась помощником Рольфа? Юлии везло, ее ни разу не попытались убить, люди предпочитали выкупить компромат.

Теперь Володя знал, откуда у Юлии «Мерседес», отличная квартира, «золотая» кредитка и прочие блага. Впрочем, у окружающих тоже не возникало вопросов по поводу материального благоденствия Юлечки. Все помнили: Чупинина — бывшая жена олигарха, и не сомневались, что журналистка имеет шикарные алименты.

Неизвестно, как бы развивались отношения

Юли и Владимира дальше, но в последнее время Коэн стал слишком много внимания обращать на отрицательные качества любовницы. Вполне вероятно, что пара бы мирно рассталась, и тут произошло несчастье.

За месяц до беды Юлечка принеслась домой и, возбужденно сверкая глазами, сказала Володе:

— Я нашла бомбу!

— Да ну? — весьма вяло отреагировал Коэн.

— Хочешь — расскажу? — спросила Юля.

Владимир удивился — обычно любовница не раскрывала своих планов, загадочно улыбалась и говорила:

— В «Трепе» прочитаешь, дуракам полработы не показывают.

А сейчас она подпрыгивает от нетерпения, наверное, отыскала феерическую гадость, такую мерзкую и липкую, что не способна справиться с восторгом.

— Начинай, — кивнул Коэн и умостился в кресле.

Любовница забегала по комнате.

— Слышал фамилию Анчаров?

Володя наморщил лоб.

— Конечно. Великий театральный режиссер, последний из могикан. Когда-то его спектакли будоражили всю Москву. Анчаров, черт, забыл, как его зовут...

— Константин Львович, — живо подсказала Юля.

— А! Точно! Я читал о нем книгу какого-то театроведа, сейчас расскажу, что помню. Анчаров ходил по лезвию ножа, он пригрел в своем коллективе одиозных актеров, защищал права геев, поддерживал диссидентов, дружил с людьми, попавшими в опалу. В его театр ломились, буквально ломали двери, зрители почитали за счастье постоять в проходе или посидеть на полу у сцены. Актеры гордились, получив у Анчарова роль из двух слов: «Карета подана». Поговаривали, что фанатами Анчарова были некоторые члены Политбюро, а еще рассказывали, якобы спектакли режиссера, записанные на пленку, показали на самом верху. Очевидно, те, кто спланировал акцию против режиссера, надеялись вызвать гнев всесильных людей, но один из них неожиданно сказал:

«Антисоветчина, но он талантлив, и трогать его нельзя. Наоборот, пусть ездит на Запад. Станут нас ругать, ответим: «В СССР есть свобода слова, смотрите спектакли Анчарова».

Правда ли, что состоялся подобный разговор, не знает никто, но режиссера не посадили в лагерь, не выдворили из страны, просто отчаянно ругали в газетах, не давали званий, обходили наградами, но тем не менее работать не запрещали.

— Молодец! — похвалила любовника Юля. — Это все?

Володя почесал переносицу.

— Еще он был любим женщинами, женился в преклонных годах на какой-то молодой девице, та родила ребенка... Подробностей не назову. Эта часть книги мне была неинтересна, я ее просто пролистал. Единственное, что знаю точно, Анчаров сейчас причислен к классикам, он получил все мыслимые и немыслимые награды, его осыпали почестями, обвесили лавровыми венками, закидали орденами и медалями. Несмотря на старость, Константин Львович бодр, активно работает, причем не только ставит пьесы, но и преподает в вузе, пишет статьи, даже ходит по тусовкам.

— Это все? — вновь спросила Юля.

Коэн дернул плечом.

— Вроде да.

Чупинина плюхнулась на диван, задрала ноги на спинку и заговорила:

— Верно рассказал. Правда, сейчас Анчаров уже не имеет былой популярности. Раньше он единственный из всех позволял себе в спектакле изобразить, допустим, сцену в метро. Люди спешат по эскалатору, и один пассажир говорит другому:

«Отойдите, я тороплюсь. Те, кто стоят, должны находиться справа».

«Верно, — отзывался второй актер, — справа нет движения, вот слева, там жизнь».

В этом месте зрители начинали аплодировать и шушукаться:

«Ах, как смело! Анчаров намекает на левую оппозицию в советском обществе».

Но сейчас подобные фразы уже никого не восхищают, сменилось поколение, для молодых Константин Львович — посыпанный перхотью пень. Но все равно он классик, борец за демократию и так далее. Правильно?

— Ну? — кивнул Владимир, не понимавший пока, куда клонит Чупинина.

Юля потерла руки.

— А теперь слушай. Анчаров стукач.

Коэн вытаращил глаза:

— Не понял.

— Внештатный сотрудник КГБ, — возбужденно продолжала любовница, — работал под кодовой кличкой «Станиславский». Кагэбэшникам не откажешь в чувстве юмора. Сколько он народу сдал! Я имею убойный материал.

— Ох и ни фига себе, — простонал Владимир.

— Сохранилось все, — ликовала Юля, — доносы, расписки, заявления Анчарова с просьбой предоставить ему за заслуги квартиру, дачу, разрешить приобрести иномарку. Супер, да? Между прочим, правдолюб всем врал, что «мерс» ему подарили в качестве премии французы.

— Ага, — растерянно кивнул Коэн, — Юль, не пиши о нем.

— Почему? — прищурилась любовница. — Взорвется бомба, дерьмо попадет в вентилятор!

— Лучше не надо.

— С ума сошел?

— Понимаешь, Анчаров — символ порядочности, — забормотал Владимир, — некий термометр, которым измеряют интеллигентность. Многие пятидесятилетние люди уверены: мир менялся, рушились режимы, но Анчаров оставался самим собой. Он не дрогнул в советские времена, не встал на колени в перестройку, не удрал на Запад, не купился за кусок колбасы, выстоял в революцию. Константин Львович — человек, на которого следует равняться. Ты сейчас разрушишь идеал, а людей нельзя лишать иллюзий, пожалей читателей. Одно дело писать, как некая певичка затевает фальшивый развод с мужем, чтобы привлечь к себе внимание прессы, другое — сталкивать с пьедестала кумира. С таким же успехом можно сообщить, что стихи за Пушкина кропал камердинер. Представляешь волну народного гнева и разочарования?

— Ой, сейчас заплачу, — фыркнула Чупинина, — имей я доказательства о «неграх» Пушкина, мигом бы забацала матерьяльчик. А таких, как Анчаров, надо сбрасывать с вершин! Ишь, борец за правду! Орал о своем неприятии советской власти, давал убежище на даче диссидентам, а потом таскал магнитофонные записи бесед с ними в КГБ!

«Сама ты хороша, — чуть было не ляпнул Коэн, — разве ты имеешь право осуждать Анчарова?»

По счастью, Владимир поймал фразу на кончике языка. Юлечка не заметила странного выражения на лице любовника и азартно выкрикнула:

— Это еще не все!

— Что еще? — поразился Коэн.

— Чудовищная вещь!

— Хуже стукачества?

— Намного!

— Говори.

— Догадайся!

Владимир развел руками.

— Он болен СПИДом?

— Нет.

— Сифилисом?

— Речь не о здоровье, — захихикала Юля, — хотя и о нем тоже.

— Не понимаю.

— Сдаешься?

— Да.

Чупинина вскочила с дивана, подошла к буфету, вытащила бутылку коньяка, наплескала немного в фужер и заявила:

— Он женился на молоденькой!

— Эка невидаль, — ухмыльнулся Коэн, — ну ты и нарыла компромат. У нас даже поход налево не осуждается. Кабы Ельцин или Путин с практиканткой в Кремле побаловались, никакого «моникагейта» бы не случилось. Наоборот, еще обрадуется народ, скажет: «Наш-то настоящий мужик, не импотент».

Юля допила коньяк.

— Эх, Володечка, — сладко пропела она, — может, оно и так, но у Анчарова особая ситуация.

— Какая?

— Его женушку зовут Света Раскина. Она, кстати, ребеночка мужу родила.

— И что?

— А то! — торжественно выкрикнула Юлия. — Светлана из города Морска, я раздобыла копию ее свидетельства о рождении. Но мама девушки, звали ее Раскина Елизавета, одно время училась в театральном на курсе у... Анчарова. Компренэ?

— Ну, — кивнул Коэн, — пока ничего шокирующего.

— Ща будет, — пообещала Чупинина, — спокойненько. Елизавета внезапно бросила столицу, уехала в Морск, там родила дочку Свету. Девочка выросла, приехала в Москву, поступила в театральное училище на курс к Анчарову, понравилась легендарному режиссеру, закрутила с ним шашни и, крэкс, фэкс, пэкс, стала госпожой Анчаровой. Хороший финт для провинциалки.

— Частая история, не вижу в ней ничего шокирующего, — остался равнодушным Владимир.

Юлечка забегала по комнате.

— У меня есть документ, из которого следует, что Елизавета Раскина, умершая в год, когда дочь заканчивала школу, родила девочку от Анчарова. Наш классик не только банальный стукач за деньги, квартиру, дачу и машину, но и муж собственной дочери, папа родного внука. Такой финт ушами!

Глава 23

Коэн онемел, потом воскликнул:

— Врешь!

— Нет!!!

— Константин Львович в курсе истории?

— Конечно, нет.

— Елизавета не сообщила ему о ребенке.

— Нет!

— Ты точно знаешь?

— Стопудово!

— Откуда такая уверенность?

Чупинина заулыбалась, словно кошка, съевшая сметану.

— Елизавета была приживалкой у другой легенды нашего театра — Руфи Соломоновны Гиллер, она ее родственница. Руфь обожает осчастливливать бедняжек: чем кому хуже, тем ей слаще подать руку. Не стану долго грузить тебя подробностями, я сумела узнать правду: ребеночка Лизе сделал Анчаров. Раскина не пожелала портить жизнь режиссеру и благородно удалилась в Морск. Дочери она тоже правды не открыла. Вот какой карамболь с перцем. Легенда-стукачок в полнейшем неведении.

— Умереть не встать! — прошептал Коэн.

— Ага.

— И ты напишешь статью?

— А то нет! — азартно воскликнула Юля. — Столько денег в подготовку вложила. Не поверишь, я добыла анализы крови Светланы и Анчарова!

— Каким образом?

— Неважно, — завопила Чупинина, — подкупила одну медсестру. За свой счет провела экспертизу, все точно: они отец и дочь! Не подкопаться! Захотят судиться со мной — дам судье результат. Посчитают его подделкой, пусть еще раз кровушку проверят. Точно, как в аптеке, какие претензии? Не надо в инцест впутываться! Читатели лотки сметут, актеры за газетой в очередь встанут! Кстати, говорят, сын у Анчарова болен церебральным параличом, от кровосмесительных браков уроды рождаются.

— Юль, — тихо сказал Владимир, — не пиши о них!

— Ну ваще! Зачем же я все доказательства собрала!

— Анчаров ведь не знал про дочь.

— И что?

— Светлана ничего не слышала про отца.

— Верно.

— Это трагедия, нехорошо на ней деньги зарабатывать.

— Ах ты мой беленький, пушистенький, — издевательски произнесла Чупинина, — значит, я грязным делом занимаюсь?

— Лучше оставь их в покое, — настаивал Коэн.

— А доносить на друзей хорошо?

— Нет.

— Вот и молчи.

— Юль, Светлана тут ни при чем, она ни на кого не строчила доносы. Зачем ей пакостить! — твердил Коэн.

— Если я, по-твоему, делаю гадости, — вспылила любовница, — то катись отсюда! Альфонс! Живешь за мой счет и вякаешь. Где бы ты был без меня? В заднице. Кто из дерьма журналиста сделал? Вспомни, в какой жопе я тебя нашла? Чай подавал на радио!

Володя ринулся к шкафу и стал швырять в сумку одежду.

— Упрекаешь меня в моральной нечистоплотности, — ехидно продолжала Юля, — а сам сейчас хватаешь шмотки, купленные бабой, ну-ка признайся, кто тебе костюмчики, ботинки и сумку преподнес?

Коэн подпрыгнул, словно укушенный змеей заяц, выругался и ушел в чем был.

— Можешь передать тряпки следующему любовнику, — рявкнул он на пороге. — Сильно сэкономишь!

— Не волнуйся, милый, — сладко пропела Чупинина, — отправлю твое дерьмо в приют для бомжей, такое уродство только ты мог носить, другие постесняются.

Через неделю Володя прочитал в новом номере «Трепа» статью с лихим названием «Папа своей жены». Материал вышел в пятницу, в субботу и воскресенье не последовало никакой реакции, потом хлынул шквал статей. На следующей неделе, только ленивый журналист не обсосал дело Анчарова. Желтая пресса взахлеб смаковала подробности.

«Константин Львович от комментариев отказался, но он поехал к Руфи Гиллер и вышел от нее со слезами на глазах». «Фигуранты отказались сделать повторный анализ на ДНК». «Врачи рассказывают о детях-уродах, плодах кровосмесительных браков». «Светлана Анчарова госпитализирована с нервным срывом». «Станиславский найден. Кто Немирович-Данченко?» И это лишь некоторые заголовки. Даже респектабельный «Резонанс» не упустил шанса пнуть поверженного льва, заведующая отделом культуры Юлия Чупинина написала замечательную статью о совести творческого человека, заканчивалась она так: «Мы не должны осуждать никого на основании публикаций в желтой прессе. А еще следует помнить: никто не может быть признан виновным до приговора суда. Надеюсь, Константин Львович прибегнет к закону и расставит точки над i».

Владимир, затаив дыхание, наблюдал за драмой, а через десять дней жена Анчарова, напоив больного ребенка сильнодействующим снотворным, отравилась. Несчастная умерла, мальчик тоже погиб.

Газеты взвыли, спустя еще двое суток всех потрясла новая сенсация: в театральном вузе, в служебном кабинете, повесился Константин Львович Анчаров. Режиссер оставил письмо. «Человек слаб, — писал он, — мы больше похожи на животных, я не исключение, извиняет меня лишь одно: я хотел не только есть сладко, пить вкусно, жить весело, но желал приносить пользу, оттого и согласился сотрудничать с КГБ. Отказался бы доносить, не видать зрителям моих спектаклей. Скольким актерам я помог выжить, вы вспомните меня добрым словом, ребята. Да, стучал, но не на всех, а лишь на некоторых, жертвовал ими ради других, тех, кто благодаря мне остался в искусстве. Не судите, да не судимы будете. Про Свету я не знал, Господь с меня на том свете спросит. Наказал он меня, а вы простите! Я сделал больше хорошего, чем плохого, вы взвесьте — и поймете».

Шок от произошедшего был таким сильным, что комментарий в прессе появился лишь через два дня после смерти Анчарова. Газеты, активно травившие режиссера, внезапно резко поменяли свою политику, теперь они начали защищать Константина Львовича. «Желтуха» опубликовала большое послание от старика Бутницкого, суть выступления патриарха советской музыки сводилась к простым вещам: все деятели культуры, выезжавшие в советское время за границу, непременно вызывались в КГБ, где давали согласие на сотрудничество, исключений не было, если порыться в архивах «комитетчиков», можно найти бумаги, подписанные такими именами, что жарко станет. «Я сам не исключение, — честно признавался Бутницкий, — страшное время было. Может, Константин и настучал на кое-кого, зато он сумел сохранить театр, создать новую школу и помочь десяткам актеров».

За этой статьей, словно горошины из разорванного мешка, посыпались другие публикации. Актеры спешили сказать хорошее слово об Анчарове. Одному он, используя свое влияние, помог получить квартиру, другому открыл путь на сцену, третьему одолжил денег и забыл стребовать долг, четвертого пристроил в больницу... Высшей точки накал эмоций достиг в день похорон Константина Львовича, именно на траурном митинге прозвучали слова:

— Великого режиссера убила желтая пресса.

И началось. Все средства массовой информации, словно бешеные собаки, налетели на «Треп». Чего больше было в развернутой кампании: благородного негодования или желания утопить конкурентов? Ответить на этот вопрос трудно, но активнее всех камни в сотрудников «Трепа» швыряли корреспонденты «Желтухи» и «Клубнички».

Коэн, затаив дыхание, следил за разворачивающейся войной. В его душе, несмотря на окончательный разрыв с Юлей, жили добрые чувства к Чупининой, и Владимир не собирался предавать гласности известные ему факты. А битва становилась все масштабнее. В конце концов журналисты самым решительным образом потребовали от главного редактора «Трепа» выдачи Рольфа.

«Печатное издание обязано отвечать за действия своего сотрудника, — гласило заявление, которое подписало более сотни работников газет, радио и телевидения, — свобода слова не означает свободы убивать, в Уголовном кодексе есть статья о доведении до самоубийства. Имеем ли мы моральное право сообщать о глубоко интимных подробностях личной жизни человека? Каковы этические нормы современной журналистики?»

Владелец «Трепа» попытался отбиться, но его жалкие оправдания вроде того, что Рольф является внештатным сотрудником и его никто из членов редколлегии в глаза не видел, вызвали еще больший гнев окружающих. И в конце концов случилось то, чего боялся Коэн.

В один далеко не прекрасный день «Желтуха» вышла с огромной «шапкой» на первой полосе. «Культурный убийца», — кричали крупные буквы, внизу красовались две фотографии Юли. На одной Чупинина предстала в своем официальном виде, безукоризненно причесанная, одетая в офисный костюм, с милой улыбкой на лице. На другой была запечатлена она в вытянутом свитере и драных джинсах, левая рука ее сжимала открытую бутылку пива, а правая демонстрировала миру поднятый вверх средний палец — вульгарный жест, отлично знакомый большинству населения земного шара.

Коэн чуть не скончался, увидев «фотовыставку». Где корреспонденты «Желтухи» раздобыли второй снимок, он не знал, Чупинина никогда не позволяла себе появляться на людях в подобном виде.

Владимир опрокинул в рот содержимое фужера и мрачно завершил рассказ:

— Вот такая история.

— Очень неприятно стать участником подобных событий, — вежливо отреагировал я, с нетерпением ожидавший, когда Коэн выговорится, — к сожалению, иногда журналисты перегибают палку, в погоне за сенсацией забывают о живых людях.

— Да что ты понимаешь! — горько воскликнул Коэн. — А вот я понял, но поздно! Знаешь, почему я злился на Юльку? Завидовал ей! Она намного талантливее других! И столько мне хорошего сделала! Давно хочется позвонить Чупининой и сказать: «Давай забудем прошлое, начнем жизнь сначала, я очень люблю тебя». Я и правда люблю ее, но теперь уже ничего поделать нельзя.

— Что мешает вам снять трубку и осуществить желание?

— Юлька исчезла, — после небольшой паузы пояснил Владимир. — Без следа, никто ее найти не смог, испарилась, как и не было.

— Чупинину можно понять, — кивнул я, — думается, карьера в журналистике для нее закончена.

— Забилась неведомо куда, — не слыша меня, токовал Коэн, — ни привета, ни ответа, я хотел ее найти, но не сумел. Первым делом кинулся к ней домой, ключи у меня остались, давно следовало вернуть связку, да все недосуг было.

Владимир открыл дверь и сразу понял: хозяйки нет. В помещении царили непривычная чистота и тишина. Из просторной гардеробной исчезла часть вещей, в ванной, в стакане, одиноко маячила забытая зубная щетка, вот на кухне осталась утварь, но холодильник был отключен.

Коэн попытался связаться с Юлей по телефону, но все номера, даже тот, который Юля сообщала лишь близким знакомым, оказались «убиты». Чупинина словно сквозь землю провалилась, растворилась в многомиллионном городе. Интуиция подсказывала Коэну, что любовница в Москве, она просто залегла на дно, ей сейчас необходимо спрятаться.

Через месяц буря улеглась, об Анчарове, его несчастной жене и ребенке забыли, про Чупинину тоже не вспоминали, даже сотрудники из «Резонанса» перестали ахать и охать, появились новые сенсации и другие герои газетных статей. Владимир навострил уши, раз волна улеглась, следует ждать воскрешения Юлии, наверное, она скоро позвонит или сумеет дать ему о себе знать иным путем. Юля должна хорошо понимать, она лишилась всех друзей, один Владимир, несмотря на разрыв отношений, готов протянуть ей руку помощи.

Но напрасно Коэн вздрагивал от каждого звонка, Чупинина не появлялась. Владимир с горя завел любовницу, потом вторую, третью, только ничего хорошего из этого не вышло.

— П-п-пойми, — пьяно заикался Коэн, — т-т-таких, как Юлька, нет. Эх, поздно сссоообразил, т-т-теперь грызу локти, да ничего не сделать!

Вымолвив последнюю фразу, журналюга икнул, снова опустошил фужер и попытался сфокусировать взор.

— Слышь, Вань, ищо нету?

Мне следовало ответить: «Вам хватит, помните о том, что находитесь в чужом доме», — но я малодушно кивнул и достал из шкафчика хрустальный штоф.

— С-с-супер, — просвистел репортеришка, — догонюсь и поеду!

— Сделай одолжение, — решился я, — не пиши про метеорит!

— Дерьмо вопрос, — икнул Коэн, — я ценю хорошее отношение, ты ко мне с душой, и я к тебе по-человечески. Хрен с ним, с каменюкой. В-вань, наливай!

Мысленно перекрестившись, я наклонил штоф над бокалом, по щеке Владимира внезапно поползла слеза.

— В-вань! Как мне плохо!

— Успокойся, — похлопал я журналиста по плечу, — будет еще и на твоей улице праздник, найдется Юля.

Коэн влил в себя очередную порцию коньяка и потряс головой.

— Ух! Пробирает! Она умер... ик! Я знаю!

— Юля скончалась? Ты уверен? Кто тебе сказал? Не надо доверять досужей болтовне, — решил я приободрить окончательно раскисшего мужика.

Внезапно Владимир схватил меня за плечи, вплотную приблизил свое лицо и жарко зашептал:

— Хочешь секрет узнать?

— Нет, — быстро ответил я, — тайны лучше держать при себе и не выбалтывать никому.

— Тебе можно, — дыша мне прямо в нос алкоголем, заявил Коэн, — ты поймешь, верно, Вань?

Я машинально кивнул. Что теперь делать с потерявшим способность соображать Коэном? Думал, он угостится коньяком, слегка размякнет, проникнется ко мне дружескими чувствами и согласится не писать про метеорит. А что получилось? Правда, я добился успеха, статья не выйдет, и Коэн теперь считает меня своим лучшим другом, но корреспондент лыка не вяжет, отпустить на улицу человека в таком состоянии нельзя. А еще Владимир горит желанием продолжать разговор, он уже изложил абсолютно ненужную мне историю про малопривлекательную особу Юлию Чупинину и жаждет продолжения банкета, а мне совершенно не с руки выступать в роли исповедника. Сейчас Коэн примется рассказывать о том, как убил в детстве суслика, или сообщит о своем первом сексуальном опыте. Все, хватит. Попробую отвести его в свою бывшую детскую, а нынче гостевую комнату и уложить на диван. Если осторожно осуществлю задуманное, то Николетта никогда не узнает, кто оставил в квартире пьяного репортера.

Я решительно встал и попытался поднять со стула Коэна.

— Пошли!

— К-к-куда?

— Отдохнешь спокойно, придешь в себя.

— Н-нет! С-с-сначала послушай.

— Говори, — сдался я после трех бесплодных попыток поставить «друга» на ноги.

— Она Умер, — забубнил Владимир, — как только эта Соня появилась, я сразу просек: журналистка Умер и есть Юлька.

Я шлепнулся на табурет.

— Ты говоришь о Соне Умер?

— Д-да.

— Она писала в газете?

— В ж-ж-журнале! Глянцевом! Для д-д-дур!

— Соня Умер? Ты ничего не путаешь?

Коэн икнул и вдруг почти трезвым голосом заявил:

— Думаешь, такую фамилию можно забыть? Умер! Во, блин! Небось Юлька другой паспорт найти не смогла! Соня Умер! Чума!

Глава 24

Мне в конце концов удалось уложить Коэна на диван и незамеченным выскользнуть из квартиры, где Николетта в полном ажиотаже раздавала в гостиной интервью. Входная дверь безостановочно хлопала, прибывали все новые журналисты, и приезжали подруги маменьки.

Я сел в машину, позвонил Норе и попытался вкратце изложить ей рассказ Коэна.

— Значит, по мнению репортера, Соня Умер — это и есть Юлия Чупинина? — спросила в конце концов Элеонора. — И отчего ему в голову пришла подобная идея?

Я откашлялся:

— Коэн утверждает, что статьи Умер по стилю очень напоминают материалы Рольфа. Нет, никаких слишком громких разоблачений, все намного скромнее, краски приглушеннее, но суть-то не меняется. Владимир привел такой пример. Если помните, не очень давно некая киноактриса, Алина Роколова, шумно разводилась с мужем, гитаристом Ильей. До скандала парочка была не слишком известна. Алина исполняла роли второго плана в сериалах, Илья играл в группе, так сказать, средней популярности. Скандал между супругами разгорелся во время тусовки, в казино, на глазах у десятков свидетелей. Поорав друг на друга, Роколовы уехали, а ночью Алину доставили в больницу избитую. «Треп» поместил фото несчастной, сделанное в палате, снимки впечатляли: синяк под правым глазом, рана на носу, а в медицинском заключении говорилось о сломанных ребрах. Дело было летом, тем у прессы в момент сезона отпусков мало, поэтому скандал осветили все газеты. Фото Алины украсило обложки таблоидов. Не стану продолжать рассказ, тут важен результат: Роколова вмиг обрела известность и получила главную роль в очередном многосерийном «мыле», а Илья перебрался лабать в модный коллектив, супруги выиграли от скандала, поправили свое материальное положение. Так вот, Соня Умер выяснила: ситуация с дракой — обман, муж с женой по-прежнему живут вместе, газета «Треп» получила деньги за пиар, побои Алины — просто грим. Кстати, случилась смешная оплошность. Умер заметила ее и воспользовалась ошибкой. Когда журналисты фотографировали Алину в палате, у актрисы был подбит правый глаз, а на следующий день, во время встречи с корреспондентами, бланш украшал левое око. Либо гример ошибся, либо сама Алина перепутала.

— Смешно! — согласилась Нора.

— Коэн утверждает, что статья написана Юлией, ее лексика, стиль, даже совсем ненужное слово «ангел», как всегда, через абзац.

— Понятненько, — протянула Элеонора, — пороюсь в Интернете, найду работы журналистки Умер, а ты торопись к Гиллер. Начнешь беседовать с дамой, порасспроси ее как следует о Соне. Насколько понимаю, Тильда, мать погибшей, являлась ближайшей подругой легенды сцены.

Я примерно прикинул, что Руфи Соломоновне около двухсот лет. К тому же, имея в ближайших родственниках Николетту, которая несколько десятилетий подряд празднует тридцать пятый день рождения, я великолепно осведомлен о хитростях, к которым прибегают милые дамы, желая вечно выглядеть Лолитами. И речь идет не об уколах ботокса и круговых подтяжках. Вам трудно представить, какой замечательный эффект дают правильно подобранные макияж, прическа и освещение.

Дверь мне открыла домработница, полная баба грубым хриплым голосом сказала:

— Проходьте, хозяйка в гостиной.

Я улыбнулся прислуге, отправился в парадную комнату, распахнул тяжелую, выкрашенную белой краской дверь и с удовлетворением отметил: антураж именно такой, какой я ожидал увидеть, все знакомо до боли.

Огромная многорожковая люстра под потолком не сияла яркими огнями. Мой вам совет: желаете сойти за молодую особу, никогда не устраивайте иллюминации, электрический свет безжалостно подчеркнет морщины, и никогда не садитесь ясным солнечным днем напротив окна — на вашем лице высветятся все приметы времени: увядающая кожа, пигментные пятна, расширенные поры. Если есть возможность, устраивайтесь спиной к незанавешенным окнам. Освещение играет огромную роль, оно способно как состарить, так и омолодить. Профессиональная актриса Руфь Соломоновна была великолепно осведомлена об этой простой истине.

Дама сидела в кресле, за ее спиной горел торшер под розовым абажуром. Я мысленно зааплодировал, госпоже Гиллер и тридцати пяти не дать. Белокурые блестящие пряди падают на лицо, на лоб спускается челка, глаза прикрыты большими очками с затемненными стеклами, на шее кокетливо повязан батистовый платочек, руки украшает множество колец и браслетов. Руфь Соломоновна модная дама, но аксессуары исполняют двойную роль: с одной стороны, у вас создается впечатление, что женщина еще не перешагнула пенсионной поры, старухи, как правило, особо не следят за собой, с другой... Платочек маскирует увядшую шею, очки закрывают морщинистые веки и мешки под глазами, кольца прячут артритные пальцы, браслеты скрывают измененные временем запястья, челка занавешивает лоб, которому уже не помогает ботокс.

— Добрый вечер, — звонко сказала Руфь и поднялась из кресла.

Я склонился в полупоклоне, с такими дамами, как Гиллер, беседовать нелегко, человек, незнакомый с определенными правилами, моментально сделает кучу ошибок и не сумеет понравиться избалованной особе. Но я вымуштрован Николеттой, мое детство прошло около Маки, Зюки, Люки и Коки. Сейчас я в родной стихии и чувствую себя уверенно.

— Здравствуйте, — улыбнулся я. — Извините за столь позднее вторжение, но ваша бабушка оказалась столь мила, что позволила мне явиться ближе к ночи.

Руфь кашлянула.

— Бабушка? — воскликнула она. — Кого вы имеете в виду?

Я постарался изобразить смущение.

— Простите, нас не представили друг другу, я нарушу этикет и сам назову свое имя — Иван Павлович Подушкин, один из владельцев детективного агентства «Ниро», по совместительству поэт и литературный критик. Позволите присесть и подождать?

— Кого? — наклонила голову госпожа Гиллер.

— Вашу бабушку, — пояснил я, — Руфь Соломоновну Гиллер, у меня дело к ней.

Актриса весело рассмеялась и протянула мне руку.

— Давайте знакомиться, Руфь.

Я осторожно наклонился над надушенной лапкой и продолжал кривляться.

— Вас назвали в честь вашей пожилой родственницы? В нашей семье та же традиция, отец был Павел Иванович, а я Иван Павлович. Какие красивые изумруды! Даже у моей маменьки нет камней столь чистой воды.

Гиллер потрепала меня по щеке.

— Хватит, милый. Право, это уже слишком, я оценила вашу воспитанность. Руфь Соломоновна — это я.

— Не может быть! Простите! Но ваша внешность! Господи, я снова несу чушь! Хотел сказать...

— Ванечка, — нежно проворковала актриса, — не верю, как говорил Станиславский, вы переигрываете. Впрочем, разреши обращаться к тебе на «ты», я в далекие годы... Постой, твоя мама в добром здравии?

— Николетта не так давно вышла замуж.

— Умница, — похвалила Руфь, потом кокетливо погрозила мне пальцем. — Ты же ей не расскажешь?

Я сделал круглые глаза.

— О чем?

Гиллер захихикала.

— Очень давно у нас с Павлом был роман. Впрочем, ни он, ни я не хотели изменений в своей жизни, я была в те годы женой режиссера Валерьянского, а Павлуша не собирался жениться. Ах, молодость! Впрочем, в отличие от многих я не скрываю свой возраст, мне, Ванечка, пятьдесят четыре года!

Я едва сдержал улыбку. Два раза по пятьдесят четыре, вот это ближе к истине. Хотя, следует признать, дама выглядит феерически. Ладно, лицо она подтянула, обколола гелем и намазала тоном, но фигура! Талия у Руфи сантиметров пятьдесят, спина прямая, ох, немало тягот приходится выносить актрисе. Наверное, она много лет сидит на диете и каждый день занимается гимнастикой. Можно считать Руфь Соломоновну безудержной кокеткой, но мне всегда нравились дамы, обладающие силой воли. Разговоры о естественном старении, о том, что женщина должна внешне соответствовать своему возрасту, как правило, ведут лентяйки, не способные к планомерной работе над собой и самоограничению. Дамы вроде Гиллер вызывают у меня уважение, хотя у них иногда случаются проколы с математикой.

— Мы провели волшебное лето, — чирикала Руфь, — незабываемых три месяца, и расстались. Инициатором разрыва была я, умная женщина понимает: мужа на любовника не меняют. Павел был безутешен, сначала звонил, забрасывал меня букетами, потом исчез, но я поняла, что он не смирился с потерей, когда увидела его первую книгу. Вернее, Павлуша и раньше писал, но успеха не имел, а «Месть дамы» стала бестселлером. Так вот, на титульном листе стояло посвящение: «Ей, любимой». Да, Подушкин благородно не указал ни имени, ни фамилии, но все вокруг поняли, о ком идет речь.

Я кашлянул в кулак. Руфь Соломоновна не первая, кто утверждает, что роман, после которого начался стремительный взлет прозаика Подушкина, посвящен ей. Знавал я иных дам, говорящих те же слова, кстати, Николетта абсолютно уверена, что сакраментальная фраза относится к ней. Тот факт, что во время создания опуса «Месть дамы» госпожа Адилье еще не была знакома с писателем, ее не смущает.

— Много всего происходило в моей жизни, — журчала Руфь, — я взлетала, падала, снова поднималась, но мужчины около меня находились великие: режиссеры, писатели, композиторы, художники... Вот состарюсь и напишу книгу воспоминаний, перечислю всех своих мальчиков. А какие фотографии я имею! Ха! Сохранила все! Даже в страшные годы ничего не выбросила, как некоторые. Я, Ванечка, никого не боялась, даже Сталина. Ну что он мог со мной сделать? В лагерь сослать? Знаешь, я имею уникальное фото, стою под руку с Троцким. Ты хоть знаешь, о ком веду речь?

Я кивнул.

— Лев Троцкий, один из организаторов Красной армии, был выслан из СССР за антисоветскую деятельность.

— Вот-вот, — обрадовалась Руфь, — понимаешь, мою книгу сметут с прилавков. Что нахмурился?

Я моментально заулыбался, наверное, не стоит говорить Гиллер о своих мыслях. Сейчас я тщетно пытался вспомнить, в каком году ударом ледоруба убили Льва Троцкого. Вроде в 1940-м! Похоже, Руфи даже больше лет, чем я предполагаю, если у нее имеется фото, на котором дама запечатлена ПОД руку с одним из главных врагов Сталина. ПОД руку может стоять лишь взрослая женщина, ребенка возьмут ЗА руку.

— Говорят, вы дружили с семьей Умер? — я начал осторожно подталкивать старуху к нужной теме.

— Конечно, — всплеснула руками Руфь. — Несчастная Тильда была моей лучшей подругой! Ты знаешь, она ведь урожденная Бонс!

Следующие полчаса актриса заваливала меня абсолютно ненужной информацией о чужой родословной. Первое время я пытался следить за течением беседы, но, поскольку Руфь Соломоновна повела повествование аж с 1412 года, очень скоро я запутался и начал машинально кивать головой, ожидая, пока дама доберется до наших дней. Оставалось только удивляться памяти Гиллер, она сыпала подробностями и деталями с такой четкостью и уверенностью, словно твердила текст не раз сыгранной роли. Руфь не «экала», не говорила растерянно: «Господи, забыла имя!»

Нет, она уверенно называла имя-отчество прапрапрадедушки Тильды, отлично помнила, что он разводил охотничьих собак, а его жена обожала кружевные чепчики.

— Беды преследовали семью, — зудела Руфь, — никто из Бонсов не был счастлив, а еще Тильда вышла замуж за Умера. Знаешь, у них была традиция выскакивать за первого встречного. Правда, Антон...

Я отключился, потом вновь вернулся к жизни и довольно резко перебил даму:

— Вы, похоже, служили добрым ангелом семейства Умер?

— Сильно сказано, дружочек, я изредка помогала Тильде после кончины Антона, — застрекотала Руфь, — Тиля абсолютно не приспособленная, романтическая натура, в ней не было крепкого стержня. Понимаешь, она из хорошей семьи, мама, папа, бабушки обожали девочку, вечно стелили ей на дорогу солому, прикрывали ухабы и ямы. Тильда не привыкла преодолевать трудности, она не умела бороться с жизненными неурядицами, Тиля всегда взывала о помощи, терялась.

На зов прибегали любимые родственники и решали проблему. Тильда была беспомощна, слаба здоровьем, приучена к комфорту и материальному благополучию. Она искренне обижалась на посторонних людей, если те отказывались выполнять ее просьбы.

Женщинам, подобным Тильде, очень трудно жить с мужем, как правило, их браки разваливаются в первый год, но Антон оказался под стать родичам Бонсов, он с первой минуты знакомства начал баловать Тилю.

После кончины родителей в судьбе Тильды не изменилось ничего, теперь муж окружал ее комфортом, зарабатывал ей на чулки, помаду и конфеты.

— Я порой завидовала Тиле, — признавалась сейчас Руфь, — ей не было необходимости ежедневно вкалывать спозаранку, на службу она ходила, чтобы не закиснуть от скуки, не занималась ни домашним хозяйством, ни ребенком, имела домработницу, няню. Было, правда, короткое время, когда ей пришлось хлебнуть беды. Это случилось, когда погиб Антон.

— Погиб? Я думал, что он скончался от болезни, — удивился я.

— Нет, нет, — возразила Руфь, — Антоша вместе с Сонечкой поехали на Урал. Девочка у Тильды была активная, много занималась спортом, любила байдарки. Вот и отправилась кататься на лодке по горным речкам, и отца уговорила. Антон невероятно любил дочь, все ради нее делал, даже простил ей дурацкое замужество. Ой, беда.

Руфь примолкла, потом вдруг совсем другим, не постановочным, а нормальным голосом сказала:

— Ночь стояла, часа два, я не спала, вдруг звонок в дверь...

Актриса открыла и увидела Тильду, которая с воплем: «Они умерли», бросилась на шею подруге. Кое-как приведя Тилю в чувство, Руфь узнала страшную правду, Антон и Соня перевернулись в байдарке, вернуть лодку в исходное положение они не сумели. Утлое суденышко оттащило к водопаду и швырнуло с высоты вниз, отец и дочь погибли.

— Как погибли? — подскочил я. — Соня Умер была жива до недавнего времени.

— Да, да, — закивала Руфь, — произошла ошибка. Я, увы, на следующее утро отбывала на съемки и никак не могла помочь Тиле, группа не может простаивать и тратить зря деньги. А еще меня теперь не часто снимают, вернее, я сама отказываюсь от ролей, не царское это дело — в барахле играть. Но та картина подходила мне по всем статьям, договор был подписан. Не следует меня осуждать, шоу продолжается! Вот Эдит Пиаф сообщили на концерте о смерти ее самого любимого человека, но певица не прервала выступления!

Я внимательно слушал Руфь. Тильда просто совершила подвиг, она, всю жизнь пролежавшая в вате, сама отправилась на Урал за телами родственников. Госпожа Умер не захныкала, не слегла в больницу, не стала звать на помощь. Хотя, с другой стороны, какой смысл в воплях? Родителей нет, муж мертв, лучшая подруга далеко. Трудности пришлось преодолевать самой.

Глава 25

Прибыв к месту трагедии, Тиля узнала, что дочь жива, в Москву они вернулись вместе. Соня выглядела почти здоровой, у нее лишь была забинтована голова, камни сильно повредили лицо и череп, пришлось сделать несколько пластических операций.

— Я восхищалась Сонечкой, — снова без запинки пела Гиллер. — Девушка достойно перенесла испытания, ей исправили нос, пересадили кожу, изменили форму рта, потому что камни разорвали губы, слегка подняли скулы, в общем, от прежней крошки Сонечки не осталось ничего. Была красавица, а превратилась в обычную женщину. Но Соня не унывала, ее не угнетала даже необходимость носить парик, волосы не хотели расти после несчастья.

— Ничего, — мужественно говорила Соня, — я жива, остальное ерунда!

Руфь поражалась стойкости дочери Тили. Соня внезапно заинтересовалась журналистикой, начала писать статьи в газеты и глянцевые журналы.

— Но тут бог несчастий вновь вспомнил про Соню, — торжественно объявила Руфь. — Когда-то она была замужем, супруг оказался мерзавцем! Это актер Андрей Вяльцев, недавно он убил девочку, подонок!

— Я слышал, что вы в свое время помогли Вяльцеву, — влез я в ее плавный рассказ.

— Да, — сердито ответила Руфь, — я выполнила просьбу Тильды, не следовало и пальцем шевелить, но кто ж тогда знал правду? Тиля умоляла чуть ли не на коленях: «Руфиночка, пропихни мальчика в театральный вуз, он талант и замечательный человек».

Насчет первого она не ошиблась, Вяльцев обладает даром, правда, он погнался за дешевой популярностью, начал тиражировать себя в низкосортных лентах, предпочел амплуа героя-любовника. А ведь я чувствовала в нем большой творческий потенциал, он мог играть лучшие роли! Гамлета! Но нет! Кому сейчас нужен Шекспир? На старике Уильяме кассу не соберешь, вот если выйдет киношка со стрельбой, погоней и постельными сценами, тут потекут миллионы. Каждый делает выбор самостоятельно, просто мне жаль вложенной в Вяльцева души. Но я и предположить не могла, как он мерзок!

Внезапно Руфь встала и воздела руки к потолку.

— Слушай! — голосом, рассчитанным на широкую аудиторию, возвестила дама. — Слушай! Приступаю к самой скорбной странице своего повествования! Люди должны знать истину! Отнеси ее, словно факел, миру!

Я во все глаза уставился на лицедейку. Никогда особенно не любил театр. Может, просто не сталкивался с по-настоящему великими актрисами, или негативное отношение к актерам растет из детских обид. Мне в бытность школьником частенько доставались оплеухи от Николетты, сопровождаемые комментариями:

— Убирайся в детскую, не мешай мне, учу роль.

Или недобрые эмоции к обитателям кулис взрастил отец, который в редкие минуты гнева заявлял жене:

— Ненавижу театр, сейчас же прекрати ломаться, дешевый спектакль!

Выкрикнув это, отец съеживался и убегал из дома, маменька, отчаянно рыдая, валилась на диван и трубила большой сбор. Вечером у постели почти убитой злобным супругом Николетты сидели Мака, Кока, Люка, Зюка, примкнувший к дамам Пусик, а у подъезда дежурили сразу две «Скорые». Отца могли спасти только новая шуба, бриллиантовое колье и путевка в Карловы Вары, причем все это нужно было преподнести Николетте одновременно. Теперь понятно, по какой причине я не люблю сидеть в зрительном зале? Фальшивых эмоций нахлебался дома.

Вполне вероятно, что Руфь Соломоновна являлась замечательной исполнительницей и великолепным педагогом, но сейчас она переигрывала и явно произносила текст некогда сыгранной роли.

— Бог накажет злодея, — выла Гиллер, — кару понесут все! Да! Да! Да!

Внезапно актриса села и вполне спокойно продолжала:

— Сонечка накануне убийства была здесь и рассказала правду. Ее брак с Вяльцевым лопнул сразу. Она была нужна ему лишь для московской прописки. Ребенка Андрей терпеть не мог, наличие семьи тщательно скрывал. Но! Главное! Вяльцев — это не Вяльцев!

— А кто? — тихо поинтересовался я, великолепно зная ответ.

Руфь вскочила.

— Это шок! Подлинное имя мерзавца Юрий Оренбургов-Юрский.

— Что вы говорите! — делано ахнул я.

— Он убил отца и мачеху, — с горящим взором вещала Гиллер, — отсидел много лет, вышел на свободу и решил начать жизнь с чистого листа. Раздобыл паспорт на имя Андрея Вяльцева, женился на Соне, обманом втерся в семью, поступил ко мне в институт, выжал из связи с Умер все возможности и бросил Сонюшку.

— Ужасно! — поддакнул я. — И доказательства есть?

— Полно! — отмахнулась Руфь. — Ты же детектив, поройся в бумагах, точно найдешь и материалы суда, и сообщение об отсидке. Слушай дальше! Основное впереди. Уж не знаю, коим образом Сонечка узнала правду о бывшем муже, но она мне сказала: «Я сглупила, зря зарегистрировала Марка на Андрея, теперь разрешение на выезд нужно. Сделай одолжение, позвони Вяльцеву, попроси оформить бумагу у нотариуса».

— И как вы поступили?

— Отказала, — мрачно ответила Руфь, — не захотела вмешиваться, испытала чувство гадливости. А Соня...

— Что?

— Некрасиво, конечно, — забубнила Гиллер, — она решила шантажировать бывшего мужа. За час до смерти она позвонила мне и сердито заявила: «Андрей сволочь! Я обратилась в детективное агентство, попросила провести с ним беседу насчет разрешения!»

...— И что? — забеспокоилась Руфь.

— Вяльцев отказал. Сейчас мне перезвонил и завопил: «Еду к тебе, сиди дома, сука, чего натворила? Какой такой ребенок? У Марка моя фамилия? Я тебя убью, морду изуродую, чтобы улыбаться не смогла».

— Немедленно сообщи в милицию, — приказала Руфь, — Вяльцев опасен.

— Он трус, — заорала Соня, — пусть явится,

расскажу ему о Юрии Оренбургове-Юрском, поставлю вопрос ребром: или ты подписываешь бумаги, или всему миру расскажу об истинном имени Андрея Вяльцева. «Треп» за счастье сочтет напечатать статью.

— Не вздумай шантажировать мерзавца, — еще сильней испугалась Руфь.

— Ерунда, — самонадеянно отозвалась Сонечка и отсоединилась...

— Ваш рассказ просто камень на шею Вяльцеву, — покачал я головой.

— Да, — кивнула Руфь, — я уже дала показания.

— Вас вызывали к следователю?

Гиллер кивнула:

— Да, то есть нет. Я сама пришла, узнала из газет об аресте Вяльцева. Или это был журнал? Верно! Не помню. Корреспондент Фукс писал. Я прочитала заметку и поняла: я обязана действовать. Впрочем, нет, ошибаюсь, я держала в руках газету. Ой, какая разница! Важен результат. Вы, Ванечка, тоже обязаны явиться в отделение и рассказать о визите Сони! Точно назовите дату, время, тему беседы, это крайне важно! Зло необходимо наказать.

Внезапно по моей спине пробежала дрожь, на мгновение мне стало холодно, затем кинуло в жар.

— Вам нездоровится? — заботливо поинтересовалась Руфь.

Я вздрогнул, старухе не откажешь в проницательности.

— Нет, просто замерз.

— Кофе?

— Спасибо, уже поздно.

— Тогда коньяк? — предложила Руфь, встала,

распахнула буфет, вынула бутылку и крикнула: — Машка, подай фужеры, лимон и сыр! Ох уж эта прислуга, ничего не умеет делать.

— Я был знаком с одним человеком, — завел я светскую беседу, — который самым удивительным образом закусывал коньяк. Он нарезал лимон и на каждый кружечек клал щепотку свежемолотого кофе и крохотный ломтик эдама.

— «Николашка», — улыбнулась Руфь, — поговаривают, что оригинальную закуску изобрел царь Николай Первый. Уж не знаю, стоит ли верить подобным речам.

— Не водил знакомство с царствующей особой, о лимоне мне поведал режиссер Анчаров, — ловко ввернул я.

Бутылка чуть не выпала из рук Руфи.

— Кто?

— Константин Львович Анчаров, — повторил я. — Неужели не знали такого?

— Нет, — нервно ответила Руфь.

— Не может быть! Он легенда советского театра. Вы непременно должны были встречаться!

— Ах, Анчаров, — ловко изобразила пробуждение памяти Руфь.

— Да, именно он.

— Константин?

— Верно.

— Мы не общались!

— Совсем?

— Абсолютно. Даже и не разговаривали, — нервно воскликнула Гиллер.

— Вот странно.

— Совсем даже нет, невозможно всех приглашать к себе.

— Моя маменька, Николетта, — сказал я, —

некогда любила пить чай с Елизаветой Раскиной, помните эту женщину?

— Кого? — одними губами поинтересовалась хозяйка.

— Елизавету Раскину, — терпеливо повторил я.

— Куды тарелку ставить? — забасила домработница, входя в гостиную.

— Не знаю никакой Лизы Раскиной! — взвизгнула Руфь и тут же налетела на прислугу: — Дура! Сто раз говорила, клади «Николашки» на овальное блюдо.

— Дык вот оно!

— Идиотка! Деревенщина! Принесла круглое от Кузнецова!

— Не, вытянутое, — в недобрый час заспорила Маша.

— Кретинка! Убирайся прочь.

— И че я не так сделала?

— Вон!!!

Я с тревогой наблюдал за Руфью. Глупая домработница способна довести интеллигентную великосветскую даму до натуральной истерики. Однако воспитанная Гиллер никогда не станет визжать на прислугу в присутствии постороннего человека. Вот потом, когда гость покинет дом, хозяйка рванет на кухню и надает посудомойке оплеух. Отчего Гиллер сейчас так вышла из себя? Овальное блюдо или круглое — особой разницы нет.

— И здесь вилка! — бесилась Руфь.

— Тык сами завсегда велите ее к лимону ложить!

— Класть!

— Чаво?

— Не ложить, а класть!

— Так я и поклала, как велено!

— Дебилка, — завизжала Руфь, — к «Николашкам» положена ложка.

— Никак в толк не возьму, — занудила Маша, — вам не угодить: за слово «ложить» отругали, а сами его говорите!

Гиллер посерела, я на всякий случай принял позу испуганной собаки, сгорбился, опустил уши и поджал хвост. Впрочем, последнее — шутка. Гипербола.

— Сука! — заорала Руфь.

— Ой, — присела Маша.

— Вали отсюда!

— Уже ушла.

— Живо!

— Простите, Христа ради.

— Собирай шмотки.

— Ой, ой!

— Ты уволена.

— Ой, ой!

— На улицу!

— Ай, ай!

— Без денег!

— О-о-о!

— И рекомендаций!

— А-а-а, — зарыдала Маша.

— Брысь! — рявкнула Руфь и рухнула на диван.

Громко воя, поломойка выскользнула в коридор.

— Какая стерва, — нервно сказала Гиллер.

— Не стоит нервничать, — попытался я успокоить даму, — так вот, продолжу. Николетта тесно общалась с Лизой Раскиной, а та жила у вас и бесконечно рассказывала, сколько доброго и хорошего сделала ей Руфь Соломоновна.

— Не было этого!

— Чего? — быстро спросил я.

— Всего!

— Вы не поддерживали Раскину?

— Нет.

— Она здесь не жила?

— Нет.

— Вы ее не патронировали?

— Нет.

— Но зачем Лизе врать?

— Не знаю! Хотела... ну... желала... ох, какое мне дело до чужой лжи!

— Вы, наверное, слышали о скандале? — заехал я с другой стороны.

— Нет! — воскликнула Руфь, даже не поинтересовавшись, о чем речь.

— Я о статье некоего Рольфа про Анчарова, — уточнил я.

— Нет.

— Константина Львовича обвиняли в доносительстве.

— Не знаю об этом ничего.

— И в кровосмесительном браке с дочерью!

— Понятия ни о чем не имею.

— Жена Анчарова — дочь Елизаветы Раскиной.

— Не знаю.

— Она покончила с собой.

— Не знаю, — шептала Гиллер, — дайте воды!

Я схватил бутылку, наплескал в стакан минералки, протянул Руфи и не удержался от замечания:

— У вас великолепная память, вы в мельчайших подробностях рассказали о генеалогии Тильды Бонс-Умер и забыли о сенсации с Анчаровым? Право, странно.

— У меня болит голова, — простонала Руфь.

— Сбегать в аптеку?

— Нет.

— Лекарство есть дома?

— Нет.

— Вызвать врача?

— Не надо.

— Давайте попрошу прислугу отвести вас в спальню.

— Не надо.

— Чем же я могу вам помочь?

— Уходите, — ляпнула Гиллер, но потом, собрав в кулак остатки самообладания, забормотала: — Давление поднялось из-за дуры Машки. Не способна блюдо принести. Прощайте, Ванечка, право, больше мне нечего рассказать о несчастной Сонечке. Рада была увидеться!

Мне пришлось подчиниться, я вышел в коридор, двинулся к двери, взялся за ручку и услышал шепоток:

— Эй, чаво ты про Лизку спрашивал?

Из маленького тамбурчика, где, очевидно, находился санузел, выглядывала совершенно незаплаканная Маша.

— Хотел узнать про Раскину, — тихо ответил я.

— Зачем?

— Надо.

— Она померла.

— Знаю.

— И чаво еще?

— Машка, — полетело из гостиной, — немедленно принеси мне валерьяновый отвар, живо, раздолбайка, жопу в горсть! Шевелись, дура!

— Ты ступай во двор, — заговорщицки подмигнула Маша, — только стой не у подъезда, а на улице. Жди. Ща прибегу.

Глава 26

Маячить на тротуаре пришлось около часа, наконец передо мной очутилась домработница, замотанная в чудовищную вязаную кофту.

— Еле заснула, — усмехнулась она, — пока краску с морды смыла, парик расчесала да коньяком нагрузилась! Руфька зашибает, особенно в последние дни.

— Похоже, вы не расстроились из-за потери места, — отметил я.

— Меня кажную неделю увольняют! Привыкла.

— Да ну? — изобразил я живое удивление.

— Ага, — махнула рукой Маша, — повизжит, полается, а потом снова ласковая, понимает, никто ее, кроме меня, терпеть не станет. А еще она думает: куда Машке податься, кому она нужна? Только здесь просчиталася! Я замуж выхожу!

— Примите мои поздравления.

— Руфь не знает, — хихикнула Маша, — то-то ей сюрприз будет! Уйду молчком.

— Ваше право, — я решил понравиться бабе, — в конце концов, не всякая готова столько вытерпеть от хамки-хозяйки.

— Я святая, — закивала Маша, — а еще мне деньги нужны, скока дадите?

— За что?

— Расскажу, че хотите, — прищурилась Маша, — про Лизу, не застала ее, но слышала много от Руфьки, она ее сильно любила, прям до слез, как-никак племянница.

Я подскочил.

— Кто?

— Елизавета, — спокойно ответила Маша.

— Вы ничего не путаете? Раскина близкая родня Гиллер?

— Нет, а сколько дадите?

Я слегка пришел в себя и начал торг.

— Какую сумму хотите?

— Лучше первым цену называйте, — ловко ответила не желавшая продешевить Маша.

Некоторое время мы, словно игроки в пинг-понг шариком, перебрасывались фразами, потом в конце концов пришли к консенсусу, сели в мою машину, и Маша завела рассказ.

У Руфи Соломоновны имелась сестра Франя. Отец их в свое время проклял младшую дочь за то, что та вышла замуж не за иудея, а за православного, и порвал с Франей все отношения. Того же он потребовал от жены и Руфи, но последняя категорически ответила ему:

— Мне без разницы, с кем Франя в загс сходила, и вообще, бог один, только называется по-разному.

От такого заявления Соломон взбесился и выгнал из отчего дома непокорную старшую дочь, но не зря говорят, что все плохое оборачивается в конце концов к лучшему. Соломон уже успел подыскать Руфи жениха, а та не очень сопротивлялась предстоящему замужеству. Ей казалось, что она выбрала правильную дорогу: хороший супруг, дети, достаток в доме, счастливая, обеспеченная старость. Во всяком случае, о таком жизненном пути говорил дочерям Соломон, но ничего не получилось. Франя нашла себе невесть кого, а Руфь, оказавшись на улице, стала искать пристанище и пошла к подруге, которая жила в коммуналке, в огромной квартире с неисчислимым количеством очень дружных, помогавших друг другу соседей. Среди разных людей, толкавшихся на общей кухне, была и преподавательница танца из театрального училища, именно она и посоветовала Руфи стать студенткой вуза, ковавшего кадры для сцены. Она сказала:

— У нас есть общежитие, тебе будет где устроиться, а еще дают талоны на питание в столовой, с голоду не умрешь.

Руфь поступила в театральное училище из более чем утилитарных соображений. Соломон не собирался прощать дочерей, старшей он в спину проорал:

— Приползешь на карачках, вот тогда я подумаю, стоит ли тебе разрешить лечь спать в коридоре.

А Руфь не желала стоять на коленях ни перед кем, даже перед отцом.

В результате все получилось лучше некуда. Франя обрела статус счастливой замужней дамы, ее супруг быстро делал карьеру, изо всех сил стараясь, чтобы любимая ни в чем не нуждалась. Одна беда — у них не было детей.

— Наверное, Соломон нас крепко проклял, — воскликнула один раз Франя, вернувшись с очередного лечения.

— Какие твои годы! — попыталась утешить любимую сестру Руфь. — Все впереди.

— Мне тридцать восемь, — мрачно напомнила Франя.

Руфь вздохнула, старшая Гиллер не была чадолюбива, но словно в насмешку Господь наградил ее замечательными репродуктивными способностями. Руфь несколько раз бегала на аборт, что в те далекие годы было совсем непросто. Процедуру проводили лишь по медицинским показаниям, и очень часто ее делали без наркоза. Но Руфь не собиралась рисковать карьерой ради младенца. Фране она о своих регулярных походах к врачу не рассказывала, не хотела расстраивать сестру, которая кучу времени и денег тратила на лечение, мечтая в конце концов забеременеть.

Когда Фране исполнилось сорок лет, умер ее муж, а спустя месяц после похорон она вдруг ощутила некий дискомфорт, тошноту, головную боль, ломоту в костях и, заподозрив у себя инфекцию, отправилась к доктору. Врач обрадованно сказал:

— Да вы беременны, милочка!

Франя помчалась к Руфи, а та, слушая сестру, в очередной раз подивилась на гримасы судьбы и сказала:

— У меня есть хороший гинеколог, завтра же поедем к нему.

— Еще рано, — засмеялась Франя, — чего зря деньги тратить. Месяце на седьмом надо договариваться, лучше поскорей на учет в консультации стать.

— Ты собралась рожать?! — ахнула Руфь.

— Конечно! — закивала Франя.

— В сорок лет!

— Да!

— С ума сошла! — подскочила Руфь. — Это опасно!

— Вовсе нет, — закричала Франя, — в медицинской литературе описаны случаи родов в шестьдесят лет.

— Твой муж умер, — бестактно напомнила Руфь, — ты никогда не работала, как жить станешь?

— Есть пока запас, — бойко ответила Франя, — сама знаешь, супруг много цацек подарил, а когда они закончатся, служить пойду.

— Кем? Ты ничего не умеешь! — Руфь безжалостно попыталась спустить сестру с небес на землю.

— Чтобы мыть полы, много ума не надо! — отрезала Франя, посмотрела на обомлевшую Руфь и добавила: — Я столько лет выпрашивала себе мальчика!

Руфь махнула рукой:

— Ладно, вместе справимся.

Через определенный природой срок на свет появилась девочка. Франя, живо перестав мечтать о сыне, назвала дочку Елизаветой и с головой ушла в материнские заботы.

Лиза была слабенькой, плохо ела, нервно спала, безостановочно хныкала и не отпускала мать ни на минуту. Руфь помогала горячо любимой сестре как могла, фактически она содержала и ее и младенца. Когда Лизочке исполнилось пять лет, стало понятно, что девочка не может жить в Москве, она постоянно кашляла, покрывалась сыпью, несмотря на отличное питание, худела, бледнела и была похожа на заморыша. Франя таскала дочку по врачам, доставала ей дорогостоящие витамины, закаливала золотушного отпрыска, но не в коня корм, от всех предпринятых усилий не было никакого толка. В конце концов один профессор сказал Фране:

— Девочка не способна жить в огромном городе, найдите маленький зеленый городок и уезжайте туда поскорее.

Франя поверила доктору, Руфь рассталась с мечтой о даче, отдала собранные рубли сестре, и та купила хорошую, комфортабельную квартиру в местечке Морск. Руфь со слезами на глазах проводила сестру и Лизочку. С этого года Гиллер все отпуска проводила в Морске, ей не надо было ни теплого моря, ни заграницы, очень хотелось побыть с родными людьми. С годами Руфь стала сентиментальна и жалела о сделанных абортах, Лизу актриса считала своей дочкой и поддерживала как могла. Кстати, Франя не работала, деньги на еду, оплату коммунальных услуг и всякие мелкие расходы давала Руфь, она одевала сестру и племянницу. Три раза в год, на зимние, весенние и осенние каникулы, Лиза прибывала в Москву, и тетка начинала усиленно заниматься приобщением Лизы к искусству. Руфь водила любимицу на спектакли, в консерваторию, в Большой театр на балет. Один день обязательно посвящался шмоткам. Актриса ехала к знакомой спекулянтке и одевала обожаемую Лизоньку с головы до ног. В Морск девочка отбывала в состоянии невероятного счастья, мало того, что она увидела все самые интересные спектакли, побывала за кулисами и пообщалась с великими актерами, так еще и привезла кофры, набитые замечательными тряпками. В Морске Лиза сияла звездой, ни у одной из местных девочек не было таких шикарных вещей, и никто не мог похвастаться фотографиями со знаменитостями. Жизнь в Морске текла совсем по-иному, чем в Москве, и Лизе очень хотелось уехать в столицу навсегда. Девочка регулярно заводила с мамой разговор с припевом: «Давай переберемся в Москву», но Франя отвечала категорично:

— Нет. — Затем начинала пояснять: — Тебе нельзя долго находиться в столице, врач запретил.

— Это было в детстве, — пыталась вразумить ее Лиза, — я давно выздоровела.

— В Морске у нас отличная квартира, а в Москве что? — сопротивлялась Франя. — Если попытаемся обменяться, то максимум, что получим, это комнатушку в коммуналке.

— Можно жить у Руфи! — напоминала Лиза.

— Нет, нет, — качала головой Франя, — неудобно, нельзя садиться сестре на шею и свешивать ноги.

Пока Лиза была маленькой, спор заканчивался на этой стадии, но потом Лизе исполнилось пятнадцать, и она нашла нужные аргументы.

— Руфь нас содержит, — заявила она один раз матери, — думаю, она будет рада, если мы поселимся вместе, меньше денег уйдет. Ты станешь вести хозяйство, получится сплошная экономия.

Франя захлопала глазами и выдавила из себя привычную фразу:

— Это неудобно.

— А заставлять Руфь содержать нас удобно? — вдруг спросила девочка.

Франя окончательно растерялась, и тут Лиза добила мать:

— Я скоро окончу школу, и куда идти дальше?

— Ну... не знаю, — честно призналась Франя и эгоистично добавила: — Я думала, станем просто жить, всегда вместе.

— За чей счет? — сурово поинтересовалась Лиза. — Извини, мама, я мечтаю стать актрисой и уеду в Москву, устроюсь в общежитии. Руфь начинала свой путь точно так же и добилась успеха.

С Франей случилась истерика, едва успокоившись, она помчалась на почту звонить сестре. Руфь, однако, не стала нервничать.

— Не волнуйся, — сказала она, — Лиза поселится у меня.

Так и вышло, Лизочка поступила в театральный институт, тетя пошепталась с кем надо и переправила любимую племянницу через омут вступительных экзаменов. Может, Лиза и была талантлива, только никаких ролей в театре она сыграть не успела. На четвертом курсе девочка родила дочку и, так и не получив диплома, укатила к маме, в Морск.

Теперь на плечах Руфи оказалось трое: Франя, Лиза и крохотная Светочка, Лизонька не собиралась называть доченьку Светланой, она приготовила для нее красивое имя Марьяна, но Руфь, встретив племянницу у родильного дома, взяла сверток, приподняла кружевной уголок и воскликнула:

— Ах ты свет моей души, светик солнечный!

Свет надежды, свет любви, свет радости — так Руфь называла крошку, и в результате в метрике написали: Светлана.

В жизни все случается дважды, Лиза повторила судьбу Франи, было лишь одно отличие: молодая женщина пошла работать в местный Дом культуры руководителем театральной студии, ставила спектакли, получала призы и грамоты на всяческих смотрах и конкурсах. Успеху племянницы немало способствовала Руфь, она приезжала летом в Морск и охотно играла с непрофессиональными актерами. Посмотреть на столичную знаменитость в Морск сбегались со всех окрестностей, непременно прибывало местное начальство, и жители крохотного городка ощущали себя в центре цивилизации.

Когда Светочка пошла в последний класс, умерла Франя. Руфь оплакала любимую сестру, справила шикарные поминки и отбыла в Москву, но не успела актриса войти в свою квартиру, как принесли телеграмму с известием о болезни Лизы. Дочь Франи простудилась на похоронах и попала в больницу с двусторонней пневмонией. Руфь ахнула и кинулась назад в Морск. Она успела увидеть Лизу живой, любимая племянница умерла наутро, оставив Светочку круглой сиротой. Девочка не знала, кто ее отец, ясное дело, Руфь Гиллер была в курсе дела. Лиза не имела секретов от той, которую считала роднее матери, но Свете правды не сообщили.

— Не задавай ненужных вопросов, — сказала в свое время Лиза дочери, — я тебя нашла в капусте.

Обливаясь слезами, Гиллер устроила вторые похороны и, взяв с собой Свету, вернулась в Москву. Есть ли у вас сомнения, в какой институт поступила девочка?

Маша остановилась, пошмыгала носом и продолжила:

— Меня на работу взяли, когда Светка приехала. Руфька цельными днями пропадала, то у ей спектакль, то репетиция, то гастроль, я за девкой глядела. Светка мне усю ихнюю семейную историю и выложила, родственная очень, фоток полно в альбомах, Света про кажного знала и болтала про то, че не видела. Ну как ейный прадедушка Франю и Руфь на улицу выпер, как Франя в Морске жила, про Лизино детство. У ней любимое занятие было о своих говорить. А уж Руфька ее любила! До слез. Я даже завистничала, у меня таких родственников нетуть. Только наломала Светка дров, с другой стороны, не знала ж она! Скумекал?

— Вы продолжайте, — кивнул я, — пока я без помех разбираюсь в ситуации. Вас в семейные тайны посвятила Света, она их хорошо знала.

Маша вытащила из рукава здоровенный клетчатый носовой платок, шумно высморкалась и затараторила дальше. Я лишь качал головой, похоже, домработница плохо приглядывала за студенткой, но, с другой стороны, не водить же взрослую девушку за руку? Руфь в год, когда случился казус, снималась сразу в двух картинах, ее дома практически не видели, Маша исправно убирала квартиру, стирала, гладила, готовила обед, а Света утром уходила на занятия. Возвращалась девушка поздно и охотно рассказывала Маше о прошедшем дне. Домработница сразу сообразила: Светочка скучает по маме, Фране и Руфи, она не привыкла к одиночеству, хочет поделиться своими мыслями, и покорно слушала подопечную. Света была мила, приветлива, никаких замечаний Маше не делала, и прислуга хорошо относилась к девушке. Правда, Машу частенько раздражало желание Светланы в очередной раз рассказать ей о юношеских годах покойной Франи. Домработнице хотелось спокойно посмотреть телик, и она тяжело вздыхала, увидав, как Света с горящими глазами вытаскивает пухлый семейный альбом. Но у девушки делалось такое умоляющее выражение лица, что Маша бодро восклицала:

— Давай, начинай.

Света казалась простой, открытой, без камня на душе и черных тайн. Только, как выяснилось, Маша жестоко ошибалась.

Под майские праздники Руфь приехала домой и радостно заявила:

— Все! Лето наше! Куда поедем отдыхать? Выбирай, Светочка! Я хорошо заработала, мы можем позволить себе любые развлечения.

— Я останусь дома, — прошептала Света.

— В Москве? — изумилась Руфь.

— Да.

— Солнышко, — стала упрашивать девушку актриса, — лучше поедем на море.

— Не могу.

— Почему?

— Да так! — туманно ответила Света.

— Ты влюбилась! — внезапно догадалась Руфь.

Светлана опустила голову.

— Ерунда, — засмеялась актриса, — расставание укрепляет чувства, складывай чемодан.

— Нет, — пролепетала Света.

— Деточка, это глупо, кавалер никуда не денется.

— Мы с ним хотим поехать в Сочи, — прошептала Света.

Брови Руфи поползли вверх.

— Вдвоем?

— Да.

— С мужчиной?

— Да.

Актриса вздохнула:

— Ну, понятно. Хоть познакомь нас, если отношения зашли так далеко, то...

— Мы вчера поженились, — брякнула Света.

Маша, присутствовавшая при разговоре, уронила чайник, а Руфь закричала:

— Что?!

— Я вышла замуж, — еле слышно ответила Света.

— За кого?!

— Ты его знаешь, — лепетала Светочка, — он замечательный, умный, талантливый, потрясающий, необыкновенный...

— Кто?! — окончательно потеряла самообладание Руфь. — Наш студент? Боже! Что бабка, что мать, что ты! Живо называй имя! Надеюсь, парень не провинциал?

— Он взрослый, преподаватель.

Руфь с облегчением вздохнула.

— Сергей Зотов? С кафедры вокала?

— Нет. Анчаров Константин Львович, — еле выдавила из себя Света.

Руфь моргнула, потом медленно переспросила:

— Анчаров Константин Львович? Режиссер?

— Да, — закричала Света. — Мы обожаем друг друга, он в разводе. Все хорошо, и я беременна, на пятом месяце! Руфичка, вот оно, счастье.

Актриса уставилась на девушку, потом всхлипнула и лишилась чувств.

Глава 27

Пышной свадьбы не устраивали. Маша, всю жизнь работающая прислугой, усиленно пыталась скрыть свое удивление во время праздничного ужина. Было от чего обалдеть. На торжество, посвященное уже состоявшемуся бракосочетанию, позвали всего дюжину гостей, и добрая половина из них оказалась родственниками. Во главе стола, как и принято, сидели новобрачные. Руфь спешно велела сшить для Светы белое платье, и ее любимая родственница выглядела нежным цветком. На фоне юной, красивой жены муж смотрелся замшелым пнем. Маша пребывала в глубоком недоумении, ну по какой причине можно было выскочить за уродливого, костлявого мужика, который даже ей, женщине средних лет, казался стариком? Константин Львович выглядел уродом, снять с него дорогой костюм, золотой перстень и белоснежную рубашку, взлохматить седые пряди, и получится натуральный деревенский дед. Почему Света выбрала лешего? Из материальных соображений? Так Руфь не вечная, актриса оставит все свое Светочке, на том свете ни квартира, ни дача, ни кольца с бриллиантами не нужны. Впрочем, Маша знала, Анчаров очень известный режиссер, следовательно, он будет занимать жену в спектаклях, а может, снимет в кино. Но Руфь тоже не последний человек в мире кулис, нет необходимости Светочке ради хороших ролей подкладываться под страшилу. Что же двигает Светой? Маша терялась в догадках.

Но еще более странными оказались гости. На самых почетных местах сидели: бывшая жена Анчарова, две дочери Константина Львовича и женщина, которая вроде тоже являлась ребенком Анчарова, но родила ее не бывшая супруга, а какая-то другая тетка, и присутствующие считали ее воспитанницей. У всех на лицах играли самые искренние улыбки, все бабье называло Анчарова «папочка», и без конца кричали:

— Горько!

А еще сумасшедшая семья в едином порыве заявляла:

— Вот бы у Светочки родился мальчик, а то у нас сплошное женское царство.

Сначала Маша не разобралась, кто есть кто в развеселой компании, но когда наконец вычислила чужие родственные связи, поразилась до остолбенения. До Руфи домработница служила у генерала Никонова, вот там все шло, как у нормальных людей. Вторая жена ненавидела первую, а та регулярно звонила и требовала от прежней денег на содержание великовозрастного сына.

Тетки постоянно закатывали военному истерики, доводили его до трясучки и запоя. Вот это было понятно, а тут странные отношения, любовь и дружба. Наверное, притворяются, все-таки все актрисы. При этой мысли Маша успокоилась, но потом ей в голову пришло иное соображение: а зачем Анчаров позвал «бывших» на пир? Мог и не приглашать родственниц! И Света довольна, целуется со всеми. Нет, эти люди искусства просто развратники, ясно же, что прежнюю жену надо бить поленом.

После свадьбы Света поселилась у Анчарова, к Руфи она прибегала каждый день, показывала быстро увеличивающийся живот и восклицала:

— Точно мальчик. Уже имя придумали, назовем Левушкой в честь отца Анчарова.

Если же актрисы не оказывалось дома, Света набрасывалась на Машу, теперь она самозабвенно рассказывала о генеалогическом древе Анчарова, и домработница узнала, что у Константина Львовича в анамнезе имелось три супруги. Одна давным-давно умерла, вторая тоже на кладбище, в этих браках детей не было, зато третья мадам Анчарова родила двух дочерей. Семья развалилась по обоюдному согласию, Константин Львович до сих пор содержит родственников, а еще он патронирует приемную дочь. Лето Света планирует провести на огромной подмосковной даче, в необъятном, старом, столетнем доме, половина которого принадлежит предыдущей супруге.

— Че, — не выдержала один раз Маша, — так усе вместе и жить будете?

— Конечно, — с жаром воскликнула Света, — большая семья — это счастье! Все так хотят мальчика! Скоро уж Левушка родится!

Маше оставалось лишь вздыхать украдкой,

похоже, у внучатой племянницы Руфи крыша начисто съехала набок, разве это семейная жизнь? Позор! Света вроде как в гареме.

Кстати, Руфь, пообщавшись со Светочкой и выслушав очередные восторги воспитанницы по поводу еще не рожденного младенца, уходила в спальню и надолго оставалась там. Один раз Маша в щелочку увидела, как хозяйка достала из комода икону и усиленно молится. Ей-богу, все постепенно лишались ума. Руфь Соломоновна никогда до этого не была религиозной, и потом, если разобраться в сути вопроса, актрисе следовало ходить в синагогу.

Лева родился больным, когда Света поняла, что мальчик навряд ли сумеет самостоятельно передвигаться, она впала в истерику. Вся семья Анчаровых тоже принялась рыдать. Видя столь большое горе, Маша невольно подумала: «Откажутся от парня, сдадут в приют и забудут». Домработница считала такое поведение само собой разумеющимся. Света еще молодая, родит другого, здорового, никто не осудит ее, зачем заботиться об уроде? Маша была абсолютно уверена, что Светочка поступит именно так, и поэтому, когда Руфь через месяц после появления Левы на свет сказала Маше: «Изволь нормально накрыть на стол, у нас сегодня соберутся Анчаровы», — домработница с облегчением вздохнула.

Вот и славно, семья привыкла сообща решать проблемы, мальчика собрались отдать государству.

Но вышло не так, как предполагала Маша. Бледная Света решительно заявила собравшимся:

— Я бросаю учебу и все мысли об артистической карьере, посвящу себя Левушке.

Домработница ахнула, бывшая жена вскочила с кресла и бросилась обнимать Светочку.

— Конечно, я помогу тебе.

— Будем приходить каждый день, — закричали дочери Константина Львовича.

— У меня есть знакомая массажистка, — оживилась воспитанница режиссера.

Маша уползла на кухню, у прислуги кружилась голова. Нет, они все психи! Домработница очень хорошо относилась к Свете и понимала: лучше всего забыть про урода, строить свою жизнь без него, и родственники обязаны подсказать глупой бабе этот путь. Но они сейчас составляют планы спасения младенца, которому лучше бы не появляться на свет!

Анчаровы сообща взялись за Левушку. Света села дома и принялась заботиться о любимом сыне, вокруг инвалида роем вились врачи, медсестры, массажисты, психологи, воспитатели. Анчаровы покупали дорогие лекарства, развивающие игрушки, постоянно тормошили мальчика и, что особенно поражало Машу, считали его нормальным.

Приходя к Руфи вместе с сыном, Света, раздев его, спрашивала:

— Левушка, хочешь пить?

Ясное дело, тот молчал в ответ, но мать радостно продолжала:

— Левочка сейчас желает послушать музыку.

Иногда во время беседы с Руфью Света поворачивалась к безучастно лежавшему на диване тельцу и осведомлялась:

— Как думаешь, бабушка права?

Никаких видимых изменений с ребенком не происходило, однако мать удовлетворенно кивала и продолжала:

— Молодец, внук должен всегда поддерживать бабулю!

Чем чаще происходили подобные «беседы», тем сильнее Маша укреплялась в своем мнении: Анчаровы психи, более того, они заразили сумасшествием и Свету.

День, когда Лева наконец сел, в семье объявили государственным праздником, а потом мальчик неожиданно заинтересовался карандашами, и к нему незамедлительно приволокли преподавателя из Строгановского училища, тоже явно ненормального. Вместо того чтобы возмутиться при виде скособоченного двухлетнего малыша с явными признаками дебилизма, профессор начал сюсюкать и малевать для Левы картинки. Подобное липнет к подобному, Анчаровы притягивали безумных людей. Самой Маше Лева не нравился, она брезговала взять его на руки, слава богу, об этой услуге ее никто не просил. Вокруг Левы было в достатке людей, обожавших целовать, обнимать, тискать и тормошить жуткого мальчика.

В конце концов Маша смирилась со случившимся и поняла, что Света, как это ни странно звучит, совершенно счастлива.

Двенадцатого ноября, тот день домработница запомнила на всю жизнь, ровно в восемь утра в квартире Руфи раздался телефонный звонок. Искренне удивленная столь ранним вызовом, прислуга сняла трубку и услышала голос бывшей жены Анчарова:

— Позови Руфь!

Дама была чем-то до предела взволнована, обычно она вежливо здоровалась и даже справлялась о здоровье Маши.

Хозяйка побеседовала с экс-госпожой Анчаровой, побелела и приказала домработнице:

— Бегом к метро, купи газету «Треп».

Маша поразилась до глубины души, до сих пор актриса просматривала лишь «Культуру» и «Литературку», желтая пресса никогда не интересовала Руфь Соломоновну.

Не успела прислуга вернуться с улицы, как хозяйка схватила листок и заперлась в спальне, затем весьма неожиданно приехал Константин Львович, он вбежал в комнату к Руфи, и довольно долгое время оттуда не доносилось ни звука. Через два часа примчалась экс-мадам Анчарова, ее дочери и воспитанница. Машу спешно отправили на дачу за якобы забытой там телефонной книжкой. Но домработница уже успела еще раз сгонять к подземке, купить второй экземпляр «Трепа» и прочитать статью за подписью Рольф.

Дальше события понеслись, словно бешеная лошадь. Руфи начали звонить и ломиться в дверь журналисты. Актриса плакала и безостановочно говорила бывшей жене Анчарова, которая не покидала Гиллер ни на минуту:

— Наверное, я виновата. Но как мне следовало поступить? Лиза не сказала Свете правду про отца, я не знала о ее романе с Константином. Истина выплыла после их бракосочетания, беременность уже не прервать, пятый месяц шел. Я думала, все обойдется, никто не узнает. Лиза умерла, она никому, даже Косте не сообщила о рождении девочки, знали правду лишь я да она. Каким образом журналист дорылся до истины? Я боялась нанести травму Светочке, если бы она посоветовалась со мной до похода в загс, я мигом разубедила бы девочку. Но поздно! Ребенок уже шевелился! Я решила, пусть трава забвения вырастет на могиле тайны, не стану убивать Костю и Свету, никто, никогда, ни в коем разе не узнает семейной тайны. Господи, как это выплыло! Наверное, я виновата.

И далее по кругу. Маша ходила по квартире, прибитая ужасом, соседи во дворе шептались и, не стесняясь, тыкали в домработницу пальцем. А потом произошло самое страшное, Света покончила с собой, взяв на тот свет и обожаемого Левушку, следом ушел из жизни Анчаров...

Прислуга замолчала, я тяжело вздохнул. В принципе Маша не открыла мне ничего нового. О трагедии, случившейся в семье Анчаровых, рассказал Коэн, вот только я не знал о родственных нитях, связывающих Гиллер и несчастную Свету.

— Вот оно как, — неожиданно сказала Маша, — а еще велят думать, что Бог добрый. Нет уж, возьмется кого извести, в покое не оставит, разобьет, чисто скорлупку. Я от Руфьки ухожу, устала от ейных капризов. Долго терпела, но таперича терпелка лопнула, и страшно, аж жуть! Деньги ваши нам пригодятся с мужем, зарегистрируемся, и смоюсь, еще обвиноватят.

— В чем же вас упрекнуть можно? — без всякого интереса полюбопытствовал я.

Маша неожиданно сжалась в комок.

— Захочут — найдут, — мрачно ответила она, помолчала и добавила: — Вон у Руфьки недавно серебряный кубок сперли из буфета. Вечно она всякую шваль домой пускает, студентов нищих, актеров из Засранска, тьфу прямо! А те вороватые! Только Руфька их святыми считает, ищо на меня подумает! Пока-то она пропажи не приметила, а как сообразит! Чья вина? Машина. Ладно, пойду, покуда она не спохватилась.

Я кивнул:

— Спасибо вам.

— Так деньги нужны, — пожала плечами Маша, — вы... того... самого... ежели случится чаво, скажите: «Ейная домработница мне все про Светку растрепала. Откровенная женщина, камней за пазухой не имеет. Че на уме, то и на языке». Идет?

— Не совсем понял, кому и почему я должен делать сие заявление?

— А спросит хто, ему и заявьте, — туманно пояснила Маша, — мне скрывать неча. Руфька в последнее время ваще опсихела, тишком, молчком, сидит в темноте. Видать, с головой беда. Ей верить не надоть, а я че знала, то и натрепала, тайн хранить не умею, так и знайте, у прямых людей двойного дна не бывает, наивность предполагает болтливость...

Оборвав себя на полуслове, Маша вылезла из машины и вразвалочку заторопилась к подъезду.

Я слегка удивился последнему заявлению домработницы: на самом деле, человек, обладающий наивностью, не способен хранить секреты, выбалтывает их не по злобе, а от прямоты характера. Не зря ведь народ придумал пословицу про простоту, которая хуже воровства. Только Маша вначале показалась мне именно такой личностью, полуграмотной особой с корявой речью, и вдруг почти философские размышления!

В специальной подставке, прикрепленной на торпеде, начал попискивать мобильный, я схватил трубку.

— Иван Павлович, — недовольно воскликнула Нора, — ты где?

— Во дворе дома Гиллер, уже сел в машину,

скоро буду, — ответил я, мгновенно забыв о странностях в поведении Маши.

— Жду, — коротко бросила Элеонора и отсоединилась.

Глава 28

Не успел я войти в подъезд, как ко мне со всех ног бросился охранник.

— Иван Павлович! Ну никак не подходит!

Я вздрогнул.

— Алексей, вы о чем?

— Так мой кроссворд!

— Извините, я не припомню.

— Иван Павлович! Неужели забыли? Такая важная вещь, — укоризненно продолжил парень, — рассказывал же! Всякие задания отгадываю, призы получаю, а тут затормозил.

— Средство для закапывания! — вспомнил я. — Что, никак?

— Неа.

— Лопата, совок, кайло, мотыга...

— Уже пробовал, не то.

— Кирка!

— Мимо.

Я призадумался.

— Ручное или механическое?

— Это как?

— Если обычные приспособления не подходят, то, может, составители имели в виду экскаватор или трактор?

Алексей подпрыгнул.

— Супер! Не допер сам! Иван Павлович, не уходите, ща проверю.

Я покорно остался ждать в холле, не прошло и полминуты, как разочарованный Алексей заявил:

— Снова в пролете.

Мне стало интересно.

— Саперная лопатка.

— Совсем не подходит, — укорил Алексей. — Два слова нельзя.

— Грабли.

— Они сгребают или заравнивают.

— Вилы.

— Ваще! Кто ж ими землю копает?

Я начал кусать нижнюю губу, увы, не являюсь специалистом по землеройным работам.

— Комбайн!

— Он пшеницу жнет, — с видом умника отмел предположение Алексей.

Но я не сдался.

— Еще подобные приспособления есть в угледобывающей промышленности.

— Они рубят!

— Какая разница?

— Большая, тут задание про закапывание, — уперся секьюрити.

Я напрягся, из глубин памяти выплыло:

— Тяпка!

— Не канает.

— Плуг!

— Не он.

— Борона!

— Ею не закапывают!

— Окучиватель!

Алексей закатил глаза.

— Иван Павлович! Еще культиватор скажите.

— А это что за зверь? — заинтересовался я.

— Ерунда, — отмахнулся охранник, — вам и знать не надо! Ну напрягитесь, вдруг в голову правильное взбредет!

Я потряс головой.

— Ну... этот... как его...

— Кто?

— Такой... э... забыл.

— Который?

— Вертится на языке, никак не вспомню... ну... он...

— Сколько букв?

— Три, — выпалил я. — Очень короткое слово, простое, абсолютно всем известное.

Алексей кашлянул и с укоризной заметил:

— Иван Павлович, им землю никак не вскопать.

— Поняли, о чем речь? Назовите предмет, а то я весь измучился, вспоминая.

Охранник замялся.

— Неудобно!

— Почему?

— Слово плохое.

— Нет нехороших слов, — ответил я, — есть неразумные мысли, и ничего дурного в данном существительном я не нахожу.

— Все равно, — уперся Алексей, — не буду! И он тут ни при чем.

— Да о чем вы подумали? — изумился я. — Имею в виду этот... из трех букв, э... вот склероз начинается.

— Научное название я забыл, — сконфузился секьюрити, — а народное произносить не стану. Может, конечно, это не по-современному, но меня так родители воспитали. Материться не приучен, зачем воздух засорять.

Я окончательно растерялся.

— Алексей, что у вас на уме?

Охранник надулся.

— Ну... сами ж сказали... три буквы! А я верно возразил, им почву не ковыряют, он для другого предназначен!

— Леша! Я имел в виду... э... лом! Слова богу, осенило, вспомнил!

Секьюрити покраснел.

— Лом?

— Ну да! А вы придумали ерунду.

— Лом тоже не в кассу! И ваще им отковыривают или отколупывают, а в задании написано: «средство для закапывания».

Я ощутил себя идиотом.

— Не знаю.

— Во, — протянул охранник, — а ведь высшее образование имеете.

— Я заканчивал не землеройный, а Литературный институт, — напомнил я.

— Понятно, — грустно закивал Алексей, — пролетел я с призом, как фанера над Парижем.

— Уж извините, что не помог, — улыбнулся я и вошел в лифт.

— Иван Павлович! — вдруг, как юродивый на пожаре, завопил Алексей.

От неожиданности я вздрогнул и уронил ключи.

— У вас небось книг полно? — орал парень.

— Да, есть библиотека.

— С энциклопедиями?

— Естественно.

— Посмотрите там.

— Попробую.

— Ну спасибо, — обрадовался охранник и по-детски признался: — Очень выиграть хочу.

Я ткнул пальцем в кнопку, кабина начала подниматься. До сегодняшнего дня я был абсолютно уверен, что всяческие призы, которые обещают людям разнообразные издания, никому не нужны, но, похоже, ошибался. Алексей уже не первый день пытается отгадать это сложное слово. Хотя, если призадуматься, вопрос сформулирован странно, правильнее написать: «приспособление для копания», нет, не так, «орудие копки». Снова не то. Может, «то, чем следует копать землю»? Предаваясь глупым размышлениям, я вошел в квартиру и налетел на Нору.

— Что за странный вид? — спросила хозяйка.

— Вы можете назвать средство для закапывания?

— Чего? — уточнила Нора.

— Извините?

— Каков предмет закапывания?

— Не знаю.

— И зачем с ним возиться?

— Это просто вопрос, задание в кроссворде.

— С каждым днем ты все больше удивляешь меня, — рявкнула Нора. — Ступай в кабинет, доставай диктофон и рассказывай.

Мой отчет затянулся, Элеонора отпустила меня около двух часов ночи. Я рухнул в кровать, впервые нарушив многолетнюю традицию засыпать, непременно почитав книгу.

Не успели мои веки сомкнуться, как в комнате прогремело:

— Иван Павлович!

Я подскочил, сел, продрал глаза, увидел Нору, стоящую рядом, быстро натянул покрывало до подбородка и уставился на хозяйку.

— Сколько можно дрыхнуть, — сердито заявила Элеонора, — звала, звала тебя, охрипла, пришлось толкать в бок.

— Который час? — ошарашенно поинтересовался я.

— Два, — ответила Нора.

— Но ведь светло, — потряс я головой.

— Дня, а не ночи, — уточнила хозяйка.

— Уже? Я столько спал?

— Именно так, — ухмыльнулась Элеонора. — Живо собирайся, иначе можешь опоздать.

— Куда?

— На самолет, — железным тоном ответила хозяйка.

По моей спине пробежали шеренгами мурашки.

— На самолет? — повторил я.

— Ваня, — въедливым голосом сказала Нора, — сравнительно недавно, ста лет еще не прошло, человечество придумало железную птицу. Летать люди мечтали давно, но все у них не получалось: то восковые крылья на солнце расплавлялись, то деревянные на части разваливались, однако наука шагнула далеко вперед, мы пожинаем плоды научно-технического прогресса. Живо створожься, сложи сумку и отправляйся в аэропорт, рейс Москва — Екатеринбург, далее автобусом до местечка с забавным названием Корь. Там тебя ждет местная достопримечательность, бывший геолог, краевед, писатель, художник, бард Егор Сергеевич Бандин.

— И зачем он мне?

Элеонора пошла к двери.

— Прими божеский вид, только не задерживайся. Сядешь пить кофе, дам указания, — бормотнула она на ходу.

Едва за ней захлопнулась дверь, как я сполз с постели и пошел принимать душ.

Не сочтите меня трусом, но я очень не люблю пользоваться воздушным транспортом. Если людей создали без крыльев, то и не следует рваться в небо. До любой точки земного шара можно добраться по земле или по воде, зачем взмывать выше облаков?

В самолете меня многое пугает, пассажиров запирают в тесном пространстве и оставляют там на несколько часов. Не знаю, как вам, а мне не нравится зависеть от постороннего, совершенно неизвестного человека, пилота лайнера. Вдруг он болен? Или поругался с женой? В конце концов, выпил накануне работы? Плясал до утра с друзьями? Только не надо напоминать о врачах, которые проверяют летчиков, думаю, с медициной всегда можно договориться. А техническое состояние крылатой машины? Механики могли недокрутить какой-то винтик. Или работники аэропорта неправильно уложили чемоданы, и центр тяжести «птички» сместился. Диспетчер на секунду отвернулся от экрана, исчезла радиосвязь, ударила молния, изменилось магнитное поле... И вообще, я один раз увидел, как в полете вибрирует крыло лайнера, после этого зрелища желание пользоваться пассажирской авиацией у меня начисто отпало.

От технических деталей перейдем к бытовым. Курить на борту нельзя, туалет похож на мышеловку, бесплатную выпивку подают лишь VIP-пассажирам, пледа не допросишься, и приходится смотреть дурацкое кино. По проходу носятся дети, кто-нибудь из взрослых непременно наклюкается, мы попадем в зону турбулентности, и женщины поднимут визг. Я не хочу никуда лететь! Лучше добираться на поезде, теплоходе, автобусе, машине, лошадях, верблюдах, собаках!

Мрачно вздыхая, я влез в костюм и пошел

в кабинет к Норе. Знаете, что отличает труса от храбреца? Смелый человек тоже боится, но он, несмотря на дрожь в коленях, сядет в лайнер и навесит на лицо выражение полнейшего спокойствия. Я поступаю именно так. В момент, когда отвратительная железная птица начинает разбег по полосе и сила тяжести впечатывает меня, бедного, в кресло, я сижу с самой счастливой улыбкой на устах, мысленно говоря: «Милый боженька, пощади. Конечно, я грешен, живу неправильно, нарушаю заповеди, но, честное слово, исправлюсь, только позволь спокойно завершить полет». В Корь я добрался глубокой ночью и, испытывая крайнее неудобство, постучал в дверь дома номер шесть по улице Бажова.

— Из Москвы прибыли? — спросил густой бас, потом в замке заворочался ключ.

— Да, да, — отозвался я, — уж извините.

— Так ты не виноват вроде, — загудело за дверью, — самолет прилетает в свое время. Сюда, левей, теперь прямо, не споткнись. Света нет, выключили, гроза была, провода оборвало, могу керосинку принести.

— Хватит свечки, — ответил я, пытаясь рассмотреть хозяина.

— Устраивайтесь, — радушно предложил бас, — вон там, на кушетке.

Я сел на жесткое ложе, потом лег и немедленно заснул...

— Пшла вперед! — заорало почти над ухом.

Я открыл глаза и не сразу понял, где нахожусь, отчего лежу одетый, в брюках и рубашке? Хорошо хоть пиджак снял.

— Пшла живо, — донеслось с улицы.

Я встал и выглянул в маленькое окно. Тощий

паренек пытался выгнать за ворота здоровенную корову, буренка не слушалась, упиралась всеми ногами и отчаянно мычала.

— Разбудили вас? — раздалось сзади.

Я обернулся и наткнулся взглядом на крепкого, совершенно седого мужчину, которого, несмотря на седые волосы, нельзя было назвать стариком.

Широко улыбаясь, хозяин протянул мне руку:

— Егор.

Я пожал крепкую ладонь:

— Иван.

— Рано встаем, — извиняющимся тоном сказал Егор, — в шесть скотину забирают, вы, наверное, привыкли спать до восьми.

— Хорош человеку голову дурить, — раздалось из недр избы, — пусть идет шаньги есть.

— Настена, — пояснил хозяин, — жена моя, надо позавтракать, с утра самая еда.

Не дав умыться, Егор отвел меня на кухню, где маленькая, юркая женщина с головой, повязанной белым платком, радушно сказала:

— Садитесь скорей. Вам кофе?

— Если не трудно, — кивнул я.

Настя засмеялась:

— Ох, и тяжело в чашку наплескать.

Продолжая посмеиваться, она подняла эмалированный кофейник, налила в большую кружку пару ложек кофе, добавила до края горячего молока и велела:

— Пейте с шаньгами.

Незнакомая еда оказалась похожа на ватрушки. На одном блюде лежала выпечка с творогом, на другом с вареньем. Я съел по штуке с каждого блюда и удивился:

— Из какой ягоды начинка?

— Обычная, — пожала плечами Настя, — из черемухи.

Егор вытащил сигареты.

— Так в Москве черемухи нету, там только яблоки!

Я ухмыльнулся, у людей отчего-то превратное мнение о столичных жителях. Пару месяцев назад я общался с американцем, который был свято уверен: в столице России свободно расхаживают медведи. Впрочем, это неудивительно, подобное заблуждение широко распространено среди жителей Нового Света. Поразило меня иное: американец искренне считал, что нынче русские «топтыгины» кормятся на помойке у «Макдоналдсов», ну нравятся им объедки гамбургеров, чизбургеров и прочей фастфудовской снеди.

— В Москве много всяких фруктов, — решил я отстоять честь родного города, — апельсины, сливы, клубника, черешня...

— Какой в них толк, — подбоченилась Настя, — сплошная химия, а у нас с огорода да из леса.

— Жалко мне вас, — подхватил Егор, — суетно живете, подумать некогда, бегом несетесь.

— Мы ездили на экскурсию, — перебила мужа жена, — ну и натерпелись. Воздуха нет, молоко как вода!

— Метро грохочет.

— Прохожие злые, толкаются.

— Ничего хорошего нет.

— Не скажи, — вдруг вздохнул Егор, — книжные магазины отличные.

— У тебя Интернет есть! — напомнила Настя.

— Верно, — закивал Егор, — провели недавно, красота.

— Значит, не нужна нам Москва, — подытожила Настя.

Егор кашлянул, глянул на супругу, та покраснела и другим тоном сказала:

— Извините.

— Я вовсе не обиделся, — ответил я и взял третью, волшебно вкусную ватрушку.

— Некрасиво получилось, — расстроилась Настя.

— Всякому его родина милей, — вздохнул Егор.

— В Москве и правда шумно, — закивал я.

— И у нас не все сладко, — отозвалась Настя, — вот у Ивантеевых сын умер, аппендицит случился, везти в город не на чем оказалось, а «Скорая» лишь к ночи приехала.

— Под каждой крышей свои мыши, — дипломатично заметил Егор.

Я слопал четвертую шаньгу, покосился на пятую и, сдерживая разбушевавшееся обжорство, попросил:

— Разрешите объясню цель своего визита?

— С нами участковый говорил, — сказал Егор, — ему из Москвы звонили.

— Знаю, — кивнул я, — с вашей милицией беседовал мой лучший друг Максим Воронов, он следователь.

Глава 29

Несмотря на болтливый нрав, супруги молча выслушали меня, потом Егор сказал:

— Ну верно, утонули тут люди. По речке они сплавлялись на лодке, целой компанией. Приехали из Екатеринбурга, на ночлег встали.

— У нас двое поселились, — вступила в разговор Настя, — я сначала подумала, что мужик с молодой любовницей, и вместе им постелила. А потом девушка подошла и просит. «Нельзя мне в другой комнате лечь? Папа очень храпит». Фамилия у них странная была, — хмыкнул Егор. — Умер. Неприятно с такой жить, плохое предвещает!»

— Верно, — закивала Настя, — у нас тут был Мишка Пожарский, так сгорел!

— Давайте вернемся в тот день, когда погиб Антон Умер, — попросил я.

Егор потер шею.

— По реке часто туристы сплавляются, она коварная. Сначала спокойная, потом резко поворачивает и на два рукава делится. Правый течет себе, а левый заканчивается водопадом, даже местные иногда гибнут, в смысле, наши, кто из Екатеринбурга приехал и из окрестностей.

— И охота людям ерундой заниматься, — укоризненно заявила Настя, — к чему в байдарку лезть?

— За адреналином, — хохотнул Егор, — а нас туристы кормят!

Рассказ хозяина, словно хорошо смазанная машина, быстро помчался по колее воспоминаний. В отличие от большинства людей Бандин ясно и четко выражал свои мысли, слушать его было сплошным удовольствием, правда, иногда он употреблял непонятные мне слова, вроде загадочного «шаньга», но суть повествования от этого совершенно не искажалась.

Корь имеет статус городка, но по сути является удачно расположенным селом. С одной стороны его тянется река, с другой лес, поэтому местные жители никогда не голодают. Народ в Кори работящий, у всех огороды, скотина, а еще можно рыбки наловить и зверя пострелять. Есть у людей и возможность получить «живые» деньги. Еще в середине шестидесятых годов двадцатого века неподалеку от Кори построили турбазу, куда съезжались со всей страны байдарочники. Простояв более тридцати лет, домики рассыпались, но любители сплавляться по реке все равно стекались на прежнее место, только теперь они останавливались в Кори. Все жители пускают на постой туристов, кое-кто из мужиков даже построил на огородах специальные избушки, чтобы принять побольше народа, поэтому ничего удивительного в очередной группе с рюкзаками ни Настя, ни Егор не заметили. Москвичи со странной фамилией Умер оказались тихими, водку не пили, шума не устраивали, легли спать, утром попили чаю и ушли налаживать лодку.

Бандины спокойно занимались хозяйством, Настя возилась в огороде, а Егор перебирал мотоцикл. Около пяти вечера к их дому подлетела запыхавшаяся Алла Коськова и заорала:

— Эй, Гоша!

— Чего тебе? — высунулась из окна Настя. — Денег нет и не проси, а если опять за сахаром прискакала, то не дам, на прошлой неделе насыпала тебе пол-литровую банку и назад не получила.

— Вещи постояльцев где? — выпалила Алка.

— В комнате, — удивилась Настя. — А тебе зачем?

— Утопли они, — оживленно затараторила соседка, — участковый хочет в паспорта заглянуть, давай их сюда!

— Как же, — скривилась Настя, — так и дала

тебе чужое! Пусть Николай Сергеевич сам сюда идет.

Алка крутанулась и убежала, Настя пошла искать мужа. Когда Егор, отмыв руки, вошел в избу, там уже сидел хмурый милиционер Николай Сергеевич. Вместе с Бандиными он прошел в комнату, открыл рюкзак, вытащил документы и вдруг сказал:

— Умер Антон Евгеньевич.

— Вот беда! — заохала Настя. — Совсем умер?

Участковый кашлянул.

— Ага, голову ему о камни разбило, с водопада лодка рухнула. Наверное, они рукава перепутали, не в тот погребли. Ну и фамилия!

— Какая? — спросила любопытная Настя.

— Умер.

— Это мы уже поняли, — сказал Егор. — Чем тебя фамилия удивила?

— Умер, — монотонно повторил Николай.

— Вот заладил, — начал злиться Бандин, — ты про фамилию говори!

Участковый сунул Егору под нос паспорт.

— Сам читай!

Бандин покачал головой.

— Да уж, повезло.

— Дай глянуть, — занервничала Настя. — О господи, вот несчастье с такой жить! Чего не поменяли? И девка тоже Умер?

— Ага, — кивнул Николай, — она ему дочь, Софья Антоновна Умер, только ее тело не нашли пока.

— Небось в пещеру утянуло, — предположил Егор.

Местные жители никогда не суются в водопад, но с незапамятных времен в Кори существует легенда о том, что в том месте, где поток воды, рушась с пятиметровой высоты, снова превращается в реку, имеется таинственная пещера, в которую иногда утягивает утопленников. Так это или нет, неизвестно. Старики утверждают, что вход в грот обнаружить трудно, может, врут, а может, и правду говорят. В пользу второго говорило то, что не все тела погибших туристов находились, кое-кто исчезал бесследно.

— Не знаю, — ответил Николай Сергеевич, — будем искать.

Через день из Москвы приехала испуганная женщина, жена Антона, звали ее Тильда.

— Право слово, странная баба, — выпятила нижнюю губу Настя, — вошла в избу и говорит: «Мне плохо, дайте скорей кофе».

Бандина бросилась выполнять просьбу, у нее была взрослая дочь, давно живущая в Москве, поэтому Настя очень хорошо понимала, каково сейчас москвичке. Мало того, что она стала вдовой, так еще и дочери лишилась. Настя поразилась самообладанию Тильды, та не плакала, не голосила, не выла, выглядела очень спокойной, выпила кофе и снова командным голосом сказала:

— Постелите кровать, я устала с дороги, спать хочу.

Бандина вновь выполнила просьбу, которая более походила на приказ, Тильда рухнула в постель и проспала до вечера.

Тут Егор замолчал и начал долго, со вкусом, раскуривать сигарету, Настю внезапно охватил хозяйственный пыл.

— Ой, — всплеснула она руками, — сижу квашней, а двор не метен, белье не стирано, вы уж тут без меня балакайте.

Живо повернувшись, хозяйка унеслась. Я удивился и посмотрел на Егора.

— А дальше что?

— Везение случилось, — слишком бодро воскликнул мужчина, — тут неподалеку заимка была, на ней Федор Соломкин жил, бирюком куковал, ни жены, ни детей, вообще никого. Когда помер, изба его пустой стояла. Да и не хотел никто в ней селиться. Федька дом специально так построил, чтобы людей не встречать, сектант он был, языком пользоваться не желал. Наткнешься на Соломкина случайно, поздороваешься вежливо, а тот кепку на глаза надвинет и тенью мимо шмыгнет, будто и не видит. Неприятный человек был и умер плохо, несколько месяцев пролежал в избе, никто же к нему не ходил. Хорошо, туристы забрели и тело обнаружили. Бирюком жил, собакой помер, эх, судьба!

— Какое отношение имеет кончина Федора к происшествию с семьей Умер? — решил я вернуть Егора к основной теме разговора.

Бандин начал чесаться, по неведомой пока для меня причине он растерял все свое красноречие и замямлил:

— Изба пустой стояла... да... ну... э... мы... то есть Настена... ее за ягодой понесло... зашла на заимку и... бац... ногу подвернула... оно, конечно, неохота было к Соломкину заходить, верней, его уж не было, нога-то болит... во дела... а там! Ну и ну...

Егор принялся усиленно кашлять.

— Насколько я понял, ваша жена поранила ступню... — сказал я.

— Подвернула!

— Это уже не так важно, — весьма невоспитанно оборвал я его, — идти Насте домой оказалось затруднительно, и она заглянула в пустую избу покойного Федора, хотела передохнуть, так?

— Ну... в общем... да, — наконец-то решил признать факт Бандин.

— И что же Анастасия увидела в доме?

Егор закивал головой.

— Лежит... лицо в крови... она подумала — мертвая!

— Кто?

— Ну она! Та, что думали, в пещеру утянуло.

— Софья Умер?

— Верно, — закивал Егор, — изуродовало ее по-черному! Настька про ногу забыла, стрекозой в Корь полетела.

Через час в избушку принеслись Тильда, Бандин и местный участковый Николай Сергеевич. «Скорая помощь» приехала лишь к вечеру. Самое интересное, что врачи не обнаружили глубоких ран на теле девушки. У нее было сильно повреждено лицо, да синяки на ногах. Несчастная Соня находилась в шоке, она молчала, на все расспросы медиков и милиции не реагировала. Доктора оказали больше помощи Тильде, та истерически рыдала и пару раз лишалась чувств. В конце концов врачи увезли счастливо избежавшую смерти девушку и ее мамашу, последняя лежала на носилках. Если не знать, кто выжил, упав в водопад, то легко можно было подумать, что жертва стихии Тильда.

— Это все? — уточнил я. — Вы рассказали правду?

Егор широко распахнул глаза.

— Святой крест, не вру!

— Где живет ваш участковый?

— Михаил? Рядом совсем.

— Вы вроде говорили про Николая Сергеевича.

— Так он умер, — неожиданно радостно объявил Егор, — от воспаления легких.

— Значит, свидетелей того события осталось только двое, вы и Настя.

— Ага, — закивал Бандин, — ну еще, конечно, Тильда. А чего это вдруг вас старинное дело заинтересовало, если из самой Москвы прикатили? Никаких странностей не было. Знаете, почему девушка жива осталась?

— Нет, — ответил я.

— Мы только потом сообразили, — сказал Егор, — перевернулись они на повороте. Другие туристы рассказывали, что лодка с отцом и дочерью от всех отстала. Группа вперед ушла, свернула в нужный рукав и поплыла, а Умер перепутали, не туда порулили и на повороте перевернулись, Соня как-то выплыла, а отца унесло к водопаду. Девка на бережок взобралась и пошла, как ей казалось, в деревню, по тропке побрела, но на самом деле в другую сторону от Кори утопала и оказалась на Федькиной заимке, вошла в дом и упала, силы закончились. Если бы не Настька, умереть бы ей. Вот так.

Я не перебивал Бандина, а тот неожиданно занервничал и начал говорить еще быстрее:

— Туристы некоторое время проплыли, потом спохватились, пристали к берегу и пошли пешком назад. Течение сильное, пока выгребешь против потока, очумеешь. Ну увидели второй рукав, сообразили про водопад и двинули туда, нашли пустую байдарку, вытянули тело Антона, оно за камни зацепилось. Сони нигде нет! Вот и решили: утянуло ее в пещеру, и не подумал никто, что она сумеет вылезти и до заимки дойти. Понимаете, сомнений не было: в водопад оба свалились, про то, что девушка на повороте выпала, никому и в голову не взбрело. В общем, история с географией, но ничего преступного в этом нет, несчастный случай. Да еще они без шлемов были.

Егор на секунду примолк и добавил:

— Николай Сергеевич все очень правильно записал, и дело давно случилось! Ну кому сейчас про это интересно знать? Здесь каждый год кто-нибудь тонет, порой даже местные, а уж москвичи или екатеринбургские обязательно, думают, чего трудного по речке сплавиться, но нет! Вот сейчас расскажу, как правильно...

— Наверное, Соня вас добрым словом вспоминает, — перебил я Егора.

— А мы не общаемся.

— Неблагодарная девушка!

— Что ж ей теперь, нас на руках носить? — пожал плечами Бандин. — В Кори простой закон, если кому плохо — помоги, потом тебя из беды выручат, иначе пропасть можно. Все равно не соображу, чего вас сюда принесло? Так и не понял, Михаил только сказал: «Из Москвы звонили, просили принять как дорогого гостя и оказать полнейшее содействие». Вы из газеты? Про происшествия пишете? Чего же так поздно опомнились?

Я вынул из кармана удостоверение.

— Начальник, — испуганно прочитал Егор. — Так вы из ментовки? Что случилось?

Глаза его неожиданно провалились под брови,

нос вытянулся, левая щека начала непроизвольно дергаться.

— К вам никаких претензий нет, — решил я успокоить хозяина.

— Просто так из столицы не припрутся, — отчеканил Егор, — времени столько зря не потратят, да и денег тоже, билет не копеечный, еще и командировочные.

— Некоторое время тому назад, — сказал я, — в Москве была убита журналистка Соня Умер, вот я и...

— Что? — просипел Бандин. — Кто?

— Убил? Пока неизвестно, вот я и...

— Умер? Она скончалась?

— Увы, да, очевидно, девушке на роду было написано погибнуть не своей смертью, — вздохнул я, — сначала она чуть не утонула в реке, а когда Соня сумела спастись, злая судьба все равно ее догнала.

Егор встал, добрел до окна, перевесился через подоконник и хрипло позвал:

— Насть!

— Аюшки, — бойко отозвалась из огорода супруга.

— Поди сюда.

— Некогда.

— Иди скорей.

— Да чего случилось?

— Иди скорей, — монотонно твердил Бандин, — скорей иди.

Послышались топот и недовольное ворчание женщины.

— Уж и не знает, чего придумать. Если есть захотел, то и сам взять мог. Иди в подпол, готовые котлеты тама, не сплю я в холодке, на грядках колгочусь. Во, больше дел нет, как взад-вперед гонять, калоши снимать, натягивать...

Продолжая бурчать, хозяйка вошла в комнату и довольно сердито сказала:

— Ну?

— Убили ее, — прошептал Егор.

— Кого? — вытаращила глаза жена.

— Соню Умер, — еле выдавил Бандин.

Настя подскочила к мужу.

— Нет! Кто сказал?

Муж ткнул в меня пальцем:

— Он.

Анастасия схватила меня за плечи:

— Врешь!

Я помотал головой:

— Нет, конечно, труп Софьи с сильно обезображенным лицом нашли в квартире. По некоторым данным, ее лишил жизни бывший муж.

Егор рухнул на диван, Настя медленно опустилась рядом.

— Слышь, ты, — протянула она, — оставь нас вдвоем.

— Он мент, — внес ясность Бандин, — начальник, нас теперь арестуют!

Настя неожиданно начала смеяться, затем хохотать, по щекам ее покатились слезы. Егор вскочил, кинулся к буфету, распахнул стеклянные дверки, вытащил бутылку с темно-коричневой жидкостью, налил четверть стакана и попытался напоить жену.

Анастасия оттолкнула супруга, вытерла лицо рукавом синего халата, который надела для работы в огороде, и неожиданно ответила:

— А мне по...й! Пусть хоть расстреляют. Если Юлечку убили, зачем мне жить?

Глава 30

Поздно вечером Егор вошел в крохотную каморку, где на диване сидел я с прошлогодним номером журнала «Гео» в руках.

— Иди есть, — мрачно буркнул хозяин.

— Спасибо, не хочется, — ответил я совершенную правду.

— Пошли, разговор будет.

— Вы уверены, что сможете беседовать?

— Чего уж теперь, — тяжело вздохнул Егор. — Да и ждал я подобного, еще тогда, когда она прикатила ночью, вошла в дом и шепчет: «Папа, мама, я приехала, только никому не говорите, меня убить хотят». Во! Только в тот раз она в Москве сховалась, а затем... Да пошли, тебе перекусить надо, а мы душу облегчить хотим, Настя так решила.

Я молча повиновался и вновь очутился в просторной комнате. Анастасия налила мне в кружку молока.

Муж вынул сигареты и тихо спросил:

— Кто начнет?

Настя дернула головой:

— Говори ты.

Егор потер шею, посмотрел на меня и монотонно завел рассказ.

Супруги Бандины имели единственную дочь Юлечку. Девочка с самого раннего детства демонстрировала разные таланты: пела, танцевала, занималась в театральном кружке, писала стихи. Кроме того, у Юли были задатки лидера, она всегда и везде исполняла главные роли, была впереди всех на белом коне. Егор с Настей обожали дочь, гордились ею, да и было чему радоваться.

Юля в отличие от большинства сверстников не курила, не пила, не хамила родителям, училась на сплошные пятерки и постоянно приносила домой грамоты и награды за победы на олимпиадах. Школу девочка закончила с золотой медалью. После выпускного вечера Настя слегка приуныла, потому что Юля объявила маме:

— Поеду поступать в институт!

Старшая Бандина умом понимала, что разносторонне одаренному ребенку нечего делать в сонной Кори, ну не создана Юля для тихой, крестьянской жизни. Только отправится сейчас дочь в Екатеринбург, встретит там парня, выскочит замуж и забудет родителей, не нянчить Насте внуков. Но противиться счастливому будущему дочери мать не стала, и девушка укатила в столицу Урала, без особых проблем поступила в университет, получила диплом и начала работать в газете.

В Корь Юля наезжала редко, от силы два раза в год, Настя скучала по дочери и даже иногда плакала от тоски, Егор моментально обрывал, как он говорил, «нытье» и восклицал:

— Дура ты! Юля карьеру делает, скоро о ней весь Урал заговорит.

Представляете, как удивились родители, когда дочь однажды явилась в отчий дом ночью, постучала в окно, а едва мать радостно заголосила: «Ой, вот радость!» — оборвала ее:

— Тише, меня тут нет!

— Случилось чего? — испугалась Настя.

Юля живо съела поданный мамой ужин и рассказала о своих проблемах, Егор только крякал, слушая обожаемую дочь.

Юлечка работала в газете репортером, материал для статей она собирала оригинальным образом: тайно внедрялась внутрь структуры, о которой собиралась писать. Задумав очерк о взяточниках, пристроилась секретаршей к чиновнику, от которого зависело разрешение на строительство зданий, и сумела запечатлеть на фото момент получения взятки. Желая сообщить о врачах, вымогающих у больных деньги, пошла санитаркой в больницу; разоблачила воспитателей детского дома, издевавшихся над крошечными сиротами; вывела на чистую воду продавцов, торговавших испорченными продуктами. Вот где Юлечке пригодился артистический талант, журналистка легко перевоплощалась, она с огромным удовольствием играла разные роли и... заигралась.

Поверив в собственную значимость и неуязвимость, Юля занялась коррупцией на одном из крупных предприятий, но журналистка плохо оценила противника, а им оказалась некая криминальная структура, на службе у которой состояли абсолютно отмороженные личности, им сничего не стоило убить человека. Впрочем, сначала все шло отлично, Юля нанялась горничной к главарю банды и скользила тенью по комнатам его квартиры, тщательно запоминая увиденное и услышанное. Статей должно было быть несколько, первая появилась в понедельник утром, а уже вечером на воздух взлетела машина Юли. Человек, ставивший взрывное устройство, совершил ошибку, часовой механизм сработал чуть раньше намеченного времени. Юля как раз собиралась выходить из здания редакции, когда ее «Жигули» превратились в факел.

Корреспондентка была умна, она мигом поняла, что на нее открыт сезон охоты, и тайно покинула Екатеринбург.

— Что же делать? — испугалась Настя, выслушав дочь.

Юля заявила:

— Вам придется мне помочь.

— Говори, доча, сделаем все, — пообещал Егор.

— Дай денег, — потребовала девушка, — и отвези меня на полустанок Верхний.

— Это ж сколько километров отсюда! — ахнула Настя.

— Молчи, — велел муж, — правильно она придумала, пошли, доча.

Юле удалось избежать преследования, она благополучно укатила в Москву. Через день в Корь прибыл вежливый приятный юноша и, назвавшись Лешей, женихом журналистки, с неподдельной тревогой начал расспрашивать Бандиных:

— Где Юлечка? К вам не приезжала? Очень волнуюсь, она исчезла, не сказав ни слова!

Егор не дрогнул.

— Дочь нас бросила, — сурово ответил он, — неблагодарная шалава.

Настя, с полуслова понимавшая мужа, мигом завела:

— Кормили, поили, растили, думали, помощница в старости будет, ан нет! Свильнула в Екатеринбург, носа не показывает.

— Даже телефон не дала, — с хорошо сыгранной обидой произнес Егор.

— Если Юльку найдете, — подхватила Настя, — упрекните, что бросила стариков, у нас пенсия грошовая.

Несолоно хлебавши, Леша убрался прочь.

Когда за незваным гостем захлопнулась дверь,

Бандины одновременно перекрестились, похоже, беду пронесло мимо.

Пару лет от Юли не было ни слуху ни духу, потом в новостях по телевизору рассказали об убийстве главы преступной группировки и разгроме всей его банды.

Через десять дней пришло письмо из Москвы. Юля радовалась, что теперь ее жизни ничто не угрожает, и детально рассказала о себе.

В Москве жизнь предприимчивой девушки сложилась более чем удачно: она вышла замуж за богатого человека, сменила фамилию, потом развелась. Олигарх купил бывшей половине квартиру и пристроил ее в журнал «Резонанс». Дела у Юли шли отлично, но к родителям приезжать ей было недосуг.

Бандины начали гордиться дочерью. Егор теперь регулярно ездил в Екатеринбург, покупал «Резонанс» и внимательно читал статьи за подписью Чупининой.

— Вырастили мы с тобой, мать, не только хорошего, но и умного человека, — восклицал он. — Отлично пишет, великолепный язык, не то что у современных журналистов, одна грязь и чернота. Надо бы в Москву съездить, погостить у Юли, давай соберемся на Пасху?

— Дорого, — остужала супруга Настя, — да и не зовет она нас.

— Кто ж родителей приглашает, — усмехался Егор, — сами надоедать прибывают.

Но это были пустые разговоры. Москва далеко, оставлять на несколько недель дом пустым не хотелось, а еще у Бандиных есть корова, парочка собак, кошки. По всему получалось, что ехать в столицу надо кому-то одному, только Настя боялась, а Егор ленился. Давным-давно, на медовый месяц, Бандины ездили в столицу и более не испытывали желания посетить чумовое место.

— Лучше подождем, пока Юля сама явится, — решил отец, — рано или поздно прибудет.

И дочь приехала, без всякого предупреждения, постучалась, как в прошлый раз, ночью в окно.

Увидав бледную Юлю, Егор перепугался не на шутку.

— Что стряслось?

— Не ори, папа, — довольно грубо отреагировала молодая женщина, — и окна занавесь, нет нужды любопытным обо мне знать.

— Опять беда! — заломила руки Настя.

Дочь села на диван.

— Перестань, ерунда.

— Тебя убить хотят? — начал выпытывать Егор.

— В некотором роде меня уже уничтожили, — мрачно отозвалась Юля.

Тихонечко взвизгнув, Настя кинулась ощупывать свою кровиночку, а Егор, кряхтя, ушел закрывать ставни. Выпив чаю, Юля рассказала о случившемся.

Чупинина опубликовала материал, посвященный режиссеру Анчарову. Ни слова лжи в материале не было, журналистка долго готовила разоблачительную статью, собрала много документов. Кто ж виноват, что видный деятель российской культуры оказался стукачом, да еще мужем собственной дочери? Делаешь подлости — жди разоблачения.

— Ну и ну, — ахнула Настя, — вот так дела в вашей Москве творятся!

— Не перебивай, — зашипел Егор, — говори, доча!

После выхода материала случилось непредвиденное. Жена Анчарова, убив ребенка-инвалида, покончила жизнь самоубийством, режиссер тоже ушел на тот свет, и все СМИ начали травлю Юли.

— Конечно, — устало объяснила Чупинина, — им охота виноватого найти! Вот я и подвернулась под руку! Встали стеной, «Треп» от меня мигом открестился, даже «Желтуха» с «Клубничкой» «фи» выразили, об остальных и не говорю. Могу гордиться собой, сплотила всех журналистов России, даже и не припомню, когда они единой толпой человека травили. В общем, моя карьера рухнула. Вы никому не говорите, что я приехала.

— Почему? — удивилась Настя.

— Потому! — обозлилась Юля. — Из Екатеринбурга припрут и вой поднимут.

— Не переживай, доченька, — стала утешать ее мать, — очень хорошо, что из Москвы вернулась. Оставайся дома, выходи замуж, иди работать в районную газету, только и мечтаю тебя рядом каждый день видеть!

Юля зло рассмеялась.

— Достойное завершение жизни. Мама, я после Москвы тут с ума сойду или сопьюсь! Я не способна существовать в глуши! Нет! Нет! Нет!

Видя, что у дочери начинается истерика, Егор решил исправить положение.

— Мать глупость сморозила, — тихо сказал он, — ты тут отдохни, мы молчать станем, если днем по Кори ходить не будешь, никто и не сообразит, что у нас лишний человек завелся.

— А квартира! — испугалась хозяйственная Настя. — Московская! Ты ее бросила!

— Не неси чушь, — рявкнул Егор, — просто заперла. Дай же мне сказать. Юля столичные хоромы продаст, купит в Екатеринбурге себе фатерку, устроится на работу и заживет!

— Ой, славно! — обрадовалась Настя.

— Дурак ты, папа, — в сердцах воскликнула Юля, — меня после московского скандала ни в одно издание не примут, во всяком случае пока. И вовсе я не собираюсь гнить за Уральскими горами. Хочу вернуться в Москву и снова работать журналисткой, обрести славу и деньги!

— Но, доченька, — растерялся Егор, — как же выполнить задуманное? Я понял так, что возврата нет и на работу в прежнее место тебя не возьмут.

— Авось господь поможет, — всхлипнула Настя.

— Ну, — фыркнула Юля, — если только на бога надеяться, то можно и не дождаться. Ладно, вы пока никому ни слова, а я подумаю, как жить.

Три дня Юля лежала в своей крохотной спаленке и смотрела в потолок, во двор она не выходила, и даже ближайшие соседи Бандиных не предполагали, что к Егору и Насте вернулась дочь.

Во вторник Настя спросила у любимой дочки:

— Если мы на пару суток туристов пустим, можно?

— За фигом они вам? — поинтересовалась Юля. — Что, еще кто-то по реке сплавляется?

— Конечно, — закивала мать, — им отдых, нам прибавка к пенсии.

— Делайте что хотите, только меня не трогайте, — велела Юля, — и я при них из спальни не выйду. Скажите, двое вас в избе.

— Дом большой, — засуетилась Настя. — Мы

их на левой стороне устроим, никогда и не встретитесь.

Юля отвернулась к стене и промолчала. Ну, а потом с постояльцами случилась беда и приехала Тильда.

Женщина неприятно поразила Бандиных, едва войдя в дом, она заявила:

— Где деньги? У мужа всегда при себе имелась крупная сумма.

— Поищите в сумке, — ответил Егор, — мы в чужих вещах не роемся.

Тильда изучила багаж погибших, нашла полный бумажник и запричитала:

— Как же жить? Я осталась одна! С горя умру! Некому обо мне позаботиться! А еще мальчик! Его куда? Ой, горе, горе!

Настя вытаращила глаза. Ну и ну! Узнала о гибели мужа с дочерью, а плачет о себе.

— Мы умрем, — стонала Тильда, — говорила ей, не рожай! И что? Получите компот. Соне хорошо, а я как?

— Может, она от горя помешалась? — предположила Настя, глядя на мужа.

Егор крякнул, а Тильда, сев на диван, выла в голос.

— Я одна-одинешенька! С младенцем! Нет, это ужасно! Может, Вяльцев его заберет? Хотя Андрей оказался сволочью! Ах, я несчастная! Вот, вот, вот он!

— Кто? — начала озираться основательно напуганная Настя.

Тильда вскочила и принялась тыкать пальцем в экран работающего телевизора.

— Мерзавец, из-за которого все мои несчастья! Гад! Я ему поверила!

— Чем вам насолил Андрей Вяльцев? — послышалось с порога.

Настя обернулась, в проеме двери стояла Юля, глаза дочери горели лихорадочным огнем.

— Что за дела у вас были с Вяльцевым? — продолжала журналистка.

На лице Тильды вспыхнула надежда.

— А вы кто?

— Корреспондент из Москвы, — обтекаемо ответила Юля и добавила: — Мы хорошо платим за сенсации.

Тильда вскочила.

— Вы же можете, да? Позаботитесь о нас с Марком? Не дадите нам пропасть? Я больна, работать не могу, мальчика необходимо пристроить в интернат, или пусть его отец забирает. Я ведь ему всего лишь бабушка, ответственности за него не несу. Расскажу вам такое! Но за хорошее вознаграждение! Боже, я погибну с голоду!

Настя растерянно смотрела на Тильду, потом вдруг сообразила: странная тетка совершила неблизкий путь из Москвы в Корь исключительно по одной причине. Нет, не надо думать, что она решила заняться перевозом тел в столицу. Тильда хорошо знала: Антон всегда имел при себе нехилую сумму, и явилась за деньгами.

— А ну пошли ко мне, — приказала Юля Тильде, — поговорим в тишине.

Глава 31

Оставив дочь и гостью одних, Настя ушла на кухню, она решила испечь пирог. Хозяйка полезла в шкаф, обнаружила отсутствие муки, вздохнула и посмотрела на часы. Сельпо находилось рядом, да только в нем продукты далеко не первой свежести, муку, как, впрочем, и многое другое, лучше покупать в соседнем городке, если поторопиться, то легко можно успеть на рейсовый автобус.

Купив сразу шесть кило крупчатки, Настя вновь поспешила на остановку, но тут ее ожидало горькое разочарование: старенький «Лиаз», давным-давно дышащий на ладан, сломался, и идти в Корь предстояло пешком.

Путь в принципе был недалек, и еще его легко можно было сократить, если пойти по берегу реки. Сообразив, что пирогов сегодня не завести, Настя подхватила пакет и порысила под горку, начинало темнеть, и оставшиеся пассажиры решили двигаться по шоссе.

— Настен, ты куда? — крикнула Ленка Махова, тоже приехавшая в магазин.

— Бережком пройдусь, — отозвалась Настя. — Давай со мной.

— Нет, — испугалась Махова, — там кладбище рядом, по дороге пойду.

— Охота тебе круг делать, — усмехнулась Бандина.

— Говорят, покойники вечером прохожих хватают, — прошептала Ленка.

— Ох и дура же ты, — покачала головой Настя, — живых бояться надо!

— Не, я по шоссе, — повторила Махова.

Настя спустилась к реке и пошла по тропинке, впереди мрачно шумел водопад, вокруг не было никого, и Бандиной вдруг стало страшно. Солнце еще не закатилось, но дневной свет начал меркнуть, сгущались сумерки.

Настя прибавила шаг и вдруг увидела сбоку что-то непонятное, похожее на кучу опавших листьев. Бандина шагнула левее и заорала. В кустах лежала мертвая девушка, та самая Соня, чье тело не нашли спасатели. И Настя, зажав рот руками, бросилась прочь от страшной находки, сумку с мукой она бросила.

Егор замолчал и уставился на меня, я вздохнул.

— Значит, вы придумали историю про раненую в избе бирюка?

Егор закивал.

— Это Юля сочинила, — признался он, — вмиг дело устроила, мы с матерью лишь подчинялись!

Я подпер голову руками и продолжал слушать его рассказ. Да уж, у этой Юли никак нельзя отнять умение мгновенно ориентироваться в ситуации. Ушлая девица сообразила: судьба подбрасывает ей уникальный шанс, второго не будет. Соню никто в поселке Корь не знает, Юлию не видели много лет, Чупинина сильно изменилась, о ее приезде на родину людям неведомо. Вот она — возможность вернуться в Москву и попытаться начать жизнь сначала. Оборотистая Юля принялась командовать очумелыми родителями. Для начала она велела отцу и матери закопать тело бедняги Сони.

— Идите быстро, уже темно, — приказала дочь родителям, — да запрячьте ее поглубже, иначе мне может быть плохо.

Бандины обожали дочь, поэтому они взяли заступы и, перекрестившись, выполнили ее приказ. Рано утром Юля без всякого трепета натянула на себя грязный спортивный костюм, снятый с трупа, и ушла на заимку, Насте предстояло исполнить роль испуганной бабы, нашедшей раненую.

Никто из участников событий не заподозрил обмана. Настя и Егор с блеском выполнили свои «партии». Юле пришлось предварительно изодрать себе лицо и наставить ссадин на теле. Если бы подобную туфту разыграли в Москве или другом каком-то крупном городе, то и милиция, и врачи мигом заподозрили бы неладное. Но в Кори был только старший сержант Николай Сергеевич, которого местные звали участковым, и несколько малообразованных парней, надевших синюю форму после службы в армии. Никакого опыта в расследовании преступлений местные Шерлоки Холмсы не имели, в Кори не происходило ничего серьезного, случались лишь мелкие кражи и драки. А медицину представляла фельдшерица Антонина, которая чуть не упала в обморок при виде окровавленного лица Юли. Никакого рентгеновского аппарата в медпункте не было, Чупинина протяжно стонала и говорила:

— У меня ребра сломаны.

— Ой, ой, — убивалась Антонина, — точно! По камням волокло. Надо тебя в больницу скорей.

Версия о том, что Соня выпала из лодки до водопада и сумела выплыть, а потом в состоянии шока добралась до избы бирюка и там свалилась, не имея более сил шевелиться, никого не удивила. Жизнь странная штука, выкидывает порой и не такие фортели.

— Ну дела, — ахали бабы, глядя вслед еле живой от старости машине «Скорой помощи», — а помните, как Павлушка Терешкин трехлетним в лесу пропал? Две недели мальчика не было, думали, погиб, а его в Заточном обнаружили, аж за сорок километров отсюда.

— А Катька-то, Катька! — шумели мужики. — Ее при аварии из автобуса на повороте вышвырнуло! И че? Сама домой пришла! Без царапинки, только голос потеряла.

Случай со счастливо спасенной туристкой удачно вписывался в ряд странных происшествий, кроме того, рыдающая в голос Тильда опознала дочь, поцеловала ее и упала в обморок. Женщину и Соню посадили в «рафик» с красным крестом и увезли из Кори, больше их никто не видел. Антонина сказала, что семья Умер от госпитализации отказалась, Тильда все время истерически рыдала, а Соня, сохранившая, несмотря на тяжелые испытания, спокойствие, заявила фельдшерице:

— Ребра ерунда, царапины заживут, лучше мы с мамой сразу домой вернемся, притормозите у вокзала.

— Но так нельзя, — вздумала сопротивляться фельдшерица.

— У нас в Москве есть свой врач, — отбила мяч Соня, — спасибо за помощь.

Разыгравшаяся буря не дала мне возможности улететь домой, пришлось просидеть в Екатеринбурге, в гостинице, четверо суток, ругая погоду.

Вернувшись в Москву, я вошел в кабинет к Норе, увидел там своего лучшего друга Макса Воронова и с некоторой обидой сказал:

— Вы знали!

— О том, что Соня Умер — это Юлия Чупинина? — спокойно спросила хозяйка. — Я догадывалась, и, судя по твоему лицу, оказалась права, рассказывай.

— Ну почему вам в голову пришла мысль о подмене? — спросил я, изложив факты.

Нора посмотрела на Максима, тот кашлянул и тихо ответил:

— Некоторые нестыковки в рассказах людей, странности, выяснившиеся при более детальном погружении в проблему. У Сони Умер имелся сын Марк, так?

— Да, — кивнул я, — из-за него весь сыр-бор и разгорелся, мальчику потребовалось разрешение на выезд, а что, он и правда сын Вяльцева?

Макс покосился на Нору:

— Я расскажу?

— Валяй, — кивнула хозяйка и схватила пачку отвратительных папирос.

Для меня остается загадкой, ну где Элеонора добывает это курево.

— В принципе, — завел Марк, — ты сам все знаешь. Я порылся в архивах и нашел дело Оренбургова-Юрского. Лира, официантка из «Манже», не соврала, она абсолютно точно изложила события. Ее мать пришла в дом Юрского в качестве прислуги, соблазнила хозяина, частая в принципе ситуация, ничего нового в ней нет. Но, на беду, законная жена застала любовников в постели и, не стерпев обиды, в состоянии аффекта выпрыгнула из окна. Алексей Николаевич не слишком долго горевал, он неприлично быстро женился на Варваре, а сына Юру от первого брака отправил подальше с глаз, в Питер. Алексей Николаевич давал на мальчика деньги, вот только видеть его дома не желал. Ребенок вырос и убил родного отца с мачехой. На суде Юрий был предельно откровенен, он не раскаивался в совершенном преступлении. Считал, что Алексей и Варвара понесли заслуженное наказание, из-за них погибла его мать. Суд учел все моральные аспекты дела и отправил убийцу отбывать наказание. Юрий отсидел срок и вышел на свободу еще относительно молодым человеком, можно было начать жизнь сначала. Вместе с Юрием освободился и некий Леонид Дубовик, парень мотал небольшой срок за мошенничество. В бараке койки Юрского и Дубовика стояли рядом, парни частенько строили планы на будущее, у них не было ни родственников, ни денег, но имелось огромное желание пробиться и более никогда не оказываться за решеткой. Юра мечтал стать актером, но он очень хорошо понимал, что только-только отпущенного на свободу зэка не захотят видеть в стенах высшего учебного заведения. По закону отказать в приеме документов не могут, но зарубят на первом же экзамене. У Дубовика особых амбиций не имелось, он мечтал о простых человеческих радостях: обеспеченной жизни, квартире, машине, даче.

Очутившись за воротами зоны, приятели слегка растерялись, им решительно было некуда идти, и тут на помощь пришла судьба. На обочине у проходной стоял небольшой микроавтобус, сидевший за рулем парень воскликнул:

— Эй, братаны, чего жмуритесь? Давайте до вокзала докину!

Леня и Юра сели в машину, водитель оказался болтлив, к тому же он, увидев, как его пассажиры выходят из железных ворот с сумками в руках, мигом понял: перед ним бывшие зэки, и посчитал Дубовика с Юрским за своих.

— И че, пацаны, — гудел он, — страшно там, на нарах?

— Жить везде можно, — уклончиво ответил Юра.

— Но лучше не попадаться, — заржал шофер и представился: — Меня ваще Андрюхой кличут, я к приятелю ездил, передачу носил, и жена, и мать его бросили, суки.

— Такое случается, — вздохнул Дубовик.

— Ща вас у платформы высажу и поеду на новую работу оформляться, — продолжал болтать Андрей.

Юра уставился в окно, он настолько ушел в свои мысли, что пропустил момент аварии, просто услышал удар, а затем пол и крыша машины начали меняться местами.

Очнулся Юрий на траве, кто-то заботливо укрыл бывшего зэка байковым одеялом.

— Повезло тебе, парень, — с явной радостью сказал милиционер, подошедший к севшему Юрскому, — врачи сказали — никаких повреждений. Во как случается: и с зоны откинулся, и не помер в ДТП, свечку в церкви поставь. Остальным не так подфартило.

— Леня! — побелел Юра. — Он...

— Ногу сломал, — пояснил мент, — ща в больницу отвезут, а шофер помер!

Юрий вздрогнул, болтливый водитель ему совершенно не понравился, но смерть только что весело трепавшегося парня поразила.

— Да он бы все равно плохо кончил, — продолжил милиционер, явно заметивший, что Юрский переменился в лице, — пил много, у него родители алкоголики были, похулиганить любил, не сегодня-завтра бы срок получил. Знаем мы этого Вяльцева распрекрасно. Встать сможешь?

Юрий кивнул.

— Там ребята ваши вещи собрали, — продолжал милиционер, — по дороге шмотье разнесло, запихали вместе в две сумки, сами потом разберетесь, где чье.

— А Леню куда отвезут? — спросил Юра.

— В больницу, — прозвучало в ответ, — у него сложный перелом, теперь несколько месяцев лежать будет. И ты с ним поезжай, пусть врачи внимательно поглядят, может, у тебя непорядок с головой, вон как башкой треснулся, шишка растет.

На следующий день Юра сказал Дубовику:

— Выздоравливай, я отправлюсь в Москву, попытаюсь устроиться, а потом вернусь за тобой.

— Юрка, — взмолился Дубовик, — не бросай меня!

— Никогда в жизни, — пообещал приятель и пошел разбирать вещи.

Милиционеры запихнули чужие шмотки в сумки, не заботясь об аккуратности. Юра вытаскивал нехитрый скарб и сортировал его. Свои вещи он укладывал в полосатую сумку, а Лешкины в клетчатую, внезапно в руках Юрского оказалось нечто, похожее на пухлый ежедневник. Юра, никогда прежде не видевший ничего подобного ни у себя, ни у Дубовика, раскрыл находку и удивился еще больше. Внутри лежали паспорт на имя Андрея Вяльцева, военный билет, справка с места жительства, аттестат об окончании средней школы, выписка из медицинской карты и заявление, написанное почерком человека, не часто берущего в руки ручку: «Прошу зачислить меня на должность шофера». Внезапно Юре вспомнились последние слова, сказанные Андреем за секунду до аварии:

— Ща вас у платформы высажу и поеду на новую работу оформляться.

Вяльцев собирался в отдел кадров, вот почему он имел при себе полный комплект документов. Как набор оказался в его вещах, Юра не знал, скорей всего, кто-то из ментов по ошибке засунул его в шмотки только что освободившихся парней, небось потом спохватятся, когда потребуется хоронить труп за госсчет. Юрский решил воспользоваться их оплошностью, в Москву он приехал Вяльцевым. Документы несчастного Андрея никаких сомнений ни у кого не вызывали, более того, отслуживший в армии юноша имел при поступлении льготы. Была лишь одна нестыковка, Вяльцев оказался значительно младше бывшего зэка, но Юра имел невысокий рост, субтильное телосложение и не смотрелся на свой возраст.

Обездолив мальчика в детстве, судьба решила вознаградить бедолагу в зрелые годы, Андрею, теперь станем называть его так, стало везти во всем.

Очутившись в Москве на привокзальной площади, Вяльцев растерялся, слишком много проблем надо было решить одновременно: найти жилье, приобрести мало-мальски сносную одежду, отправиться в институт. Зазевавшись, Андрей толкнул девушку, та упала... Судьба подкинула ему еще один подарок. Соня Умер влюбилась в незнакомца сразу, ее родители приняли парня, а близкая подруга Тильды, Руфь Соломоновна, пристроила Вяльцева в театральный вуз.

— Значит, история с Соней правда? — уточнил я.

— Да, — кивнул Максим, — все, что касается появления Андрея Вяльцева в доме Умер, соответствует действительности. Некоторое время

Андрей пытался изображать примерного супруга, но потом у него стремительно в студенческие годы начинает развиваться карьера, и актер понимает: наличие жены отягощает его жизнь. Вяльцев никогда не любил Соню, он просто не упустил удачно подвернувшийся шанс, получил московскую прописку, удобное жилье и легко проник в театральный мир. Жену он терпел, а вот ребенка не желал совершенно. Соня родила Марка по собственной инициативе, Андрей побоялся настаивать на аборте, он уже тайно ремонтировал новую квартиру и не хотел скандала, думал тихо убежать. Что случится после его исчезновения, он не загадывал.

В конце концов Андрей ушел от Сони. Гордая женщина решительно заявила родителям:

— Его в моей жизни не было!

Отец поддержал дочь:

— Не нужны нам подлецы, сами вырастим Марка, вычеркни подонка из памяти. Как-нибудь придумаем, что ответить на его вопросы про отца!

И Соня стала воспитывать сына одна.

— Ваня, — перебила Максима Нора, — ты не заметил одной неточности.

— Где? — навострил я уши.

— Соня, придя к нам впервые, сообщила, что ее отец скончался давно, буквально через пару лет после ее рождения. А потом мы узнали: Антон погиб, сплавляясь по реке вместе с Сонечкой.

— Действительно, — ахнул я, — зачем она солгала?

— Это объяснимо, — потерла руки Нора, — она не хотела даже намекать о трагедии, но, чтобы ты окончательно понял, что к чему, следует подойти к истории с другой стороны. Тильда Умер, вот о ком пойдет речь.

— А с ней что? — изумился я. — Дама же скончалась!

— Оно так, — согласился Макс, — но нам придется восстановить ее психологический портрет. Тильда была избалована до крайности, сначала ее пестовали родители, затем муж. В семье Умер не Соня, а мать исполняла роль капризного ребенка. Вспомни характеристику, которую дала знакомой Руфь Гиллер: эгоистична, жадна, истерична, вместе с тем сентиментальна, романтична, требовательна к родным и подчеркнуто ласкова с малознакомыми людьми. В первую очередь Тильда думает о себе, а муж и дочь безоглядно обожают ее и потакают всем прихотям. Кстати, Тильда знает правду о Юрии Оренбургове-Юрском.

— Откуда? — подскочил я.

Макс поморщился.

— Андрей сдержал свое слово, он приехал за Леонидом Дубовиком после истории в Кори в больницу и забрал приятеля.

Леня мог пока передвигаться лишь на костылях, и Вяльцев попросил Соню:

— Можно мой лучший друг поживет у нас пару недель? Он окрепнет и снимет квартиру.

Сонечка проявила милосердие, Антон Евгеньевич тоже, а Тильде было все по барабану, в семье имелась домработница, пусть ухаживает за гостем.

Дубовик провел в квартире Умер четырнадцать дней, а потом уехал, Андрей пристроил друга на работу сторожем, фирма дала сотруднику служебную комнату.

Накануне отъезда Лени Андрей устроил проводы. Дома, как казалось Вяльцеву, никого не было, вся семья Умер отправилась в театр. Но Андрей не знал, что Тильда в последний момент отказалась участвовать в культпоходе, пожаловалась на внезапно начавшуюся головную боль и слегла в постель.

Вяльцев и Дубовик устроились на кухне, выпили и повели откровенный разговор.

— Не волнуйся, Лень, — говорил Андрей, — пока сторожем посидишь, а там посмотрим. Я из дерьма вылезу, вот получил приглашение на съемку, может, стану звездой.

— Непременно, — с жаром подхватил Леонид, — ты везунчик. Вон какая пруха пошла, Юрий Оренбургов-Юрский исчез, есть ничем не запятнанный Вяльцев.

Друзья, вспоминая прошлое, допили бутылку, Андрей пошел провожать Леню на новое место жительства, вот только они и предположить не могли, что Тильда слышала их беседу.

— И она не подняла шум? — поразился я. — Не сообщила ни мужу, ни дочери о шокирующей информации? В такое невозможно поверить! Да любая мать...

— Только не Тильда, — прервала меня Элеонора, — ее основной жизненный принцип звучал так: оставьте меня в покое, не лезьте ни с какими проблемами, делайте что хотите. Полнейший пофигизм, помноженный на бескрайний эгоизм. Больше всего Тильда волновалась о себе. Ну расскажет она Соне об обмане, и что? Дочь возмутится, муж тоже, Вяльцеву устроят скандал, начнется развод, еще, не дай бог, раздел квартиры, Тильда лишится покоя. Нет, пусть все идет как шло, авось обойдется как-нибудь. Можно сказать, что именно эта позиция Тильды и спровоцировала те беды, что случились позднее.

— Но Тильда скончалась, — напомнил я.

— Верно, — согласился Макс. — Очень часто бывает, что сегодня человек посеет семена и уйдет на тот свет, а завтра растения поднимутся и дадут плоды.

Глава 32

— На момент, когда события начали сплетаться в плотный клубок, ситуация выглядела так, — продолжала Нора. — Соня Умер сидит дома, воспитывает обожаемого Марка. Андрей Вяльцев стремительно становится звездой. Актер предпочитает помалкивать о своей частной жизни, он потом заведет себе любовницу Марину, но отношения с ней построит по тому же принципу, что и с Соней: полнейшая таинственность. Но Марина побойчее Сони, впрочем, об этой ситуации чуть позднее. А еще в Москве случилась трагедия, журналистка Юлия Чупинина, выступавшая в желтой прессе под псевдонимом Рольф, фактически убила трех людей режиссера Анчарова, его молодую жену Свету и ребенка-инвалида Левушку. Чупининой коллеги-борзописцы объявили бойкот, и она вынуждена была временно уехать из Москвы — ей все равно житья в столице не было.

Итак, в маленьком местечке Корь завязывается первое действие. Антон и Соня Умер приезжают покататься на байдарках. Тильда, естественно, остается дома, маленького Марка пасет няня. Антон Евгеньевич гибнет в водопаде, а Соня, выпавшая из лодки, ухитряется доплыть до берега, выбраться и... скончаться уже на суше. В это же время домой тайно возвращается Юлия Чупинина. Понятно?

— Да, — кивнул я, — она уговорила Тильду признать ее своей дочерью.

— Верно, — согласилась Нора, — Тильда находится в ужасе, погибли все содержавшие ее люди, финансовой помощи ждать неоткуда, как ей жить? На что? А тут возникает Юлия с обещанием лелеять Тилю всего лишь за небольшое одолжение: следует объявить ее дочь Соню живой и выдать Юлю за нее.

— Страшная женщина, — воскликнул я.

— Тильда? — усмехнулся Макс. — Знаешь, Ваня, кое-кто, родив ребенка, является для него абсолютно чужим человеком.

— Обе хороши, — уточнил я, — и Тильда, и Юлия.

— Они похожи, — констатировала Нора, — только Чупинина активная эгоистка, а Тильда пассивная.

— Как они не испугались, что обман раскроется, — недоумевал я.

Нора вновь схватилась за сигареты.

— Чупинина идеально срежиссировала спектакль. У Тильды подруг нет, кроме Гиллер, но они не общаются, у Сони была лишь одна близкая ей женщина, Олеся Реутова, но ее после возвращения дам из Кори не пускают в дом. Тильда сообщает сослуживцам мужа, что похороны Антона состоялись в Кори, якобы не имелось финансовых возможностей вести тело в столицу, а Соня в клинике. Олеся безуспешно пытается добраться до подруги, потом уезжает с мужем в

Германию, она, правда, иногда бывает в Москве, но Умер не звонит, поняла, что с ней не желают иметь дело.

Юля красит волосы, делает ринопластику, изменяет разрез глаз и колет под скулы гель. В результате этих процедур она делается намного моложе и совершенно непохожей на Чупинину. Кстати, учти, Соня ведь никогда не работала, а последние годы она плотно занималась малышом, у покойной не было знакомых, способных сказать: это не Соня.

— Марку меняют няню, — вступил в разговор Максим, — и обе госпожи Умер начинают новую жизнь. Соня-Юля сдает свою квартиру за хорошие деньги, паспорт на имя Чупининой лежит в тумбочке, она имеет право распоряжаться принадлежащей ей жилплощадью. Под личиной Сони Юлия устраивается на работу в непопулярный журнал и начинает осторожно пописывать статейки. Она потихоньку смелеет, когда понимает, что сенсация с Анчаровым забыта. Конечно, фамилия Чупинина вновь вызовет бурю эмоций, но надо просто подождать, лет через пять история окончательно порастет быльем. Юля смелеет, начинает ходить на тусовки, пару раз сталкивается с бывшими коллегами, но они ее не узнают. Соня-Юля тихо радуется, и ее материалы становятся хлесткими, Чупинина теперь уверена — под новой личиной ей можно все.

— Наша журналистка не учла лишь одного, — вдруг перебил Элеонору Макс, — в Москве есть люди, жаждущие во что бы то ни стало отомстить Юлии. Да, журналистку нельзя отдать под суд, в ее очерке, посвященном Анчарову, не было ни одного слова неправды: Константин

Львович и доносы писал, и на собственной дочке женился. Но есть ведь и другой суд, божий! Правда, не все люди готовы ждать, пока господь вспомнит о справедливости. Константин Львович Анчаров был удивительным человеком, его обожали и бывшая жена, и дочери, и воспитанница. Более того, любовь женщин распространилась и на Свету, и на Левушку. После гибели семьи женщины Анчарова поклялись отомстить Чупининой, но Юля ухитрилась скрыться.

Максим замолчал, потом продолжил:

— Я уже не раз говорил, что богиня судьбы любит порой поиграть с людьми, как кошка с мышью, а еще она частенько устраивает парные случаи.

— Ты о чем? — не понял я.

— Юрий случайно получил документы Андрея Вяльцева, погибшего вследствие аварии, — пояснил друг, — вон когда был завязан первый узел, а затем, спустя долгое время, Юлия Чупинина присвоила паспорт Сони Умер, скончавшейся от несчастного случая. Судьба совершила одинаковый поворот и соединила вместе двух людей, которые абсолютно ничего не знали о похожести своих судеб. Вернее, не знал Андрей, но давай по порядку.

Родственники Анчарова ищут Чупинину, Руфь Соломоновна Гиллер в курсе затеваемой акции. Гиллер чувствует себя очень виноватой, она, зная тайну рождения Светы, ни словом не обмолвилась о ней девочке и невольно спровоцировала трагедию. Руфь надеялась, что никто никогда не узнает истину, даже сам Константин Львович не имел понятия о том, что Елизавета Раскина родила от него ребенка. Гиллер рассуждала просто:

все уже случилось, свадьба состоялась, ребенок вот-вот появится на свет, надо молчать, от правды будет хуже всем. Да и известна эта правда только Руфи Соломоновне, а она умеет держать язык за зубами.

И тут статья, скандал, ужас, самоубийство Светы, смерть Левушки, кончина Константина Львовича. Понимаете, с какой силой Руфь ненавидела Юлию?

Искали Чупинину тщательно, но безрезультатно, девка словно в воду канула. Удача, как всегда, пришла случайно.

Руфи позвонила ее старинная приятельница Тильда.

— Тиля! — обрадовалась Гиллер. — Сколько мы с тобой не общались? Как Соня? Она уже, конечно, оправилась от того происшествия? Куда ты пропала?

— Ужасно, — еле слышно прошептала Тильда, — Руфичка, помоги!

— Что стряслось? — озадачилась Гиллер.

— Можешь приехать ко мне в больницу?

— Сейчас?

— Да, другой возможности не будет, — сипела Тильда, — Соня уехала на три дня в Питер, а я, боюсь, не проживу и дня. Умоляю, Руфинька, ты одна на всем свете у меня осталась.

Гиллер спешно оделась и велела водителю доставить ее в клинику. Разговор с Тильдой получился ошеломительно подробным и длинным. Тильда покаялась во всех грехах, начала с истории Вяльцева, поведала о его судимости и жизни под чужим именем, затем открыла тайну Юлии.

Пару раз Руфи Соломоновне казалось, что она сейчас потеряет сознание. Столь долго разыскиваемый враг оказался в самой непосредственной близости. С другой стороны, после трагедии в Кори Тильда свела на нет общение с Гиллер, она не приглашала Руфь в гости, не звонила ей, лишь предупредила подругу:

— Соня сильно изуродовала лицо, пришлось потратить огромную сумму на пластику, я теперь вздрагиваю, когда вижу дочь, так ее изменили, это просто другой человек. Если увидишь Соню — не удивляйся, это ее обижает.

Но встреча так и не произошла.

— И зачем ты мне все рассказала? — промямлила Гиллер.

Тиля заморгала.

— Юлия вела себя по отношению ко мне честно, видишь, оплатила отдельную палату, но... я понимаю, жить мне осталось часы! Очень хочу памятник!

— Памятник? — эхом повторила обескураженная Руфь.

— Да, да, — закивала Тильда, — самый шикарный, вот картинка, я вырезала из журнала, белый итальянский мрамор, фигура ангела и надпись «Скорби, человечество, лучшие уходят».

— Плохо пока понимаю твою проблему, — пробубнила Гиллер.

— Я умру, а Юля надгробие не сделает, — заплакала Тильда, — зароет меня быстренько и забудет. Вот если ты придешь и скажешь: «Я знаю все про Чупинину, немедленно закажи ангела для Тильды», ей будет некуда деваться. Ладно? Пообещай, Руфичка! Это моя последняя просьба.

Гиллер, находясь в состоянии шока, кивнула.

Тильда была верна себе. Она ни на секунду не вспомнила о маленьком Марке, который был никем для Чупининой. Нет, добрая бабушка беспокоилась лишь о шикарном памятнике для себя.

В тот же день Руфь сообщила все родственницам Анчарова, те начали тщательную проверку сведений и убедились: Тильда не соврала, сказала правду, по крайней мере про Вяльцева, а нынешняя Соня Умер совсем не похожа на прежнюю, и дело явно не в пластической операции. Теперь предстояло наказать журналистку, на семейном совете ее решили убить.

Я вздрогнул.

— Убить!

— Именно так, — подтвердила Нора, — кстати, помнишь, я говорила о некоторых зацепках, которые портили картину?

— Да, — кивнул я.

— Первая из них — мальчик Марк, — продолжила Элеонора, — пока ты выполнял одни задания, мы с Максом работали в других направлениях. Кое-что, мягко говоря, удивляло. То, что Соня не Соня, я заподозрила, узнав о том, какова судьба ребенка. После смерти Тили его отправили на постоянное жительство в детский санаторий, якобы у малыша обнаружились проблемы с сердцем. Только врачи установили, что кроха здоров, мать оплатила его пребывание и не показывается в медицинском учреждении. Соня заявилась к нам под предлогом получения разрешения на выезд сына, однако Марка никто не собирался забирать из казенного места.

— Зачем Чупинина устроила этот спектакль? — воскликнул я.

Марк и Нора переглянулись.

— Ваня, ты не понял, — горько сказала Элеонора, — к нам приехала не Соня Умер, она же

Чупинина. Та уже была мертва. Родственницы Анчарова, его дочери, Катерина и Вероника, воспитанница Наташа вместе с Руфью накануне прибыли к Умер поздно вечером, бывшая жена Константина Львовича умерла, не дождавшись часа мести. Сначала они связали Чупинину, потом зачитали ей приговор, объяснили, по какой причине убивают ее, и вкололи яд.

— Но... лицо... — забормотал я.

— Его специально изуродовали, — добавил Максим, — вообще, когда преступник с немотивированной жестокостью превращает лицо жертвы в кашу, в первую очередь подозреваешь, что он пытается затруднить процесс опознания тела. Анчаровы и Гиллер не хотели тревожить память несчастных Светы, Левушки и Константина Львовича, не желали новых публикаций в газетах, очередного вопля желтой прессы, вот потому и решили закамуфлировать причину убийства.

— Они поступили просто, — перебила Воронова Нора, — подставили Вяльцева. За пару дней до гибели Умер-Чупининой со мной об интервью договорилась Катерина, старшая дочь Анчарова. Смотри, как все странно складывалось. В разгар интервью появляется «Соня», ее роль весьма успешно исполняет младшая дочь Анчарова Вероника, она актриса, ее амплуа — травести. Знаешь, кто это?

— Да, — ответил я, — женщина, которая всю жизнь изображает на сцене детей, мальчиков и девочек.

— Верно, — кивнула Нора, — Вероника в гриме, она ловко обводит нас вокруг пальца, а Катерина нагло присутствует при разговоре, да еще Вероника пред нами выкладывают историю про таинственные смерти женщин семьи Умер на пороге тридцатилетия, горы вранья, но цель достигнута. Иван Павлович едет к Вяльцеву и просит его о нотариальном разрешении на выезд сына. Отправляя Подушкина к Вяльцеву, дочки Анчарова преследуют две цели. Первая — Андрей взбесится, услыхав о желании Сони, и выгонит детектива со скандалом. Второе — Иван Павлович непременно увидит брелок и потом, когда убитую Умер обнаружат, заявит в милиции: «Артист потерял голову от злости, а еще я обратил внимание на уродливую безделушку на его джинсах».

А в пальцы убитой Сони-Юли уже вложена копия эмалированного пениса. Только женщины просчитались, они приобрели брелок в серебре, а у Вяльцева он в золоте. И это не единственный их прокол. Хоть Анчаровы и ставят на кухне два мощных обогревателя, специалисты вычислили примерное время смерти Юли по личинкам, которые...

— Можно без подробностей? — борясь с тошнотой, попросил я.

Макс кивнул:

— Ладно, только все равно у меня возник вопрос. Вяльцев убил, чтобы не потерять имидж и, как потом выяснилось, желая скрыть правду про свое прошлое. Но зачем тогда хитрость с обогревателями? Их явно включил преступник, на улице еще тепло, маловероятно, что хозяйке нравилось жить в бане! Вот так одна мелочь цеплялась за другую!

Мстительницам везет. Дело в том, что в жизни Вяльцева случилась беда, о которой никто не подозревает. Его находит сводная сестра, опознает Юрия по изуродованной ноге и отсутствующему на ней большому пальцу. Лира мечтает отомстить за смерть отца и матери, в конце концов она отправляет Вяльцеву письмо. Почтой Андрея ведает Дубовик. Леонид давно стал секретарем звезды, он избавляет друга от всех проблем, начиная бытовыми и заканчивая творческими. Леня читает послание и немедля показывает его патрону, Андрей в ужасе. Он боится потерять любовь публики и немалые гонорары, зарабатываемые на съемках. Правда об Оренбургове-Юрском способна уничтожить актера Вяльцева.

— Что делать? — заламывает руки Андрей. — Нам конец!

— Спокуха, — отвечает Леонид, — я все беру на себя! Не боись!

Дубовик задумал решить проблему просто, он договаривается с одним из бомжей об убийстве Лиры.

— Вывернешь в подъезде лампочку, притаишься под лестницей, действовать придется в темноте. Девка войдет первой, когда она приблизится к ступенькам, лупи ее по голове, да посильней!

Маргинал соглашается, но Лира, нутром почуяв опасность, вместо того чтобы направиться вперед, прижимается к стене, затаив дыхание, через пару секунд внутрь входит Дубовик, он думает, что Лира уже мертва.

И тут бомж убивает заказчика, в темноте он не разобрал, на чью голову обрушил страшный удар, действовал по договоренности, лупил первого, приблизившегося к ступенькам. Потом он светит фонариком на тело, осознает ошибку и грабит Дубовика. Лире удается убежать.

Андрей узнает о смерти Лени, и его охватывает паника. Он в курсе планов приятеля и понимает, что Лира по какой-то причине осталась жива. Более того, Дубовика нет, погиб лучший друг.

И тут заявляется господин Подушкин с просьбой о разрешении на выезд Марка, сына, о котором Вяльцев не желал вспоминать. Есть от чего взбеситься и потерять остатки самообладания.

Но дочери Анчарова не знают об этой истории, они вообще-то хотели поднять шум через день, даже разработали план, как сообщить в милицию об убийстве Умер, но тут Иван Павлович приезжает к Соне домой, и все устраивается просто замечательно.

Как и было задумано, у Андрея на тусовке срезают талисман, и пожалуйста — западня захлопывается. Есть маленький нюанс: Соня-Юля убита и эмалированный фаллос в ее пальцах, а у Андрея талисман крадут позднее. Это все из-за Ивана Павловича, он непременно должен увидеть идиотский прибамбас и запомнить его, но Катерина и Вероника надеются, что маленькая нестыковка пройдет незамеченной. И снова ошибаются. По их плану милиционеры должны сообразить: Андрей, «убив» Соню, едет на тусовку и гуляет там, якобы пытаясь организовать себе алиби.

Вероника в самом начале вечеринки ухитряется украсть брелок и уехать, но одна из официанток, обслуживавших гостей, вспомнила, как ее покоробил Андрей Вяльцев, заявившийся в зал пьяным и с украшением в виде эмалированного пениса. Вот она — основная нестыковка, брелок уже у убитой, но он одновременно на брюках Вяльцева. Но дочери Анчарова и Гиллер об этом не знают, зато они в курсе, что дело о смерти Умер попало на стол к лучшему другу Подушкина, который прибыл на место происшествия по просьбе Норы, и начинают изо всех сил подбрасывать поленья в костер.

На сцене появляется Олеся Реутова, вернее, Вероника, которая теперь блестяще исполняет роль лучшей подруги Сони.

Глава 33

Нора остановилась.

— Помнишь, я спросила тебя о ее внешнем виде?

Я, ошеломленный услышанным, кивнул:

— Да, я еще изумился, когда вы начали расспрашивать меня о ее одежде.

Нора прищурилась.

— Понимаешь, меня удивила одна вещь.

— Какая? — заинтересовался Макс.

— Вероника очень хорошая актриса, — задумчиво протянула Нора, — роль Сони Умер она исполнила филигранно и совершенно неузнаваемой оказалась под личиной Олеси Реутовой. Можно придраться лишь к одной детальке: у лучшей подруги Сони слишком большой бюст, Веронике следовало прицепить себе третий, а не пятый размер, но, с другой стороны, мы с Иваном Павловичем обратили внимание на весьма щедрое содержимое бюстгальтера и невольно отвлеклись от лица.

— Хитро, — кивнул Максим.

— Слушай дальше, — махнула рукой Нора, — меня смутили ее туфли. На фальшивой Реутовой красовались лодочки на очень высокой платформе, я даже специально уронила на пол нож для разрезания бумаги, думала, Ваня наклонится, чтобы поднять его, и тоже приметит модные баретки. Большинство женщин отлично знает: платформа, при всей своей массивности и кажущейся устойчивости, на самом деле очень неудобная и травматичная вещь. Даже модели, приученные щеголять в любой одежде и легко бегающие на каблучищах, частенько падают на «языке», пытаясь шагать по нему в туфельках на здоровенной платформе. К тому же сумочка Олеси из белой кожи с красными вставками абсолютно не сочеталась с черными лодочками. Элегантная, безупречно одетая Реутова проявила явное дурновкусие при подборе обуви. Почему? Такая женщина должна быть внимательна к туфлям. И поразмыслив, я поняла, почему Олеся допустила ляп. Белые туфли, которые следовало надеть к сумке, сразу прикуют к себе внимание, гигантская платформа будет заметна, а на черной обуви можно и не увидеть утолщенной подошвы. Слишком яркая и дорогая сумка выполняла ту же роль, что и поролоновый бюст, детективы должны были разглядывать аксессуар, а не лицо девушки, платформа нужна, чтобы Реутова казалась выше ростом, напомню, что Вероника крохотная. Нет, они все продумали, а я, отметив краем глаза некую безвкусицу в наряде, отбросила глупые мысли. Ваня, знаешь, зачем к нам приходила Реутова?

— Сообщить об усыновлении Марка, — растерянно ответил я.

— Нет, — тяжело вздохнула Нора, — судьба мальчика никого не волнует, он по-прежнему находится в подмосковном санатории, куда его отправила Соня-Юля, чтобы избавиться от ребенка. Олесе надо было сообщить нам о звонке Сони, убедить детективов, что госпожа Умер была жива в тот момент, когда Иван Павлович посетил Вяльцева. Олеся рассказывает, как актер звонил бывшей жене, оскорблял ее, обещал убить!

— Я проверил, — влез в разговор Макс, — Реутова не покидала Германию.

— Однако глупо так врать! — воскликнул я.

Макс развел руками.

— Они тщательно подготовили убийство и просчитались на мелочах, обычная в принципе ситуация.

— Они полагали, что их не станут проверять, — подхватила Нора, — знали, что делом занимается Максим, а он наш лучший друг, значит, воспримет информацию от Ивана Павловича как абсолютно достоверную. Я же говорила про мелкие зацепки, больше всего напортачила Руфь. В ее задачу входило сообщить господину Подушкину о прошлом Вяльцева. У следствия должна была возникнуть железная уверенность: актер убил Соню Умер, у него для совершения преступления имелись все основания. Первая: страх потерять славу мачо-любовника, о котором грезят сотни тысяч женщин, и ужас разоблачения.

Руфь, великолепная актриса, роль она сыграла замечательно, сведения выдавала порционно, она же не знала, что Иван Павлович уже слышал историю про Оренбургова-Юрского. Подушкин был просто обязан после беседы с Гиллер помчаться к Максу и заорать:

— Понимаю теперь, зачем Вяльцев уничтожил несчастную! Она могла разболтать о его прошлом!

— Но Соня ничего не слышала об Оренбургове-Юрском! — напомнил я.

— Верно, только никто не подозревал, что она этого не знала, — объяснил Максим, — Соня-то скончалась. В пылу разговора произнося написанный дочерьми Анчарова текст, Гиллер совершает ошибку, бросает фразу: «За час до смерти Соня позвонила мне». А откуда Гиллер известно время ее кончины? Газеты не писали о нем, кто сообщил актрисе такую подробность? Мелкая оговорка, и Руфь легко может объяснить ее, сказав, что это просто игра слов.

Только маленькие шероховатости суммируются, главное, их вовремя заметить. Еще у Гиллер от вопроса Ивана Павловича про Анчарова сдают нервы. Преступницы очень не хотят, чтобы правда выплыла наружу, их беспокоит не столько собственная судьба, как то, что покой умерших Константина Львовича, Левушки и Светы будет нарушен. Катя, Вероника, Наташа и Гиллер сделали все, чтобы следствие признало виновным Вяльцева и не беспокоило память Анчаровых. И вдруг Иван Павлович сапогом лезет в рану. Руфь не сумела справиться с волнением и наделала глупостей. Для начала она крайне нелепо принимается отрицать факт знакомства с Константином Львовичем. Эта часть беседы не была ею заучена, как роль, поэтому речь дамы становится сбивчивой, путаной. Как многие актеры, она великолепно справляется с заранее поставленной задачей, но импровизация — это особый дар, и госпожа Гиллер им не обладает. Желая выглядеть естественно, Руфь забалтывается, замолкает и ни с того ни с сего накидывается на домработницу. Повод достойный, Маша подала закуску не на овальном, а на круглом блюде. Больше всего на свете Руфь хочет избавиться от слишком въедливого Ивана Павловича. Господину Подушкину уже сообщили все подробности о Вяльцеве, сотруднику агентства «Ниро» пора на большой скорости нестись к следователю Максиму Воронову и сообщать тому поразительную новость о прошлом Андрея Вяльцева, но Иван Павлович отчего-то не спешит, прицепился, как репей, с беседой об Анчарове. И Руфь Соломоновна идет проторенным путем, она закатывает прислуге скандал, а потом, ссылаясь на мигрень, попросту выставляет назойливого посетителя вон.

Вроде все обошлось, но Гиллер не знает, что прислуга Маша собирается замуж. С одной стороны, домработницу достали постоянные истерики, которые закатывает ей хозяйка, с другой — Маша испытывает страх. Дочери Анчарова обсуждали свои планы в квартире Гиллер, Машу всегда отсылали прочь, но горничная совсем не глупа, она кое-что слышит, кое-что видит, кое-что понимает и пугается. А ну как хозяйку арестуют, и Машу вместе с ней? Докажи потом, что ты не верблюд, ничего не знала и никакого участия в преступлении не принимала. И Маша решает заработать индульгенцию, подслушивает беседу Руфи с Иваном Павловичем и бежит за Подушкиным на улицу. Ушлая баба ухитряется убить одновременно двух зайцев: она получает от него деньги и внушает «агенту» мысль о своей непричастности к произошедшей беде. Маша корчит из себя полнейшую идиотку, активно давая понять: с такой дурой связываться не станут, ее никогда не возьмут в сообщницы.

— У нее здорово получилось, — вздохнул я, — лишь в самом конце разговора она внезапно заговорила как нормальная женщина, но тут же осеклась и убежала.

— Положение осложнялось молчанием Вяльцева, — вздохнул Макс, — Андрей ни слова не произнес, сидел словно статуя. Лишь один раз вымолвил: «Я не виноват», и все.

— Неужели он настолько суеверен? — поразился я. — Марина отлично сумела задурить голову любовнику сказками про буддистского монаха и амулет.

Нора скривилась.

— Она и нам нагородила лжи. Никакого ювелира, делающего эксклюзивные талисманы, в природе нет. Идиотское украшение продается совершенно свободно в магазине на окраине Москвы, только люди не спешат приобретать «сувенирчик», уж очень он противный.

— Почему же Марина твердила про неделю ожидания, отчего сразу не помчалась за новым брелоком? — спросил я. — Понимаю ее желание привязать Андрея к своей юбке, не отпустить его в поездку, но, когда Вяльцева задержали, шутки закончились. Марина была уверена, что любовник молчит, боясь не вернуть талисман, но речь шла о свободе актера и о его добром имени. Следовало немедля гнать в магазин и приобретать новый амулет.

Нора кивнула.

— Точно, и она это проделала, помчалась в лавочку, но там были только поделки в СЕРЕБРЯНОЙ рамке, а Марина в отличие от сестер Анчаровых, оказавшихся невнимательными, расчудесно знает, что талисман Вяльцева обрамлен в золото. Ей пообещали привезти такой же через неделю, вот девица и бросилась в «Ниро», она хотела спасти любовника, прочла в газете, что делом заняты сотрудники этой конторы.

— Почему Марина не пошла к Воронову, — недоумевал я, — и не рассказала правду?

— Она боялась, — пояснил Макс, — Андрей тогда бы непременно узнал истину: никакого буддистского монаха нет, Вяльцева водили за нос, а актер и впрямь очень суеверен. Может, тут сыграло роль то, что получение брелока совпало с окончанием периода простоя и приглашением в новый сериал? Не знаю, но молчал все же Андрей не из желания вернуть амулет, он до дрожи испугался и не знал, как себя вести. Выплывет ли история с заменой документов? Вдруг милиция узнает, что Дубовик погиб от руки им же нанятого киллера, а не грабителя, выяснится ли, что Андрей вместе с секретарем планировал смерть Лиры? Было из-за чего потерять голову. Вот Вяльцев и принял решение молчать, он уже имел за плечами немалый срок и очень хорошо знал: сначала следователь попытается расколоть его, может, даже надает по морде, но в конце концов устанет и произойдет что-то хорошее для Вяльцева, ведь все самое плохое с ним уже случилось. Лучше не произносить ни слова, все сказанное можно использовать против задержанного. А еще Вяльцев понимал, что его в связи с недостаточностью улик и недоказанностью совершения противоправных действий обязаны отпустить. Следствие пойдет своим чередом, но Вяльцев будет дома, под подпиской о невыезде, и вот тогда он обратится к лучшему адвокату. Повторюсь, у Андрея уголовное прошлое, и он знает: если не хочешь сделать себе хуже, молчи.

— Откуда Анчаровы узнали, что брелок играет столь важную роль в жизни Вяльцева? — спросил я.

— А они ничего и не знали, — хмыкнул Макс, — эпатажное украшение актер постоянно носил на поясе, любой человек, мало-мальски знакомый с Андреем, увидев эмалированный пенис, тут же воскликнет:

— Прикол принадлежит Вяльцеву.

Анчаровы просто выбрали вещь, которая послужит стопроцентной уликой против героя-любовника.

— А зачем Катерина под фамилией Фукс опубликовала статью в бульварном издании? — не успокаивался я.

Нора порылась в пачке с сигаретами.

— Ну это просто! Хотела затеять скандал, топила Вяльцева.

— Как мстительны женщины, — вздохнул я.

— С бабами лучше не иметь дело, — отозвался Макс.

— Они хотели справедливости, — вскинулась Нора. — Чупинину никто не наказал, сестер Анчаровых можно понять!

Я отвернулся к окну, с Элеонорой лучше не спорить, она будет отстаивать свою позицию до конца, но лично мне кажется, что суд Линча не лучшее решение проблем.

Эпилог

Сестрам Анчаровым пришлось пережить много неприятных часов. Мало того, что их план сделать ответственным за убийство Вяльцева сорвался, так еще журналюги вновь вытащили на свет историю Константина Львовича. Газеты опять, как и несколько лет назад, со смаком писали о доносчике с кличкой Станиславский, об инцесте, кончине Светы и убитом матерью Левушке. Но теперь писаки узнали и другие подробности, кто-то из сотрудников милиции «слил» информацию, и на страницы выплеснулась история про убийство Антона и Варвары Оренбурговых-Юрских. Лира перестала прятаться у подруги, она стихийно превратилась в звезду телеэкрана, только ленивый ведущий забывал позвать ее в шоу и задать ставший уже традиционным вопрос:

— Расскажите о своем детстве и о зловещей роли, которую сыграл в вашей судьбе актер, известный нам всем как Андрей Вяльцев.

Доказать причастность актера к убийству Дубовика не удалось, несмотря на то что бомжа, согласившегося исполнить роль киллера, нашли. Макс понимал, что Леонид никогда бы не решился на подобный шаг без договоренности с лучшим другом, но прямых улик не было. Заявление Лиры о том, что он хотел от нее избавиться, — просто слова, ее частное мнение.

Срок за убийство отца и мачехи Андрей-Юрий отсидел, вышел на свободу, так сказать, с чистой совестью. Единственное, что можно было ему инкриминировать, — это жизнь по чужим документам. И если вы полагаете, что карьера Вяльцева после столь неприятных событий рухнула, то ошибаетесь. Новый пресс-секретарь актера оказался ушлым парнем, нашел контакт с журналистами, и те начали строчить статьи, в которых Вяльцев представал несчастным человеком, сиротой при живом отце. Вслед за читателями бульварной прессы слезами умылись и зрители, на экраны выпустили спешно снятый фильм, где Вяльцев изображал самого себя. Играл он хорошо, с подлинным надрывом, а рекламная кампания ленты проходила под слоганом «Подлинная история отверженного отцом». Рейтинг Вяльцева не пошатнулся, совсем наоборот, он стремительно рванул вверх. Если бы всей этой истории в действительности не было, ее следовало бы выдумать, теперь Вяльцев самый желаемый гость на тусовках и одно из первых лиц светской хроники.

Руфь Гиллер с истинным блеском сыграла свою последнюю роль.

— Да, — гордо вскинув безупречно причесанную голову, твердила она, — девочки действовали по моей указке, они думали, что мы репетируем новый спектакль.

— Пьесу? — засмеялся Максим, услышав нелепую ложь в первый раз.

— Точно, — не дрогнула Руфь Соломоновна, — ничего страшного или смешного в моем объяснении нет, вы далеки от сцены, вот и не знаете, что есть методика под названием «диалог с простаком». Актер подходит к абсолютно незнакомому человеку и начинает играть роль. Это позволяет избавиться от скованности и учит импровизации. Веронике следовало уходить от амплуа травести, и я решила обучить ее новым приемам, ее приход к Элеоноре сначала в образе Сони Умер, а потом под личиной Олеси Реутовой всего лишь маленький розыгрыш.

— Но Вероника уже во всем призналась, — напомнил Макс, — и Катерина тоже. Да и воспитанница Анчарова, Наташа, которая участвовала в деле лишь на стадии непосредственно убийства, не стала запираться.

Руфь Соломоновна моментально изменила тактику поведения.

— Да, — кивнула она, — сейчас я расскажу все правду, одну правду, ничего кроме правды. Я придумала сценарий и распределила роли. Катерина журналистка, она пишет во многих изданиях, поэтому легко могла опубликовать любую статью и не вызвать подозрений, придя на интервью в «Ниро». Катя умеет себя вести во время разговора с объектом, никаких ляпов не допускает. Вероника великолепная актриса, ей по плечу изобразить любые эмоции, гены отца, великого режиссера Анчарова, кстати, он мог быть замечательным трагиком, достались Никочке в полном объеме. А Наташа психолог и работает, между прочим, в структуре, которая тесно связана с МВД. Наташенька осуществляла поиск Юлии Чупининой, а еще она подсказала некоторые ходы, ну, допустим, визит Кати к Элеоноре. Наташа сказала:

«Хозяйка «Ниро» тщеславный человек, она непременно клюнет на журналистку, которая захочет сделать с ней интервью в гламурном журнале. Кате нужно вести себя нагло, как поступают многие писаки, тогда Элеонора не удивится желанию корреспондентки поприсутствовать при разговоре с клиенткой. А вместе дочки Анчарова легко обведут Нору и ее секретаря вокруг пальца. Главное, замутить историю, далее все покатит само».

Но Катя, Вероника и Наташа являлись лишь моими помощницами, и они никого не убивали! Юлию лишила жизни я! Недрогнувшей рукой я ввела ей яд. И не спрашивайте, где я его достала! Никогда не расскажу.

— Пусть так, — устало согласился Макс, — но зачем тогда на квартиру к Умер вы пришли всей компанией? В дверь позвонила Катя, которая за день до убийства договорилась с жертвой о встрече, сообщила о желании взять ее на работу в свой новый журнал главным редактором, и...

— Мы ее судили, — торжественно объявила Руфь. — Действовали по принципу: я — судья, Катя и Вероника — заседатели, Наташа — прокурор! Привязали гадину к стулу и объяснили ей, по какой причине приводим приговор в исполнение, соблюли должный порядок.

— У обвиняемого бывает еще и адвокат, — только и сумел произнести Макс.

Руфь вскинула подбородок.

— Ей он был не нужен! Кого защищать? Женщину, которая убила двух взрослых людей и несчастного Левушку? Мерзавку, велевшую закопать в яму без положенного обряда Сонечку? Дрянь, сдавшую Марка в приют? Нет, она понесла заслуженное наказание, я не раскаиваюсь ни на секунду и делаю заявление: все придумала и исполнила я лично. Анчаровых и Наташу вовлекла в игру обманом, запугала их, заставила силой. Больше ничего не скажу!

И замолчала.

Суд над Гиллер и другими участницами убийства Чупининой затянулся, заседание постоянно откладывается из-за болезни Руфи Соломоновны, и я пока не знаю, как завершится драма. Лично у меня в душе полнейшее смятение, с одной стороны, я понимаю, что суд Линча противен интеллигентному человеку и в правовом государстве должны быть пресечены любые попытки граждан самовольно наказать своего обидчика. С другой... мне очень жаль Руфь и ее подельниц, а личность Юлии Чупининой вызывает гадливость. Конечно, хорошо, когда в стране есть свобода слова, но плохо, если она превращается в прилюдную стирку нижнего белья человека, пусть даже и совершившего неприглядные поступки. Но не мне решать, какой должна быть этика журналиста и имеет ли право называться корреспондентом такой человек, как Юлия Чупинина: пакостница, использующая страницы газет для выплескивания найденной грязи, литературный киллер. Назовите ее как угодно, только не употребляйте слова «порядочный человек».

Марка из санатория забрала настоящая Олеся Реутова, спешно прилетевшая из Германии, мальчик будет воспитываться в ее семье.

Нора по-прежнему руководит «Ниро». Я исполняю обязанности секретаря, посыльного, следователя и оперативника, Монти так и не женился, но Деля не оставляет надежд пристроить его в хорошие руки. Не прошло и месяца после нашей с ней беседы, как свекровь Николетты объявила, что имеет ядро метеорита, и сослалась на меня, вручившего ей раритет. Можно, я не стану рассказывать о реакции моей маменьки и о том, в какой восторг впали «Желтуха», «Клубничка» и «Треп», описывая полномасштабную войну, затеянную дамами? Меня Николетта обвинила в предательстве и... но об этом в следующий раз.

Сегодня днем, в районе трех часов, я приехал во двор, вылез из машины и пошел к подъезду.

— Папочка, — раздался звонкий голос, — папуся!

Я, естественно, не обратил никакого внимания на крик и устремился вперед, предвкушая чай, который сейчас заварю сам. Ленка, домработница Норы, не способна даже на такое элементарное действие.

— Папуся, — зазвенел в непосредственной близости голос, и чья-то цепкая ручонка вцепилась мне в ладонь.

Я обернулся и увидел Люсеньку, дочь соседа Евгения.

— Папочка, — заорала она, — зову, зову тебя, а ты не останавливаешься!

— Люся... — начал было я, но ребенок сделал

круглые глаза и лихорадочно зашептал: — Дядя Ваня, спасите!

— Что такое?

— Вон там, на скамейке, сидит Раиска, моя классная, она же училка по русскому! Явилась поговорить с родителями! Слава богу, бабка Лида в парикмахерскую утопала, а папка раньше полуночи не придет. Выручайте!

— Но как?

— Скажите, что вы мой отец!

— Это невозможно.

— Почему?

— Я не похож на Евгения.

— Райка папу никогда не видела.

— Нет, нет, и не проси! — сказал я.

— Дядя-я-я Ва-а-а-аня! — протянула Люсенька.

Большая прозрачная слеза вытекла из правого глаза хитрюги и поползла по круглой щечке. Я, очень хорошо понимая, что стал объектом манипуляций, не смог справиться с собой и тихо сказал:

— Ладно, но, если Раиса Ивановна что-то заподозрит, вся ответственность ляжет на тебя.

— Папа пришел! — истошно завопила Люсенька, сделав вид, что не услышала моего последнего заявления.

Сухопарая тетка встала со скамейки и быстрым шагом пересекла детскую площадку. Ее тощие ноги, обутые в практичные темно-коричневые туфли на стаканообразном каблуке, безжалостно наступили на «выпеченные» ребятами куличики. Раздался горький плач обиженного малыша, но педагогу не было дела до расстроенного ребенка, она горела желанием испортить жизнь Люсеньке.

— Вы Кузьма Прутков? — сердито осведомилась она.

Я сначала решил, что Раиса Ивановна издевается, но потом вспомнил про запись, столь опрометчиво сделанную мной в одном из дневников Люсеньки, и кивнул:

— Да, только не Кузьма, а Козьма!

— Так вот, господин Прутков, ваша дочь неуправляемая нахалка, она смеет спорить со мной, — метая молнии глазами, завела педагог, — обладает собственным мнением, высказывает его. Что делать с такой школьницей?

— Отрубите ей голову, — бормотнул я.

Люсенька хихикнула и пнула меня ногой, я опомнился, придал лицу выражение голодной гиены и заявил:

— Непременно приму строгие меры.

— Папочка, — подала голос Люсенька, — только не лишай меня компа и телика!

— Именно эту дрянь и следует отнять в первую очередь, — обрадовалась Раиса Ивановна, — пусть читает Пушкина и думает о своем поведении.

Я постарался не возмутиться, интересно, милейшая учительница русского языка и литературы, совершенно спокойно именующая меня «Кузьма Прутков», понимает, что сейчас сказала? Она предлагает наказать девочку... чтением произведений великого поэта?!

— Люся, — каркнули над головой, — чем ты тут занимаешься?

Мы с двоечницей вздрогнули и обернулись. По двору размашистым шагом шел Евгений.

— Привет, Ваня, — сказал сосед, подходя к нам.

— Ваня? — удивилась Раиса Ивановна.

— Да, — живо заюлил я, — у меня двойное имя Козьма-Иван, необычно, но такова была воля родителей. Ха-ха-ха!

— Немедленно иди домой, — приказал Евгений, подтолкнув Люсю к двери подъезда. — Кто сегодня бабушке нагрубил?

— Не смейте трогать чужого ребенка, — возмутилась училка.

— Это моя дочь, — сурово ответил сосед.

— Нет, — возразила «Макаренко», — вот отец девочки, господин Прутков, я очень хорошо его знаю!

Я постарался стать ниже ростом.

— Кто? — взвыл Евгений. — Он?

— Да, — закивала Раиса Ивановна, — ответственный человек, следит за нахалкой, подписывает ее дневник, проверяет отметки.

— Ах вот оно что! — покраснел сосед. — Я давно это подозревал! Да поймать не мог! Ну погоди!

Сжав кулаки, бывший уголовник шагнул в мою сторону.

Люсенька повисла на плече у отца.

— Папулечка, сейчас все объясню! Дядя Ваня тут ни при чем! Это я придумала! Ну-у-у па-а-а-па-а-а!

— Кто папа? — завертела головой совершенно обалдевшая классная руководительница.

Люся осела на тротуар и стала бить пятками по асфальту. Евгений, растеряв всю злобу, наклонился над дочерью, я же бочком шмыгнул в подъезд. Опять я вляпался в неприятность! Ревность Евгения, кстати говоря, совершенно обоснованная, притча во языцех нашего двора.

— Иван Павлович! — замахал руками секьюрити Алексей. — Стойте!

— Что надо? — весьма невежливо гаркнул я.

— Средство для закапывания! Вопрос в кроссворде!

— Извините, но я не способен вам помочь, — взял я себя в руки, — увы, не знаю нужного слова. Лопата, мотыга, кайло, кирка, экскаватор, комбайн, вилы, лом... Чего только не называл, все не подходит! Думаю, в задании ошибка!

— Нет, нет, — потер руки Алексей. — Там не совсем кроссворд, не с клеточками!

— Не суть важно, — я попытался вежливо отделаться от Алексея, — увы, не могу помочь. Может, вам обратиться в Институт русского языка?

— Так я уже отгадал, — снисходительно улыбнулся секьюрити.

Я опешил.

— Вы знаете таинственное слово?

— Да, — с торжеством ответил Алексей.

Мне стало интересно.

— И что это за средство для закапывания?

— Пипетка.

— Пипетка?! — повторил я.

— Ну да, такая стеклянная трубочка, чтобы в нос или в глаз лекарство закапывать, — торжествовал парень. — Я сначала не в ту сторону думал, про землю, а потом напрягся и дотумкал: дурак ты, Лешка, не о совках с лопатами речь идет.

— Молодец, — машинально похвалил я парня и нажал на кнопку. Кабина медленно поползла вверх. «Сначала не в ту сторону думал, а потом напрягся и дотумкал». Увы, так часто случается в жизни, вроде все ясно, понятно, а потом «дотумкаешь» — ситуация-то совсем иная.

Я вынул ключи, и тут из второго лифта вышли страшно довольный Евгений и улыбающаяся Люсенька. На всякий случай я прижался к стене.

— Спасибо, Ваня, — торжественно сказал сосед, — ты молодец! Люська мне все объяснила, извини, что наорал, но любой из себя выйдет в такой ситуации.

— Ерунда, — бодро ответил я, абсолютно не понимая, что дочь наврала папе.

— А скажи-ка... — завел Евгений, и тут Люся перебила его:

— Папуля, пошли скорей, у меня куча вопросов по экономике. Ты же на них ответишь? Кто же лучше тебя разбирается в жизни!

— Постараюсь, доча, — кивнул сосед и вошел в квартиру, Люся подмигнула мне и тоже исчезла за дверью.

Я невольно улыбнулся. Кстати, знаете, в чем состоит основная проблема отцов и детей? Со временем дети перестают задавать вопросы, а родители все продолжают и продолжают на них отвечать.

письма

Советы

от безумной оптимистки

Дарьи Донцовой

Обращение к читателям

***Дорогие мои**, я очень люблю вас, но, увы, не имею возможности сказать о своих чувствах лично каждому читателю. В издательство «Эксмо» на имя Дарьи Донцовой ежедневно приходят письма. Я не способна ответить на все послания, их слишком много, но я обязательно внимательно изучаю почту и заметила, что мои читатели, как правило, либо просят у Дарьи Донцовой новый кулинарный рецепт, либо хотят получить совет. Но как поговорить с каждым из вас?*

Поломав голову, сотрудники «Эксмо» нашли выход из трудной ситуации. Теперь в каждой моей книге будет мини-журнал, где я буду отвечать на вопросы и подтверждать получение ваших писем. Не скрою, мне очень приятно читать такие теплые строки.

Совет № раз Рецепт «Пальчики оближешь»

Мусака

Что нужно:

200 г рубленого мяса,
1 луковица,
20 г томатной пасты или кетчупа,
2 – 3 помидора,
50 г муки,
2 яйца,
100 г сливочного масла,
1/4 л молока,
3 – 4 картофелины,
соль и перец по вкусу.

Что делать:

Мелко нарубленный репчатый лук обжарить на сковороде в 50 г масла вместе с томатной пастой или кетчупом. Добавить рубленое мясо и жарить еще 10-15 мин. Затем в сковороду положить мелко нарезанные помидоры и картофель. Продолжать жарить до тех пор, пока картофель не станет мягким. Посолить, поперчить, переложить массу в форму для запекания или стеклянную огнеупорную миску (высота ее содержимого не должна превышать 5 см). Добавить 1/2 стакана воды, поставить форму в разогретую духовку и запекать до тех пор, пока не выпарится вода. В это время смешать яйца с молоком, мукой и оставшимся маслом. Полученную смесь вылить в форму, равномерно распределив по поверхности. Готовить до появления золотистой корочки.

Приятного аппетита!

Совет № два

Диета для глаз

У всех нас рано или поздно начинаются проблемы со зрением. У кого-то развивается близорукость, у кого-то дальнозоркость. Бороться с возрастными изменениями зрения можно с помощью следующей диеты: ешьте больше шпината, богатого бета-каротином, цитрусовых (это вкусный источник витамина С), отварной говядины (в 100 г говядины содержится 7 мг цинка), и к 70 годам риск потерять зрение уменьшится на 35%. Дело в том, что витамины-антиоксиданты, помогающие организму бороться с возрастным ухудшением зрения, можно получать только с пищей. 114 мг витамина С, 13 мг витамина Е, 3,6 мг бета-каротина и 9,6 мг цинка в день достаточно, чтобы организм справлялся с разрушением сетчатки — главной причиной возрастного ухудшения зрения.

Письма читателей

Дорогие мои, писательнице Дарье Донцовой приходит много писем, в них читатели сообщают о своих проблемах, просят совета. Я по мере сил и возможностей стараюсь ответить всем. Но есть в почте особые послания, прочитав которые понимаю, что живу не зря, надо работать еще больше, такие письма вдохновляют, окрыляют и очень, очень, очень радуют. Пишите мне, пожалуйста, чаще.

Здравствуйте, дорогая Дашенька!

Меня зовут Марина, мне 19 лет. Я ровесница вашей Манюни, но родилась, как ваш супруг, 15 октября. Хочу сказать, что моя жизнь круто изменилась в 2000 году, — «виноваты» ваши книжки. В 2000 году я остро переживала разрыв со своей первой любовью. Отступлю: мама меня родила в 40 лет, я была первой и единственной. С мужем она развелась, и осталась только я, а поэтому у нее и проблемы остались только мои. Она переживала со мной — вечно плачущей дочкой. Решив хоть как-то меня отвлечь от любовных страданий, мама купила вашу книгу. Я вяло поблагодарила и принялась сочинять очередной стишок, ну вроде «ты ушел, я в горе, а-а-а, я тебя люблю, а ты меня нет, ой-ой». Надоело, я взяла книгу и углубилась в приключения Даши. Маму разбудил мой смех, а утром я поняла, что плакать не хочу и я наркозависима от Донцовой. Прошло много времени, я прочитала все ваши детективы, а после вашей автобиографии прошла моя подростковая эпилепсия. По вашему совету решила не жаловаться на тяжкую участь, а жить, радуясь всему. Приступы закончились. В 2002 году, через неделю после моего дня рождения, умерла любимая бабушка. Рыдала ночами три года. После «Записок безумной оптимистки» поехала на кладбище и сказала любимому человеку на фото: «Я буду жить так, что тебе стыдно не будет, я тебя люблю!» Слез больше не было. Самое радостное, что персонажи ваших книг появились в моей жизни. В 2000 году мне подарили питбуля. По родословной он Дастин, но в жизни Бандюша. Трусоватый, добрый, большой черный пес, любящий купаться и кушать.

15-летний пудель Дези — двойник Черрички. Любит орехи, мою тетю Лилю (свою хозяйку), и еще Дезька «не чиста на лапу».

Работа подарила мне любовь — Ваню. Сейчас пишу и шмыгаю носом — сегодня я узнала о прибавлении у нас в семье. А слезы от радости — моей и Ванюши. Писать могу бесконечно, а сейчас хочу сказать спасибо за все, за панацею «книги от Даши». Даже если вы не сможете ответить — ничего. Главное, что я не буду чувствовать себя неблагодарным свином. Ведь «спасибо» за изменения в моей жизни — это очень мало. И завершу свое сумбурное письмо тем, что Ванька называет меня Манюней. После прочтения вашей книги он долго смеялся, а потом сообщил: «А эта Маша очень на тебя похожа. Громкая, добрая и любительница зверушек!» Вот так. А стычки у нас бывают только такими: «Манюня, твои книги везде — и даже в ванной!»

Спасибо еще раз.

Ваша Марина, г. Москва

Уважаемая Дарья Аркадьевна!

С Вашими книгами меня познакомила коллега в один из самых трудных периодов моей жизни — я потеряла одного за другим самых близких мне людей. Было это в 2001 году, с тех пор читаю Ваши книги постоянно, более того, они стали для меня «личным психотерапевтом». И рецепты Ваши, и полезные советы — я их выписываю и часто пользуюсь ими, а книги перечитываю вновь и вновь. Должна заметить, что информация из Ваших книг всегда достоверная.

Я сама педиатр со стажем работы 37 лет, высшая категория 13 лет, за плечами две загранкомандировки. Думаю, что Ваш талант будет востребован и у детей. Очень хотелось бы почитать Ваши детские книжки!

Уважаемая Дарья Аркадьевна!
Спасибо Вам за то, что Вы есть, будьте здоровы и счастливы!
Жду Ваших новых книг.

С уважением, Ваша читательница из г. Калач Волгоградской области

Содержание

Донцова Д. А.

Д 67 Мачо чужой мечты: Роман. Советы от безумной оптимистки Дарьи Донцовой : Советы / Д. А. Донцова. — М.: Эксмо, 2006. — 384 с. — (Иронический детектив).

Иван Подушкин не в состоянии больше терпеть тиранию владелицы детективного агентства «Ниро». Но приходится! К Норе за интервью явилась репортерша из гламурного журнала, и тут же нарисовалась клиентка с жуткой фамилией Умер. Эта самая Соня Умер пришла явно не по адресу, ей нужно получить разрешение от мужа, звезды телеэкрана Андрея Вяльцева, на выезд их общего сына за границу. Однако Нора, не желая упасть лицом в грязь перед журналисткой, заставляет Ваню поехать к телезвезде за разрешением. Взбешенный Вяльцев выставляет Ивана вон! Самое смешное, что Нора на следующий же день раздобыла за деньги необходимый документ, и Подушкин повез его клиентке. Но Ваня нашел в квартире убитую Соню с изуродованным лицом... Вот тут и начались бега Подушкина по пересеченной следами преступников местности...

УДК 82-3
ББК 84(2Рос-Рус)6-4

ISBN 5-699-19407-X
© ООО «Издательство «Эксмо», 2006

Оформление серии *В. Щербакова*

Литературно-художественное издание

Донцова Дарья Аркадьевна

МАЧО ЧУЖОЙ МЕЧТЫ

Ответственный редактор *О. Рубис*
Редактор *Т. Семенова*
Художественный редактор *В. Щербаков*
Художник *Д. Рудько*
Технический редактор *Н. Носова*
Компьютерная верстка *Т. Комарова*
Корректор *Е. Дмитриева*

ООО «Издательство «Эксмо»
127299, Москва, ул. Клары Цеткин, д. 18/5. Тел.: 411-68-86, 956-39-21.
Home page: **www.eksmo.ru** E-mail: **info@ eksmo.ru**

Подписано в печать 31.10.2006. Формат 84×108 1/32.
Гарнитура «Таймс». Печать офсетная. Бумага Classik. Усл. печ. л. 20,16.
Тираж 170 000 экз. Заказ № 0623340.

Отпечатано в полном соответствии с качеством
предоставленного электронного оригинал-макета
в ОАО «Ярославский полиграфкомбинат»
150049, Ярославль, ул. Свободы, 97

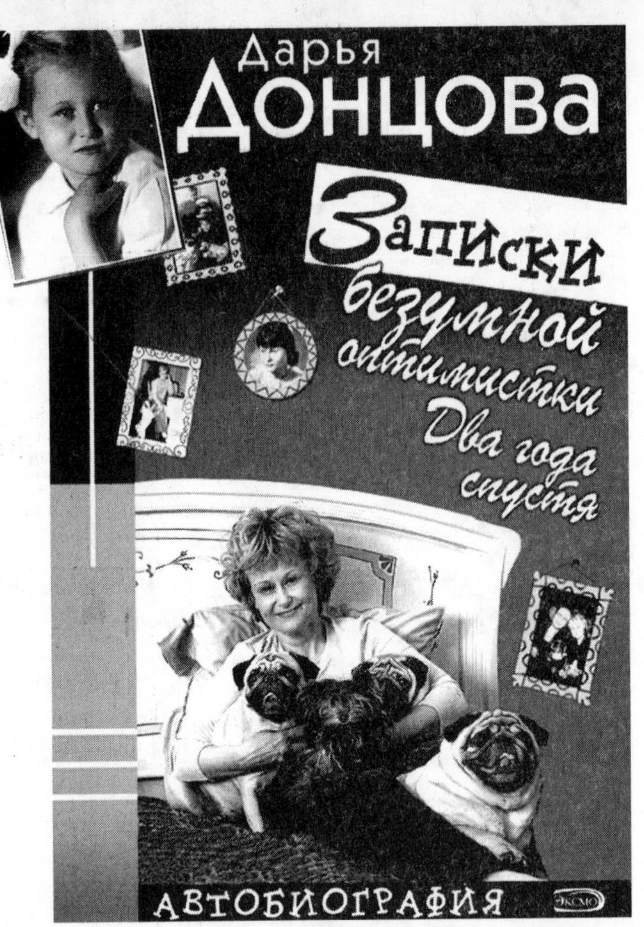

**С момента выхода моей автобиографии прошло два года.
И я решила поделиться с читателем тем,
что случилось со мной за это время...**

«Прочитав огромное количество печатных изданий, я, Дарья Донцова, узнала о себе много интересного. Например, что я была замужем десять раз, что у меня искусственная нога... Но более всего меня возмутило сообщение, будто меня и в природе-то нет, просто несколько предприимчивых людей пишут иронические детективы под именем «Дарья Донцова». Так вот, дорогие мои читатели, чаша моего терпения лопнула, и я решила написать о себе сама».

Дарья Донцова открывает свои секреты!